livre

Cheryl Strayed

livre

A JORNADA DE UMA MULHER EM BUSCA DO RECOMEÇO

Tradução
Débora Chaves

Editora Objetiva Ltda.
Rua Cosme Velho, 103
Rio de Janeiro – RJ – Cep: 22241-090
Tel.: (21) 2199-7824 – Fax: (21) 2199-7825
www.objetiva.com.br

Título original
Wild

Capa
Adaptação de retina 78 sobre design original de Gabriele Wilson

Imagem de capa
iStockphoto

Revisão
Rita Godoy
Lilia Zanetti
Fatima Fadel

Editoração eletrônica
Abreu's System Ltda.

CIP-BRASIL. CATALOGAÇÃO-NA-FONTE
SINDICATO NACIONAL DOS EDITORES DE LIVROS, RJ

S894L

Strayed, Cheryl
Livre: a jornada de uma mulher em busca do recomeço / Cheryl Strayed; tradução Débora Chaves. – Rio de Janeiro: Objetiva, 2013.

Tradução de: Wild
375p. ISBN 978-85-390-0474-4

1. Strayed, Cheryl, 1968- – Viagens – Pacific Crest Trail. 2. Escritores americanos - Biografia. 3. Pacific Crest Trail – Descrições e viagens. I. Título.

13-1147. CDD: 928.13
CDU: 929:821.111(73)

Para Brian Lindstrom

E para nossos filhos,
Carver e Bobbi

SUMÁRIO

PARTE QUATRO: LIVRE

PARTE CINCO: CAIXA DE CHUVA

NOTA DA AUTORA

Para escrever este livro me baseei em meus diários, pesquisei fatos quando foi possível, consultei várias pessoas que aparecem no livro e apelei à minha memória desses acontecimentos e desse período da minha vida. Troquei o nome da maioria das pessoas, mas não de todas, e em alguns casos também mudei detalhes que poderiam identificá-las, a fim de preservar o anonimato. Não há personagens ou acontecimentos fictícios neste livro. Omiti ocasionalmente pessoas e acontecimentos, mas apenas quando essa omissão não tinha nenhum impacto sobre a veracidade ou o conteúdo da história.

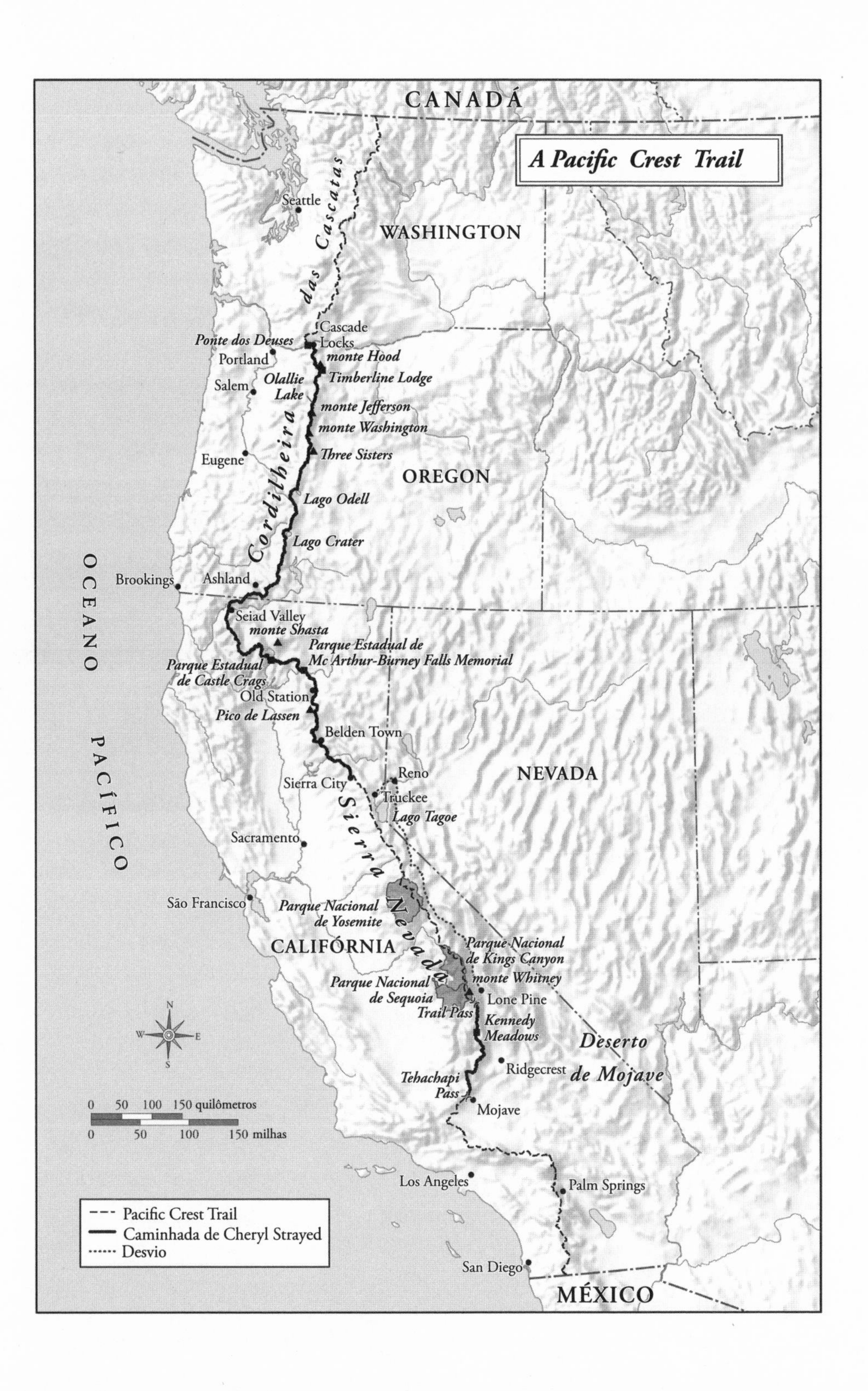

A Pacific Crest Trail
CANADÁ
WASHINGTON
OREGON
NEVADA
CALIFÓRNIA
MÉXICO
OCEANO PACÍFICO
Cordilheira das Cascatas
Sierra Nevada
Deserto de Mojave
Seattle
Cascade Locks
Ponte dos Deuses
Portland
monte Hood
Timberline Lodge
Salem
Olallie Lake
monte Jefferson
monte Washington
Three Sisters
Eugene
Lago Odell
Lago Crater
Brookings
Ashland
Seiad Valley
monte Shasta
Parque Estadual de Mc Arthur-Burney Falls Memorial
Parque Estadual de Castle Crags
Old Station
Pico de Lassen
Belden Town
Reno
Sierra City
Truckee
Lago Tagoe
Sacramento
São Francisco
Parque Nacional de Yosemite
Parque Nacional de Kings Canyon
monte Whitney
Parque Nacional de Sequoia
Lone Pine
Trail Pass
Kennedy Meadows
Ridgecrest
Tehachapi Pass
Mojave
Los Angeles
Palm Springs
San Diego
N
S
E
W
0 50 100 150 quilômetros
0 50 100 150 milhas
Pacific Crest Trail
Caminhada de Cheryl Strayed
Desvio

PRÓLOGO

As árvores eram altas, mas eu estava mais alta, de pé acima delas na encosta íngreme de uma montanha no norte da Califórnia. Momentos antes tinha tirado as botas de caminhada, e a da esquerda caiu nas árvores, primeiro sendo arremessada pelos ares quando minha enorme mochila tombou sobre ela, depois deslizando pela trilha de cascalhos e voando sobre o penhasco. A bota quicou em um afloramento rochoso vários metros abaixo antes de desaparecer no dossel da floresta, impossível de ser resgatada. Respirei fundo, perplexa, embora estivesse em meio à natureza havia 38 dias e àquela altura já soubesse que qualquer coisa podia acontecer e que tudo aconteceria. Mas isso não significa que não fiquei abalada quando aconteceu.

Minha bota estava perdida. Realmente perdida.

Segurei a outra junto ao peito, como um bebê, embora fosse obviamente inútil. De que adianta um pé sem o outro? Nada. Era insignificante, um órfão para todo o sempre, e eu não podia ter piedade. A bota Raichle de couro marrom com cadarço vermelho e presilhas de metal prateado era muito pesada, um verdadeiro fardo. Eu a ergui bem alto e a atirei com toda a força, observando-a cair em meio às árvores frondosas, longe da minha vida.

Estava sozinha. Estava descalça. Tinha 26 anos de idade e também era uma órfã. *Uma verdadeira desgarrada*, como um estranho havia comentado algumas semanas antes, quando lhe disse meu nome e expliquei o quanto estava solta no mundo. Meu pai saiu da minha vida quando eu tinha 6 anos. Minha mãe morreu quando eu tinha 22. Depois de sua morte, meu padrasto se metamorfoseou de uma pessoa que eu considerava um pai em um homem que eu mal reconhecia. Apesar de meus esforços para que ficássemos juntos, meus dois irmãos se afastaram, cada um com sua dor, até que desisti e me afastei também.

Anos antes de arremessar a bota no penhasco daquela montanha, eu mesma estive à beira do abismo. Havia caminhado, perambulado e viajado de trem, de Minnesota a Nova York, ao Oregon e por todo o Oeste, até, enfim, acabar descalça, no verão de 1995, tão solta no mundo quanto presa a ele.

Tratava-se de um mundo em que eu nunca tinha estado e que não conhecia, mas, ainda assim, durante todo o tempo, sabia que estava lá, um mundo no qual eu oscilava entre sofrimento, confusão, medo e esperança. Um mundo que eu achava que podia me transformar tanto na mulher que sabia que poderia vir a ser como na menina que já fui um dia. Um mundo que tinha 60 centímetros de largura e 4.286 quilômetros de comprimento.

Um mundo chamado Pacific Crest Trail.

Tinha ouvido falar dele pela primeira vez apenas sete meses antes, quando estava morando em Mineápolis, triste, desesperada e prestes a me divorciar do homem que ainda amava. Estava esperando na fila de uma loja especializada em esportes ao ar livre para comprar uma pá dobrável quando peguei, em uma prateleira próxima, um livro chamado *The Pacific Crest Trail, Volume I: California* e li a contracapa. A PCT, ele dizia, era uma trilha contínua na natureza selvagem que ia da fronteira do México, na Califórnia, até depois da fronteira canadense e ao longo da crista de nove cadeias de montanhas: Laguna, San Jacinto, San Bernardino, San Gabriel, Liebre, Tehachapi, Sierra Nevada, Klamath e Cascatas. Essa distância em linha reta era de 1.600 quilômetros, mas a trilha tinha mais do que o dobro disso. Atravessando toda a extensão dos estados da Califórnia, do Oregon e de Washington, a PCT cruza parques nacionais e áreas inóspitas, assim como territórios federais, indígenas e particulares; passa por desertos, montanhas e florestas tropicais; rios e autoestradas. Fechei o livro e olhei para a capa, um lago pontilhado por pedras, cercado por penhascos rochosos contra um céu azul, depois o coloquei de volta na prateleira, paguei a pá e saí.

Porém, mais tarde, voltei e comprei o livro. Na época, a Pacific Crest Trail não era um mundo para mim. Era uma ideia vaga e longínqua, cheia de promessas e mistérios. Alguma coisa floresceu dentro de mim quando tracei com o dedo sua linha irregular no mapa.

Eu percorreria aquela linha, decidi, pelo menos o máximo que conseguisse em cerca de cem dias. Estava morando sozinha em um estúdio em Mineápolis, separada do meu marido e trabalhando como garçonete, tão deprimida e confusa quanto jamais estive na vida. Todo dia me sentia como se estivesse no fundo de um poço olhando para cima. Mas foi a partir daquele poço que comecei a me tornar uma aventureira solitária. E por que não? Já fui tantas coisas. Uma esposa apaixonada e adúltera. Uma filha querida que agora passava férias sozinha. Uma pessoa ambiciosa que está sempre se superando, uma aspirante a escritora que pulava de um emprego insignificante para outro enquanto flertava perigosamente com drogas e dormia com homens demais. Era a neta de um mineiro de carvão da Pensilvânia, a filha de um metalúrgico que virou vendedor. Após meus pais se separarem, morei com minha mãe, meu irmão e minha irmã em um conjunto habitacional cheio de mães solteiras e seus filhos. Quando adolescente, morei no estilo de-volta-à-natureza nas florestas do norte de Minnesota, em uma casa que só tinha banheiro do lado de fora, não tinha eletricidade nem água encanada. Apesar disso, virei líder de torcida no ensino médio e rainha do baile no colégio, depois fui para a faculdade e virei uma feminista radical de esquerda.

Mas uma mulher que caminha sozinha 1.770 quilômetros por regiões desabitadas? Nunca tinha sido nada parecido com isso antes. Não tinha nada a perder tentando.

Agora que estava ali, descalça naquela montanha da Califórnia, realmente em outra vida, parecia que tinham se passado anos desde que tomei a discutível e insensata decisão de fazer uma longa caminhada sozinha na PCT para me salvar. Quando acreditei que todas as coisas que fui antes me prepararam para esta jornada. Mas nada tinha ou poderia ter me preparado. Cada dia na trilha era a única preparação possível para o dia seguinte. E, às vezes, nem mesmo o dia anterior me preparava para o que viria a seguir.

Tal como minhas botas voando irrecuperavelmente pela encosta de uma montanha.

A verdade é que fiquei apenas meio triste por perdê-las. Nas seis semanas em que usei aquelas botas, cruzei desertos, neve, passei por árvores e arbustos, gramas e flores de todos os tipos, tamanhos e cores, subi e desci montanhas, andei por campos, clareiras e trechos de terra que não saberia definir, exceto dizer que já estive lá, que já passei por lá e sobrevivi. E nesse meio-tempo aquelas botas provocaram bolhas em meus pés e os deixaram esfolados; fizeram com que as unhas de quatro dedos escurecessem e se soltassem dolorosamente. Não queria mais saber daquelas botas quando elas caíram, nem elas de mim, embora também fosse verdade que as amava. Para mim, tornaram-se mais do que objetos inanimados, viraram extensões de quem eu era, assim como todas as outras coisas que carreguei naquele verão — a mochila, a barraca, o saco de dormir, o purificador de água, o fogareiro ultraleve e o pequeno apito laranja que carregava no lugar de uma arma. Eram coisas que eu conhecia e com as quais poderia contar, coisas que me ajudaram a seguir em frente.

Olhei para as árvores abaixo de mim, as copas altas movimentando-se levemente com a brisa quente. Podiam ficar com as botas, pensei, olhando para a imensa extensão verde. Eu tinha escolhido descansar naquele lugar por causa da vista. Era fim de tarde em meados de julho e eu estava a quilômetros da civilização em todas as direções, a dias de distância da solitária agência do correio de onde retiraria a próxima caixa de suprimentos. Havia a chance de encontrar alguém caminhando na trilha, mas isso aconteceu raras vezes. Em geral, passava dias sem ver outra pessoa. De qualquer forma, não importava se alguém apareceria. Eu estava nessa sozinha.

Olhei para meus pés descalços castigados, com os pedacinhos de unhas remanescentes. Eles estavam fantasmagoricamente pálidos até a altura dos tornozelos, onde normalmente acabavam as meias de lã que eu usava. Minhas panturrilhas logo acima estavam musculosas, douradas e cabeludas, empoeiradas, sujas e cheias de machucados e arranhões. Comecei a caminhar no deserto de Mojave e não planejava parar até tocar com minhas próprias mãos a ponte que cruza o rio Columbia na fronteira Oregon-Washington, e que tem o grandioso nome de Ponte dos Deuses.

Olhei para o norte, em sua direção, a simples lembrança dessa ponte foi como um sinal. Olhei para o sul, de onde vim, para a vastidão de terra que me ensinou e castigou, e considerei as opções. Havia apenas uma, eu sabia. Sempre havia apenas uma.

Continuar andando.

PARTE UM

AS 10 MIL COISAS

A queda de uma coisa desse porte
deveria fazer maior barulho.

WILLIAM SHAKESPEARE
Antônio e Cleópatra

1

AS 10 MIL COISAS

Minha caminhada solitária de três meses pela costa oeste dos Estados Unidos teve muitos começos. Houve a primeira e repentina decisão de fazer a trilha, seguida pela segunda decisão, mais séria, de *realmente* fazer e então o longo terceiro começo, composto de semanas de compras, empacotamento e preparação. Houve o pedido de demissão no emprego de garçonete, a conclusão do divórcio, a venda de quase tudo que eu tinha, a despedida dos amigos e uma última visita ao túmulo da minha mãe. Houve a viagem de carro pelo país, de Mineápolis a Portland, no Oregon, e dias depois o embarque em um voo para Los Angeles, a carona para a cidade de Mojave e outra para o local onde a Pacific Crest Trail cruzava uma autoestrada.

Em que momento, afinal, aconteceu de fato o fazer, rapidamente seguido pelo assustador entendimento de o que fazer significava, seguido pela decisão de desistir de fazer, porque seria absurdo, sem sentido e ridiculamente difícil e muito mais do que eu esperava que seria fazer, e eu estava totalmente despreparada.

E então houve a decisão de realmente fazer a trilha.

Ficar e fazê-la, apesar de tudo. Apesar dos ursos, das cascavéis e das fezes dos pumas que nunca vi; das bolhas e cascas de feridas, dos arranhões e machucados. Da exaustão e da privação; do frio e do calor; da monotonia e da dor; da sede e da fome; do orgulho e dos fantasmas que me assombravam enquanto caminhava sozinha por 1.770 quilômetros do deserto de Mojave ao Estado de Washington.

Por fim, uma vez que realmente fui e fiz, que caminhei todos aqueles quilômetros durante todos aqueles dias, houve a percepção de que o que eu achava ser o começo não tinha sido de fato o começo. Na realidade, minha caminhada pela Pacific Crest Trail não começou quando tomei a repentina decisão de fazê-la. Começou antes de eu sequer imaginar fazê-la, mais precisamente quatro anos, sete meses e três dias antes, quando estava em um pequeno quarto da Clínica Mayo, em Rochester, Minnesota, e soube que minha mãe ia morrer.

Eu estava vestida de verde. Calça verde, camisa verde, arco verde nos cabelos. Era uma roupa que minha mãe tinha costurado — ela fez roupas para mim a vida toda. Algumas eram exatamente o que eu sonhava ter, outras nem tanto. Não era louca pelo conjunto verde, mas o usei de qualquer forma como se fosse uma penitência, uma oferta, um talismã.

Durante todo aquele dia com o conjunto verde, acompanhando minha mãe e meu padrasto Eddie de andar em andar na Clínica Mayo enquanto minha mãe era enviada de um exame para outro, uma oração não me saía da cabeça, embora *oração* não seja a melhor palavra para descrever aquela repetição de palavras. Eu não era humilde diante de Deus. Nem mesmo acreditava em Deus. Minha oração não era: *Por favor, Deus, tenha piedade de nós.*

Eu não pediria misericórdia. Não precisava. Minha mãe tinha 45 anos. Ela parecia bem. Por muitos anos foi quase vegetariana. Plantava cravos nos canteiros do jardim para afastar os insetos em vez de usar pesticidas. Meus irmãos e eu éramos obrigados a engolir dentes de alho cru quando ficávamos resfriados. Pessoas como minha mãe não têm câncer. Os exames na Clínica Mayo provavelmente confirmariam isso, desmentindo o que os médicos de Duluth disseram. Eu tinha certeza. Quem eram afinal de contas aqueles médicos de Duluth? O que era Duluth? *Duluth?* Duluth era uma cidadezinha fria do interior onde os médicos que não sabiam droga nenhuma do que estavam falando diziam a vegetarianos comedores de alho, usuários de remédios naturais e não fumantes de 45 anos que eles tinham câncer de pulmão em estágio terminal, isso era o que era.

Que se fodam.

Essa era minha oração: *quesefodamquesefodamquesefodam quesefodam.*

Ainda assim, ali estava minha mãe na Clínica Mayo, ficando exausta se tivesse que permanecer de pé por mais de três minutos.

— Quer uma cadeira de rodas? — Eddie lhe perguntou quando nos deparamos com uma fila de cadeiras no longo corredor acarpetado.

— Ela não precisa de uma cadeira de rodas — falei.

— Só um pouquinho — disse minha mãe, quase desmoronando em uma, seus olhos encontrando os meus antes que Eddie a empurrasse em direção ao elevador.

Fui atrás, não me permitindo pensar em nada. Estávamos finalmente prestes a encontrar o último médico. O *médico de verdade*, sempre o chamávamos assim. Aquele que reuniria tudo que foi coletado sobre a minha mãe e nos diria a verdade. Enquanto o elevador subia, minha mãe segurou minha calça, esfregando o algodão verde entre os dedos com propriedade.

— Perfeito — ela falou.

Eu estava com 21 anos, a mesma idade que ela tinha quando estava grávida de mim. Ela sairia da minha vida no mesmo momento em que cheguei à dela, pensei. Por alguma razão aquela frase surgiu inteira em minha cabeça naquele instante, temporariamente apagando a oração *quesefodam*. Quase urrei de agonia. Quase morri sufocada com o que eu sabia antes de saber. Viveria o resto da vida sem a minha mãe. Afastei esse pensamento com todas as forças. Não podia me permitir acreditar nisso naquele momento, ali no elevador, e ao mesmo tempo continuar respirando, então, me permiti acreditar em outras coisas. Como por exemplo se um médico lhe dissesse que em breve você morreria, você seria levada para uma sala com uma mesa de madeira brilhante.

E não foi assim.

Fomos levados para uma sala de exames onde uma enfermeira instruiu minha mãe a trocar a blusa por um avental de algodão com tiras penduradas nos lados. Depois de fazer isso, ela subiu em uma cama coberta por um papel branco esticado. Cada vez que ela se mexia a sala se enchia com o ruído do papel rasgando e enrugando sob seu corpo. Eu podia ver suas costas nuas, a pequena curva do corpo abaixo da cintura. Ela não ia morrer. Suas costas nuas pareciam comprovar isso. Estava olhando para ela quando o médico de verdade entrou na sala e disse que minha mãe teria sorte se vivesse por mais um ano. Ele explicou que não tentariam curá-la, que era incurável. Não havia nada que pudesse ser feito, ele nos disse. Descobrir o câncer tão tarde era comum quando se tratava de câncer de pulmão.

— Mas ela não é fumante — retruquei, como se pudesse mudar o diagnóstico, como se o câncer evoluísse de forma racional e negociável. — Ela só fumou quando era jovem. Não fuma um cigarro há anos.

O médico balançou a cabeça com tristeza e foi em frente. Ele tinha um trabalho a fazer. Poderiam tentar amenizar a dor nas costas com radiação, ofereceu. A radiação poderia reduzir o tamanho dos tumores que estavam crescendo ao longo de toda a extensão da coluna vertebral.

Eu não chorei. Apenas suspirei. Horrivelmente. Intencionalmente. E então me esqueci de respirar. Uma vez eu desmaiei, furiosa, aos 3 anos de idade, prendendo a respiração porque não queria sair da banheira, jovem demais para me lembrar disso. *O que você fez? O que você fez?*, perguntei a minha mãe durante toda a minha infância, fazendo com que me contasse a história várias vezes, impressionada e contente com minha própria impetuosidade. Ela tinha estendido as mãos e me observado ficar azul, minha mãe sempre me contava. Tinha esperado eu desmaiar até minha cabeça cair em suas mãos e eu inspirar e voltar à vida.

Respire.

— Posso montar meu cavalo? — minha mãe perguntou ao médico de verdade. Ela se sentou com as mãos firmemente cruzadas e os tornozelos enganchados um no outro. Acorrentada a si mesma.

Como resposta, ele pegou uma caneta, segurou-a reta na beira da pia e bateu com força na superfície.

— Isso é sua coluna depois da radiação — ele disse. — Um solavanco e seus ossos podem esfarelar como um biscoito água e sal.

Fomos ao banheiro feminino. Cada uma se trancou em um compartimento, chorando. Não trocamos uma palavra. Não por nos sentirmos muito sozinhas em nossa dor, mas por estarmos muito imersas nela, como se fôssemos um único corpo em vez de dois. Podia sentir o peso do corpo da minha mãe contra a porta, suas mãos lentamente socando a madeira e fazendo com que toda a estrutura das molduras das cabines balançasse. Um tempo depois saímos para lavar as mãos e o rosto, olhando uma para a outra no espelho brilhante.

Fomos encaminhadas à farmácia para aguardar. Sentei-me entre mamãe e Eddie vestida com o conjunto verde, o arco verde milagrosamente ainda no cabelo. Havia um menino grande e careca no colo de um idoso. Havia uma mulher com um braço balançando violentamente. Ela o segurava com firmeza com a outra mão, tentando acalmá-lo. Ela aguardava. Nós aguardávamos. Havia uma linda mulher de cabelos escuros sentada em uma cadeira de rodas. Usava um chapéu roxo e um punhado de anéis de diamantes. Não conseguíamos tirar os olhos dela. Ela falava em espanhol com as pessoas ao redor, a família e talvez o marido.

— Você acha que ela tem câncer? — minha mãe me perguntou em voz baixa.

Eddie estava sentado do meu outro lado, mas eu não conseguia olhar para ele. Se olhasse, esfarelaríamos como biscoito água e sal. Pensei em minha irmã mais velha, Karen, e meu irmão mais novo, Leif. Em meu marido Paul, e nos pais da minha mãe e em sua irmã, que viviam a mil quilômetros de distância. O que diriam quando soubessem. Como chorariam. Minha oração era diferente agora: *Um ano, um ano, um ano.* Aquelas duas palavras pulsavam como um coração em meu peito.

Esse era o tempo que minha mãe viveria.

— No que você está pensando? — perguntei a ela.

Havia uma música saindo dos alto-falantes da sala de espera. Uma melodia, mas mamãe conhecia a letra e em vez de responder à pergunta cantou suavemente: "*Paper roses, paper roses, oh, how real those roses seemed to be.*" E colocou as mãos sobre as minhas e disse:

— Eu costumava ouvir essa música quando era jovem. É engraçado pensar nisso. Pensar em ouvir a mesma música agora. Nunca teria imaginado.

Então o nome de minha mãe foi chamado: os remédios estavam prontos.

— Vai pegar pra mim — ela disse. — Diz quem você é. Diz que é minha filha.

Eu era sua filha, mas era bem mais do que isso. Eu era Karen, Cheryl, Leif. Karen Cheryl Leif. KarenCherylLeif. Nossos nomes embaralhados em um único nome na boca da minha mãe por toda a minha vida. Ela os sussurrava, gritava, assobiava e até cantava. Éramos suas crianças, seus companheiros, seu fim e seu início. Nós nos revezávamos ao seu lado no banco da frente do carro.

— Será que amo vocês tanto assim? — ela nos perguntava, mostrando uma distância de 15 centímetros com as mãos.

— Não — respondíamos com sorrisos dissimulados.

— Será que amo vocês *tanto* assim — ela repetia, e repetia, e repetia, cada vez afastando mais as mãos. Mas ela nunca chegava lá, não importa o quanto esticasse os braços. O volume de amor que nutria por nós era inalcançável. Não podia ser quantificado ou controlado. Eram as 10 mil coisas nomeadas do universo do Tao Te Ching e então 10 mil além. Seu amor era incondicional, amplo e simples. Todo dia ela gastava todo o seu estoque de amor.

Ela era filha de militar e católica. Morou em cinco estados diferentes e em dois países antes dos 15 anos. Amava cavalos e Hank Williams, e tinha uma melhor amiga chamada Babs. Com 19 anos e grávida, casou-se com meu pai. Três dias depois, ele bateu nela. Ela foi embora e voltou. Foi embora e voltou. Não suportaria aquilo, mas acabou suportando. Ele quebrou seu nariz. E a louça. Ele esfolou os joelhos dela ao arrastá-la pelos cabelos calçada afora em plena luz do dia. Mas ele não a destruiu. Aos 28 anos ela conseguiu deixá-lo pela última vez.

Estava sozinha, com KarenCherylLeif no banco do carona do carro.

Até então morávamos em uma cidadezinha a uma hora de Mineápolis, em uma série de conjuntos habitacionais com nomes enganadoramente elegantes: Mill Pond, Barbary Knoll, Tree Loft e Lake Grace Manor. Ela teve um emprego, depois outro. Serviu mesas num lugar chamado Norseman e em seguida em um lugar chamado Infinity, onde seu uniforme era uma camiseta preta com os dizeres GO FOR IT num arco-íris brilhante no peito. No turno do dia ela trabalhava em uma fábrica que produzia recipientes plásticos capazes de acondicionar produtos químicos altamente corrosivos e levava os refugos para casa. Bandejas e caixas que rachavam ou furavam ou desalinhavam na máquina. Nós os transformávamos em brinquedos — camas para as bonecas, rampas para os carros. Ela trabalhava, trabalhava e trabalhava, e ainda assim éramos pobres. Recebíamos queijo, leite em pó e cartões de assistência médica e alimentar do governo, e presentes de filantropos na época do Natal. Brincávamos de pique, estátua e adivinhação nas caixas de correio do prédio que só podiam ser abertas com chave, esperando pela chegada dos cheques.

"Não somos pobres", minha mãe dizia, e repetia, e repetia. "Porque somos ricos em amor."

Ela misturava corante comestível em água açucarada para fingir que era um drinque especial. Salsaparrilha ou Crush Laranja ou limonada? E perguntava: *Gostaria de outro drinque, madame?*, com um esnobe sotaque britânico que sempre nos fazia rir. Estendia os braços e dizia o preço, e o jogo nunca terminava. Ela nos amava mais do que todas as coisas nomeadas no mundo. Era otimista e serena, exceto nas poucas vezes em que perdeu a calma e nos bateu com uma colher de pau. Ou daquela vez em que gritou *MERDA* e caiu no choro porque não limpamos o quarto. Ela era bondosa e compreensiva, generosa e ingênua. Namorou homens com nomes como o Matador, Doobie e Dan da Motocicleta, e um cara chamado Victor, que gostava de esqui *downhill*. Eles nos davam notas de cinco dólares para comprar bala para que pudessem ficar sozinhos com nossa mãe.

"Olhem para os dois lados", ela gritou para nós enquanto corríamos como um bando de cachorros famintos.

Quando ela conheceu Eddie, não achou que fosse dar certo, porque ele era oito anos mais novo do que ela, mas eles se apaixonaram mesmo assim. Karen, Leif e eu também nos apaixonamos por ele. Ele tinha 25 anos quando o conhecemos e 27 quando se casou com nossa mãe e prometeu ser nosso pai; um carpinteiro que podia construir e consertar qualquer coisa. Saímos do conjunto habitacional com nomes pomposos e nos mudamos com ele para uma casa de fazenda alugada caindo aos pedaços que tinha um porão com chão de terra e quatro cores diferentes de pintura nas paredes externas. No inverno depois que minha mãe se casou com ele, Eddie caiu de um telhado no serviço e quebrou a coluna. Um ano depois, ele e minha mãe pegaram a indenização de 12 mil dólares que ele recebeu e compraram 16 hectares de terra no condado de Aitkin, distante uma hora e meia a oeste de Duluth. Pagaram em dinheiro vivo.

Não havia casa. Ninguém jamais teve uma casa naquela terra. Nossos 16 hectares eram um quadrado perfeito de árvores, arbustos e capim, lagos pantanosos e brejos cheios de tifas. Não havia nada que a diferenciasse de árvores, arbustos, capim e lagos e brejos que cercavam o terreno em todas as direções por quilômetros. Juntos, percorremos repetidamente o perímetro de nosso terreno naqueles primeiros meses como proprietários, forçando caminho através da natureza nos dois lados que não faziam fronteira com a estrada, como se percorrê-la a protegesse do resto do mundo, tornando-a nossa. E lentamente aconteceu dessa forma. Árvores que antes pareciam todas iguais se tornaram tão reconhecíveis como o rosto de velhos amigos em uma multidão, seus galhos movimentando-se com repentino significado, suas folhas sinalizando como mãos reconhecíveis. Touceiras de capim e as margens do agora familiar brejo se tornaram marcos, guias, indecifráveis para todo mundo, menos para nós.

Chamávamos esse terreno de "lá no norte" quando ainda morávamos na cidade a uma hora de Mineápolis. Durante seis meses, íamos para o norte apenas nos finais de semana, trabalhando furiosamente para domar um pedaço da terra e construir uma cabana de papel alcatroado de um cômodo, onde nós cinco pudéssemos dormir. No início de junho, quando eu tinha 13 anos, nos mudamos para o norte de vez. Ou melhor, minha mãe, Leif, Karen e eu nos mudamos, junto com dois cavalos, nossos gatos e cachorros, e uma caixa com dez pintinhos que mamãe ganhou na loja de animais por comprar 11 quilos de ração para galinha. Eddie continuaria a ir nos fins de semana durante o verão, só ficando de vez quando o outono chegou. Sua coluna ficou totalmente boa para que pudesse voltar a trabalhar, e ele conseguiu um emprego como carpinteiro durante a estação movimentada, lucrativa demais para ser desperdiçada.

KarenCherylLeif estavam novamente sozinhos com nossa mãe, da mesma forma que estiveram quando ela estava solteira. Acordados ou dormindo, naquele verão, mal perdíamos um ao outro de vista e raramente encontrávamos alguma outra pessoa. Estávamos a 32 quilômetros de duas pequenas cidades em direções opostas: Moose Lake a leste e McGregor a noroeste. No outono frequentaríamos a escola em McGregor, a menor das duas, com uma população de quatrocentas pessoas, mas durante todo o verão, exceto por visitantes ocasionais — vizinhos distantes que paravam para se apresentar —, éramos nós e nossa mãe. Brincávamos, conversávamos, contávamos piadas e nos distraíamos para passar o tempo.

Quem sou eu?, perguntávamos uns aos outros sem parar, uma brincadeira em que a pessoa que estava "na vez" tinha de pensar em alguém, famoso ou não, e as outras tinham de adivinhar quem era, tendo como base uma série infinita de perguntas de sim ou não: *Você é homem? Você é americano? Você está morto? Você é Charles Manson?*

Brincávamos disso enquanto plantávamos e cuidávamos da horta que nos sustentaria durante o inverno em um solo que foi abandonado à própria sorte durante milênios; ao mesmo tempo progredíamos de forma consistente na construção da casa do outro lado da propriedade e torcíamos para terminá-la por volta do final do verão. Enxames de mosquitos nos atacavam enquanto trabalhávamos, mas mamãe nos proibiu de usar DEET ou qualquer outra substância química igualmente destruidora de cérebros, poluidora da Terra ou potencialmente prejudicial à progênie. Em vez disso, ela nos ensinou a encharcar o corpo com óleo de hortelã ou de poejo. À noite, à luz de velas, brincávamos de contar as picadas em nossos corpos. Os números eram de 79, 86, 103 mordidas.

"Vocês vão me agradecer por isso um dia", mamãe sempre dizia quando meus irmãos e eu reclamávamos de todas as coisas que não tínhamos mais. Nunca vivemos luxuosamente ou mesmo como pessoas de classe média, mas tínhamos vivido entre os confortos da vida moderna. Sempre tivemos uma televisão em nossa casa, sem contar uma privada com descarga e uma pia onde era possível se servir de um copo de água. Em nossa nova vida como pioneiros, mesmo atender às necessidades mais simples quase sempre envolvia uma exaustiva sequência de tarefas rigorosas e de perda de tempo. Nossa cozinha era um fogareiro Coleman para acampamento, uma churrasqueira de chão, uma antiquada caixa de gelo que Eddie construiu e que dependia de gelo de verdade para manter as coisas levemente frias, uma pia solta apoiada na parede externa da cabana e um balde de água com tampa. Cada componente exigia um pouco menos do que proporcionava, precisando ser supervisionado e conservado, abastecido e esvaziado, transportado e despejado, enchido e preparado, e alimentado e monitorado.

Karen e eu dividíamos uma cama em um mezanino, construída tão próxima ao telhado que mal podíamos nos sentar. Leif dormia a poucos metros, em seu próprio mezanino, que era menor, e nossa mãe ficava embaixo, em uma cama no chão, junto com Eddie nos finais de semana. Todas as noites conversávamos antes de dormir, no estilo festa do pijama. Havia uma claraboia no teto que acompanhava o comprimento do mezanino que eu dividia com Karen, vidro transparente a apenas alguns centímetros de nossos rostos. Todas as noites o céu negro e as estrelas brilhantes eram minhas maravilhosas companheiras; acabei enxergando sua beleza e solenidade tão claramente que percebi de forma penetrante que minha mãe tinha razão. Que algum dia eu *seria* grata e que de fato eu estava grata agora, que senti algo crescendo em mim que era forte e verdadeiro.

Foi essa coisa que havia crescido em mim que eu lembrei anos depois, quando minha vida ficou à deriva pelo sofrimento. O que me levaria a acreditar que fazer a caminhada na Pacific Crest Trail era o meu caminho de volta para a pessoa que eu costumava ser.

Na noite de Halloween nos mudamos para a casa que construímos com árvores e pedaços de madeira. Não tinha eletricidade nem água encanada ou telefone ou banheiro interno, nem mesmo um quarto com porta. Ao longo de toda a minha adolescência, Eddie e mamãe continuaram a construir a casa, aumentando-a e fazendo melhorias. Mamãe fez uma horta e preparava conservas, picles e vegetais congelados no outono. Ela sangrava as árvores e fazia *maple syrup*, assava pão, cardava a lã e fazia as próprias tinturas dos tecidos com dentes-de-leão e folhas de brócolis.

Cresci e saí de casa para uma faculdade chamada St. Thomas, em Twin Cities, mas não sem minha mãe. Minha carta de aceitação mencionava que os pais dos alunos podiam assistir gratuitamente às aulas na St. Thomas. Por mais que gostasse de sua vida como pioneira moderna, mamãe sempre quis se formar. Rimos juntas sobre isso e depois, sozinhas, refletimos. Tinha 40 anos e estava velha demais para cursar a faculdade agora, mamãe alegou quando conversamos, e não pude discordar. Além disso, a St. Thomas ficava a três horas de distância. Continuamos a conversar e conversar até finalmente chegarmos a um acordo: ela iria para St. Thomas, mas teríamos vidas separadas, por imposição minha. Eu moraria no dormitório e ela ficaria indo e vindo. Se nossos caminhos se cruzassem no campus, ela não falaria comigo a não ser que eu falasse primeiro.

— Isso provavelmente não vai dar em nada — ela disse assim que concebemos o plano. — É mais provável que eu perca o ano. — Para se preparar, ela acompanhou os meus últimos meses do ensino médio, fazendo todos os trabalhos de casa que eu tinha que fazer, aperfeiçoando suas habilidades. Ela copiava as aulas, escrevia os mesmos textos que eu, lia cada um dos meus livros. Avaliava seu trabalho, usando os critérios de meus professores como guia. Considerei-a uma estudante irregular na melhor das hipóteses.

Ela entrou na faculdade e só tirou nota A.

Às vezes eu a abraçava efusivamente quando a encontrava no campus; outras vezes a ignorava como se não a conhecesse.

Éramos ambas veteranas na faculdade quando soubemos que ela tinha câncer. Nessa época não estávamos mais na St. Thomas. Tínhamos sido transferidas para a Universidade de Minnesota depois do primeiro ano, ela para o campus de Duluth e eu para o de Mineápolis, e para nossa alegria fizemos o mesmo curso. Ela estava se formando tanto em Estudos Feministas quanto em História, eu em Estudos Feministas e Letras. À noite, conversávamos durante uma hora ao telefone. Na época eu era casada com um cara ótimo chamado Paul. Casei-me com ele em meio à natureza, em nossa propriedade, com um vestido de cetim e renda branca que minha mãe costurou.

Depois que ela ficou doente, mudei a minha vida. Disse a Paul que não contasse comigo. Eu teria que ir e vir conforme as necessidades de minha mãe. Quis abandonar a faculdade, mas ela ordenou que eu não o fizesse, implorando que me formasse, não importava o que acontecesse. Ela mesma tirou o que chamou de uma folga. Precisava apenas completar umas poucas aulas para se formar, e faria isso, ela me disse. Tiraria o diploma nem que fosse a última coisa que fizesse, ela disse, e rimos e então nos olhamos sombriamente. Faria os trabalhos na cama. Ela me diria o que digitar e eu digitaria. Logo teria forças suficientes para começar aquelas duas últimas matérias, ela tinha certeza. Continuei estudando apesar de ter pedido permissão aos meus professores para frequentar apenas dois dias por semana. Assim que esses dois dias terminavam, eu corria para casa e ficava com mamãe. Ao contrário de Leif e Karen, que mal conseguiam ficar na presença dela depois que ficou doente, eu não conseguia ficar longe dela. Além disso, eu era necessária. Eddie ficava com ela sempre que podia, mas precisava trabalhar. Alguém tinha de pagar as contas.

Eu preparava a comida que mamãe tentava comer, mas raramente conseguia. Ela achava que estava com fome e depois se sentava como uma prisioneira olhando para a comida em seu prato.

— Parece gostosa — ela dizia. — Acho que vou conseguir comer mais tarde.

Eu limpava o chão. Tirava tudo de dentro dos armários e colocava novos papéis para forrar as prateleiras. Mamãe dormia e gemia, contava e engolia suas pílulas. Nos dias melhores ela se sentava na poltrona e conversava comigo.

Não havia muito a dizer. Ela era tão transparente e efusiva e eu tão questionadora que já tínhamos conversado sobre tudo. Sabia que seu amor por mim era maior do que as 10 mil coisas e também do que as 10 mil coisas além dessas. Sabia os nomes dos cavalos que ela amara quando menina: Pal, Buddy e Bacchus. Sabia que tinha perdido a virgindade aos 17 anos com um garoto chamado Mike. Sabia como ela tinha conhecido meu pai no ano seguinte e que impressão ela teve dele nos primeiros encontros. Sabia como, quando contou aos pais a novidade sobre a gravidez adolescente antes do casamento, seu pai deixara cair a colher. Sabia que ela detestava se confessar e também as muitas coisas que havia confessado. Praguejar e ser desrespeitosa com a mãe, reclamar de ter que colocar a mesa enquanto a irmã mais nova brincava. Usar vestidos para ir à escola e depois trocá-los pelos jeans que ela escondia na bolsa. Ao longo de toda a minha infância e adolescência eu perguntava, perguntava, fazendo com que ela descrevesse essas cenas e muito mais, querendo saber quem disse o quê e como, o que ela sentiu por dentro à medida que essas coisas aconteciam, onde ficava tal e tal coisa e que hora do dia aconteceu. E ela me contava, com relutância ou com prazer, gargalhando ou perguntando por que afinal de contas eu queria saber. Eu queria saber. Não conseguia explicar.

Mas agora que ela estava morrendo eu sabia tudo. Minha mãe já estava em mim. Não apenas as partes dela que eu conhecia, mas as partes que existiam antes também.

Não fiquei muito tempo indo e vindo, entre Mineápolis e minha casa. Pouco mais de um mês. A ideia de que minha mãe viveria um ano rapidamente se tornou um sonho triste. Tínhamos ido à Clínica Mayo no dia 12 de fevereiro. No dia 3 de março ela precisou ir para o hospital em Duluth, a 112 quilômetros de distância, porque estava com muita dor. Enquanto se vestia para sair, percebeu que não conseguia vestir as próprias meias e me chamou em seu quarto, pedindo ajuda. Ela se sentou na cama e eu me ajoelhei diante dela. Nunca tinha colocado meias em ninguém, e foi mais difícil do que imaginei que seria. Elas não deslizavam sobre a pele. Ficavam emboladas. Fiquei furiosa com minha mãe, como se estivesse propositalmente mantendo os pés de um jeito que tornava isso impossível para mim. Ela se reclinou na cama, apoiada sobre as mãos, os olhos fechados. Eu podia ouvi-la respirando profunda e lentamente.

— Droga — eu disse. — *Me ajuda.*

Mamãe me olhou e não disse nada por alguns instantes.

— Querida — ela finalmente disse, me olhando, a mão afagando o alto da minha cabeça. Foi uma palavra que ela usou com frequência ao longo de minha infância, pronunciada em um tom muito específico. Essa não foi da maneira que eu queria que fosse, aquela única palavra, *querida*, mas foi do jeito que foi. Essa aceitação do sofrimento foi o que mais me incomodou em minha mãe, seu infinito otimismo e sua alegria.

— Vamos — eu disse depois de lutar para colocar seus sapatos.

Vestiu o casaco com movimentos lentos e pesados. Ela se segurou nas paredes à medida que avançava pela casa, seus dois adorados cachorros seguindo-a, empurrando os focinhos em suas mãos e coxas. Observei a maneira como ela afagava suas cabeças. Eu não tinha mais preces. A frase *quesefodam* era uma pílula seca em minha boca.

— Adeus, queridos — ela disse para os cachorros. — Adeus, casa — ela disse ao me seguir porta afora.

* * *

Não me passou pela cabeça que minha mãe morreria. O pensamento jamais me veio à mente até ela estar morrendo. Ela era monolítica e intransponível, a guardiã da minha vida. Envelheceria e ainda cuidaria da horta. Essa imagem estava fixada em minha mente, como uma das lembranças de sua infância que fiz com que me explicasse tão detalhadamente que eu lembrava como se fosse minha. Ela ficaria velha e linda como a foto em preto e branco de Georgia O'Keeffe que certa vez lhe enviei. Eu me apeguei rapidamente a essa imagem nas primeiras semanas após deixarmos a Clínica Mayo, mas depois que ela foi internada na ala de doentes terminais em Duluth aquela imagem desapareceu e deu lugar a outras, mais modestas e verdadeiras. Imaginei minha mãe em outubro; gravei a cena em minha mente. E depois a imaginei em agosto e também em maio. Cada dia que passava, era outro mês que ia embora.

Em seu primeiro dia no hospital, uma enfermeira ofereceu morfina a minha mãe, mas ela recusou.

— Morfina é o que se dá a quem está morrendo — ela disse. — Significa que não há esperança.

Mas ela recusou a oferta por apenas um dia. Ela dormia e acordava, conversava e ria. E gritava de dor. Passava os dias com ela e Eddie ficava nas noites. Leif e Karen não apareceram, dando desculpas que eu achava inexplicáveis e enfurecedoras, embora suas ausências não parecessem chatear mamãe. Ela só estava preocupada em acabar com a dor, uma tarefa impossível nos intervalos entre as doses de morfina. Nunca conseguíamos arrumar os travesseiros da forma correta. Uma tarde um médico que eu nunca tinha visto entrou no quarto e explicou que minha mãe estava *efetivamente morrendo*.

— Mas só faz um mês — falei indignada. — O outro médico disse que seria um ano.

Ele não retrucou. Era jovem, talvez tivesse 30 anos. Parou ao lado de minha mãe, a mão suave e peluda enfiada no bolso, e a observou na cama.

— A partir de agora nossa única preocupação é que ela fique confortável.

Confortável, e mesmo assim as enfermeiras tentavam lhe dar a menor dose de morfina possível. Um dos enfermeiros era um homem, e eu podia ver o contorno do pênis na sua calça branca apertada. Eu queria desesperadamente empurrá-lo para o pequeno banheiro que ficava na frente do pé da cama de minha mãe e me oferecer a ele para fazer absolutamente tudo se ele nos ajudasse. Também desejei sentir prazer com ele, sentir o peso de seu corpo sobre o meu, sentir sua boca em meu cabelo e ouvi-lo dizer o meu nome várias vezes, forçá-lo a corresponder, fazer com que isso fosse importante para ele, subjugar seu coração para que ele tivesse piedade de nós.

Quando minha mãe pediu a ele mais morfina, pediu de um jeito que nunca ouvi alguém pedir alguma coisa. Como um cachorro raivoso. Ele não a olhou quando ela lhe pediu isso, mas para o relógio de pulso. Ele manteve a mesma expressão no rosto, independentemente da resposta. Às vezes ele dava a ela sem dizer uma palavra, outras vezes lhe dizia não com uma voz tão suave quanto seu pênis em sua calça. Minha mãe implorava e depois protestava. Ela chorava e suas lágrimas escorriam na direção errada. Não pelas maçãs do rosto em direção aos cantos da boca, mas dos cantos dos olhos para as orelhas e para o ninho de cabelo sobre a cama.

Ela não viveu um ano. Não sobreviveu a outubro ou a agosto ou a maio. Viveu 49 dias após o primeiro médico em Duluth dizer que ela tinha câncer; 34 após o da Clínica Mayo. Mas cada dia era uma eternidade, um empilhado sobre o outro, a fria claridade dentro de uma neblina profunda.

Leif não veio visitá-la. Karen foi uma vez após eu ter insistido que deveria. Eu estava inconsolável e em furiosa negação. "Não gosto de vê-la desse jeito", minha irmã dizia bem baixinho quando conversávamos, e então caía em prantos. Não conseguia falar com meu irmão — onde ele esteve durante essas semanas foi um mistério para mim e para Eddie. Um amigo nos contou que ele estava com uma garota chamada Sue em St. Cloud. Outro o viu pescando no gelo no lago Sheriff. Eu não tinha tempo para fazer muita coisa a respeito, estava ocupada todos os dias ao lado de mamãe, segurando potes plásticos para ela vomitar, ajustando repetidamente os insuportáveis travesseiros, suspendendo-a e colocando-a na cadeira sanitária que as enfermeiras deixavam ao lado da cama, convencendo-a a comer um pouquinho da comida que ela vomitaria dez minutos depois. Geralmente eu a observava dormir, a tarefa mais difícil de todas, vê-la em repouso, o rosto ainda retorcido de dor. A cada movimento, os tubos intravenosos pendurados ao seu redor balançavam e meu coração acelerava, temendo que ela tirasse do lugar as agulhas que ligavam os tubos aos seus pulsos e mãos inchadas.

— Como você está se sentindo? — eu sussurrava esperançosamente quando ela acordava, me esgueirando entre os tubos para arrumar seu cabelo amassado.

— Ah, querida — era tudo que ela conseguia dizer na maior parte das vezes. E então desviava o olhar.

Eu vagava pelos corredores do hospital enquanto mamãe dormia, meus olhos examinando os quartos das outras pessoas conforme passava pelas portas abertas, capturando relances de idosos com tosses fortes e pele arroxeada, e mulheres com ataduras nos joelhos gordos.

— Como você está? — perguntavam as enfermeiras de maneira melancólica.

— Estamos indo — eu dizia, como se eu fosse um nós.

Mas era só eu. Meu marido, Paul, fez tudo o que pôde para que me sentisse menos sozinha. Ainda era o homem gentil e amoroso por quem tinha me apaixonado alguns anos antes, aquele que amei tão fervorosamente a ponto de chocar todo mundo ao me casar com pouco menos de 20 anos, mas assim que mamãe começou a morrer algo dentro de mim morreu em relação a Paul, não importava o que ele dissesse ou fizesse. Ainda assim, ligava para ele todos os dias de um telefone público do hospital durante as longas tardes, ou à noite quando voltava para a casa de mamãe e Eddie. Tínhamos longas conversas durante as quais eu chorava e lhe contava tudo e ele chorava comigo e tentava tornar tudo aquilo um pouquinho melhor, mas suas palavras caíam no vazio. Era quase como se eu não conseguisse ouvi-las. O que ele sabia sobre perder alguma coisa? Seus pais ainda estavam vivos, tinham um casamento feliz. Minha conexão com ele e sua vida gloriosamente impecável apenas parecia aumentar a minha dor. Não era culpa dele. Estar com ele parecia insuportável, mas estar com qualquer outra pessoa também. A única pessoa que eu suportava era a mais insuportável de todas: minha mãe.

Pelas manhãs me sentava perto da cama e tentava ler para ela. Eu tinha dois livros: *O despertar*, de Kate Chopin, e *A filha do otimista*, de Eudora Welty. Eram livros que tínhamos lido na faculdade, livros que amávamos. Então começava, mas não conseguia ir em frente. Cada palavra que eu falava se apagava no ar.

Foi a mesma coisa quando tentei rezar. Rezava fervorosa e furiosamente a Deus, a qualquer Deus, para um Deus que não conseguia identificar ou encontrar. Eu xingava minha mãe por não ter me dado qualquer educação religiosa. Ressentida com a própria criação católica repressiva, evitou a todo custo a Igreja em sua vida adulta e agora estava morrendo e eu não tinha nem Deus. Eu rezava para todo o imenso universo e torcia para que Deus estivesse nele, me ouvindo. Eu rezava e rezava, e depois fraquejava. Não porque não conseguisse encontrar Deus, e sim porque subitamente o encontrei: Deus estava lá, eu percebi, e não tinha a menor intenção de fazer as coisas acontecerem ou não, de salvar a vida da minha mãe. Deus não era um concessor de desejos. Deus era um canalha sem piedade.

Nos últimos dias de vida, mamãe estava mais deprimida do que chapada. Estava recebendo morfina na veia nessa fase, uma bolsa de líquido claro fluindo lentamente por um tubo preso ao seu pulso. Quando acordava, dizia "Oh, oh" ou deixava escapar um suspiro triste. Ela me olhava e então surgia um lampejo de amor. Em outros momentos voltava a dormir como se eu não estivesse lá. Às vezes, não sabia onde estava ao acordar. Pedia uma *enchilada* e um pouco de purê de maçã. Acreditava que todos os animais que um dia amou estavam no quarto junto com ela — e tinham sido muitos. Ela dizia "aquele maldito cavalo quase pisou em mim" e olhava ao redor de forma acusatória, ou suas mãos se moviam para acariciar um gato invisível que dormia em seu colo. Durante esse tempo, queria que mamãe me dissesse que eu havia sido a melhor filha do mundo. Não queria desejar isso, mas desejava, inexplicavelmente, como se tivesse uma febre alta que só poderia ser abrandada por essas palavras. Cheguei a perguntar diretamente: "Eu não sou a melhor filha do mundo?"

Ela respondia que sim, claro que eu era.

Mas isso não era o bastante. Eu queria que aquelas palavras fossem construídas na mente de minha mãe e que fossem ditas espontaneamente a mim.

Eu tinha fome de amor.

Mamãe morreu rápido, mas não de repente. Um fogo queimando lentamente em que as chamas viram fumaça e então a fumaça desaparece no ar. Ela não teve tempo de emagrecer. Estava mudada, mas ainda corpulenta quando morreu, o corpo de uma mulher que estava entre os vivos. Também continuava com cabelo, castanho, quebradiço e sem viço, pelas semanas que ficou de cama.

Do quarto onde ela morreu eu podia ver da janela o grande lago Superior. O maior lago do mundo, e também o mais frio. Para vê-lo, eu precisava me esforçar. Pressionava meu rosto de lado, com força, contra o vidro e então vislumbrava uma fatia dele seguindo impávido rumo ao horizonte.

— Um quarto com vista! — mamãe exclamou, embora estivesse fraca demais para se levantar e olhar o lago. Então, mais serenamente, ela dizia: — Esperei a vida toda por um quarto com vista.

Ela queria morrer sentada, então peguei todos os travesseiros que consegui encontrar e fiz um apoio para as costas. Queria tirá-la do hospital e colocá-la em um campo de milefólios para morrer. Eu a cobri com uma colcha que tinha trazido de casa, uma que ela mesma costurou com retalhos de roupas velhas nossas.

— Tira isso daqui — ela vociferava com brutalidade, movendo as pernas como uma nadadora para tirar a colcha.

Eu vigiava minha mãe. Lá fora o sol refletia nas calçadas e nas beiradas congeladas de neve. Era dia de São Patrício e as enfermeiras lhe trouxeram uma porção quadrada de gelatina verde que ficou tremelicando na mesa ao seu lado. Acabou sendo o último dia pleno de sua vida e na maior parte dele ela manteve os olhos parados e abertos, nem dormindo nem acordada, alternando lucidez e alucinações.

Aquela noite eu a deixei, embora não quisesse. As enfermeiras e os médicos disseram a Eddie e a mim que *era isso*. Entendi aquilo como um aviso de que ela poderia morrer em algumas semanas. Achava que as pessoas com câncer tinham uma sobrevida. Karen e Paul vieram juntos de Mineápolis na manhã seguinte e os pais de mamãe chegaram do Alabama em poucos dias, mas ainda não tinha conseguido encontrar Leif. Eddie e eu ligamos para os amigos de Leif e os pais dos amigos, deixando mensagens suplicantes, pedindo-lhe que ligasse, mas ele não ligou. Decidi deixar o hospital por uma noite para tentar encontrá-lo e trazê-lo até o hospital de uma vez por todas.

— Volto amanhã de manhã — disse à mamãe. Virei-me para Eddie, recostado no pequeno sofá de vinil. — Vou trazer Leif.

Quando ela ouviu seu nome, abriu os olhos: azuis e ardentes, como sempre foram. Apesar de tudo, eles não mudaram.

— Como você pode não estar furiosa com ele? — perguntei a ela com amargura pela décima vez provavelmente.

— Não se pode tirar leite de pedra — ela costumava dizer. Ou, então: "Cheryl, ele tem apenas 18 anos." Mas desta vez ela simplesmente me encarou e disse: "Querida", da mesma forma que disse quando fiquei irritada por causa das meias. Da mesma forma que sempre fez quando me via sofrer porque eu queria que algo fosse diferente do que era e ela tentava me convencer com aquela simples palavra que eu precisava aceitar as coisas do jeito que elas eram.

— Vamos estar todos juntos amanhã — eu disse. — Então ficaremos todos aqui com você, ok? Ninguém vai embora. — Estiquei-me entre os tubos pendurados ao seu redor e acariciei seu ombro. — Eu te amo — falei, me abaixando para beijá-la no rosto, mas ela o evitou, pois a dor era tanta que era difícil até aguentar um beijo.

— Amo — sussurrou ela, fraca demais para dizer *eu* e *te*. — Amo — ela repetiu enquanto eu saía.

Entrei no elevador, depois saí para a rua gelada e caminhei pela calçada. Passei por um bar lotado de pessoas que eu podia ver através de uma ampla janela de vidro espelhado. Estavam todas usando chapéus verdes cintilantes e vestindo camisas verdes com suspensórios verdes, e bebendo cerveja verde. Um homem lá de dentro me encarou e apontou na minha direção, bêbado, o rosto formando uma gargalhada silenciosa.

Fui para casa, alimentei os cavalos e as galinhas, e peguei o telefone, os cachorros, satisfeitos lambendo minhas mãos com gratidão, nosso gato subindo para o meu colo. Liguei para todo mundo que poderia saber onde estava meu irmão. Ele estava bebendo muito, alguns diziam. Sim, era verdade, disseram outros, ele tem saído com uma garota de St. Cloud chamada Sue. À meia-noite o telefone tocou e eu disse a ele que *era isso*.

Eu queria gritar com ele quando entrou pela porta meia hora depois, sacudi-lo com raiva e acusá-lo, mas o máximo que pude fazer quando o vi foi abraçá-lo e chorar. Ele me pareceu tão velho naquela noite e ao mesmo tempo tão jovem. Pela primeira vez percebi que tinha se tornado um homem e ainda assim consegui perceber o menino que ele era. *Meu* menino, aquele que de certa forma criei durante toda a minha vida, sem outra opção além de ajudar mamãe em todas as vezes que ficou ausente por causa do trabalho. Karen e eu tínhamos três anos de diferença, mas fomos criadas como se fôssemos praticamente gêmeas, as duas igualmente responsáveis por Leif quando crianças.

— Não consigo fazer isso — ele repetia enquanto chorava. — Não posso viver sem mamãe. Não posso. Não posso. Não posso.

— Vamos ter que conseguir — retruquei, embora eu mesma não acreditasse nisso.

Deitamos juntos em sua cama de solteiro conversando e chorando ao longo da madrugada até que, lado a lado, caímos no sono.

Acordei algumas horas depois e, antes de acordar Leif, dei comida para os animais e enchi uma sacola de comida para que pudéssemos comer durante nossa vigília no hospital. Às oito da manhã já estávamos a caminho de Duluth, meu irmão dirigindo rápido demais o carro de nossa mãe, enquanto o CD *Joshua Tree* do U2 explodia dos alto-falantes. Ouvimos as músicas com atenção, sem conversar, o sol baixo reluzindo sobre a neve na beira da estrada.

Quando chegamos ao quarto de nossa mãe no hospital, vimos um recado na porta fechada nos instruindo a procurar a enfermagem antes de entrar. Isso era novidade, mas achei que era apenas uma questão de procedimento. Uma enfermeira se aproximou de nós no corredor e, antes que eu falasse, ela disse:

— Colocamos gelo nos olhos dela. Ela queria doar as córneas, então precisamos manter o gelo...

— *O quê?* — falei com tamanha intensidade que ela deu um salto.

Não esperei pela resposta. Corri para o quarto da mamãe, meu irmão logo atrás de mim. Quando abri a porta, Eddie estava de pé e se aproximou de nós com os braços estendidos, mas eu o contornei e me joguei em direção a ela. Seus braços pendiam moles ao lado do corpo, os tubos e as agulhas amarelas, brancas, pretas e azuis tinham sido removidos. Seus olhos estavam cobertos por duas luvas cirúrgicas cheias de gelo com os dedos gordos pendurados de modo cômico sobre seu rosto. Quando a segurei, as luvas deslizaram. Caíram em cima da cama, depois no chão.

Eu gemia sem parar, enfiando meu rosto em seu corpo como um animal. Ela tinha morrido havia uma hora. Os membros estavam gelados, mas a barriga ainda era uma ilha de calor. Pressionei meu rosto no calor e gemi um pouco mais.

Sonhava com ela sem parar. Nos sonhos, estava sempre ao seu lado na hora da morte. Era eu quem a matava. De novo, de novo, de novo. Ela me mandava matá-la e toda vez eu me ajoelhava e chorava, pedindo que não me obrigasse, mas ela não cedia, e toda vez eu, como filha dedicada, no final obedecia. Eu a amarrava a uma árvore em nosso jardim da frente e jogava gasolina sobre sua cabeça, depois ateava fogo. Fazia com que corresse pela estrada de terra que passava em frente à casa que construímos e depois passava com a caminhonete por cima dela. Arrastava seu corpo, preso em uma peça de metal pontuda embaixo do carro até que ele se soltasse, depois engatava a ré na caminhonete e a atropelava novamente. Pegava um bastão de beisebol em miniatura e a espancava até matá-la lentamente, com força e de maneira melancólica. Fazia com que entrasse no buraco que tinha cavado, jogava terra e pedras em cima dela e a enterrava viva. Esses sonhos não eram surreais. Aconteciam em plena luz do dia. Eram como documentários do meu subconsciente e me pareciam reais. Minha caminhonete era realmente a minha caminhonete; nosso jardim da frente era de fato o nosso jardim da frente; o bastão de beisebol em miniatura ficava em nosso closet entre os guarda-chuvas.

Eu não acordava desses sonhos chorando. Acordava gritando. Paul me abraçava até me acalmar. Ele umedecia uma toalha com água gelada e colocava sobre meu rosto. Mas as toalhas molhadas não conseguiam levar embora os pesadelos com minha mãe.

Nada conseguia. Nada podia. Nada nunca poderia trazer de volta a minha mãe ou tornar normal o fato de ela ter morrido. Nada me colocaria ao lado dela no momento em que morreu. Isso me despedaçou. Isso me dilacerou. Isso me destruiu.

Levei anos para assumir meu lugar entre as 10 mil coisas novamente. Para ser a mulher que minha mãe criou. Para lembrar como ela dizia *querida* e visualizar seu olhar especial. Eu sofreria. Eu sofreria. Eu adoraria que as coisas fossem diferentes do que foram. O querer era uma imensidão inexplorada e eu precisava descobrir minha própria saída da floresta. Precisei de quatro anos, sete meses e três dias para conseguir. Não sabia para onde estava indo até chegar lá.

Era um lugar chamado Ponte dos Deuses.

2

SEPARAÇÃO

Se tivesse que desenhar um mapa desses pouco mais de quatro anos para ilustrar o período entre o dia da morte de minha mãe e o dia em que comecei minha caminhada na Pacific Crest Trail, o mapa seria uma confusão de linhas em todas as direções, como a explosão dos fogos de artifício de Quatro de Julho, tendo Minnesota como inevitável ponto central. Ida e volta ao Texas. Ida e volta a Nova York. Para Novo México, Arizona, Nevada, Califórnia e Oregon, e de volta. Ida e volta ao Wyoming. Ida e volta a Portland, no Oregon. Ida e volta a Portland de novo, e de novo. Mas essas linhas não contariam toda a história. O mapa destacaria todos os lugares pelos quais passei, mas não todas as maneiras que tentei ficar. Ele não lhe mostraria como nos meses após a morte de minha mãe eu tentei substituí-la, e fracassei, na intenção de manter a família unida. Ou como lutei para salvar meu casamento, mesmo quando o destruí com minhas mentiras. Ele pareceria apenas com aquela estrela rústica, com cada um de seus raios luminosos explodindo.

Antes de partir para a cidade de Mojave, na Califórnia, na noite anterior ao início da caminhada na PCT, me despedi de Minnesota pela última vez. Tinha até contado a minha mãe, apesar de ela não poder ouvir. Eu me sentei no canteiro de flores na mata de nossa propriedade, onde Eddie, Paul, meus irmãos e eu misturamos suas cinzas com terra e instalamos uma lápide, e expliquei a ela que não estaria mais por perto para cuidar de seu túmulo. O que significava que ninguém o faria. Por fim, eu não tinha mais escolha a não ser deixar que seu túmulo retornasse para as ervas daninhas e para os pinhões e galhos de árvores derrubados pelo vento. Para a neve e para o que mais as formigas, os veados, os ursos-negros e as vespas quisessem fazer com ela. Eu me deitei entre as flores de açafrão, na terra que continha as cinzas de minha mãe, e lhe disse que estava tudo bem. Que eu me rendera. Que tudo havia mudado desde que ela morreu. Coisas que ela jamais imaginaria e não conseguiria sequer adivinhar. Minhas palavras foram ditas em voz baixa e firme. Estava tão triste que parecia que alguém estava me estrangulando e ainda assim parecia que toda a minha vida dependia da minha capacidade de falar essas palavras. Ela seria sempre a minha mãe, eu lhe disse, mas eu precisava ir. Ela não estava mais lá me esperando naquele canteiro de flores de qualquer forma, expliquei. Eu a colocaria em algum outro lugar. O único lugar em que poderia encontrá-la. Em mim.

No dia seguinte, deixei Minnesota para sempre. Estava indo fazer a PCT.

Estávamos na primeira semana de junho. Dirigi até Portland na minha caminhonete Chevy Luv 1979 carregada com uma dúzia de caixas cheias de comida desidratada e suprimentos para acampamento. Tinha passado as últimas semanas organizando as caixas, endereçando cada uma a mim mesma para lugares em que nunca estive, locais ao longo da PCT com nomes como Echo Lake, Soda Springs, Burney Falls e Seiad Valley. Deixei a caminhonete e as caixas com minha amiga Lisa, em Portland, pois ela colocaria as caixas no correio ao longo do verão, e embarquei em um avião para Los Angeles e depois peguei uma carona para Mojave com o irmão de uma amiga.

Chegamos à cidade no começo da noite, o sol estava se pondo nas montanhas Tehachapi, vários quilômetros atrás de nós, na direção oeste. Montanhas em que estaria caminhando no dia seguinte. A cidade de Mojave fica a uma altitude de 853 metros, embora me parecesse, em vez disso, estar no fundo de alguma coisa, as placas de postos de gasolina, restaurantes e motéis surgindo mais altas do que as maiores árvores.

— Pode parar aqui — disse para o homem que me deu carona desde Los Angeles, apontando para um velho letreiro de neon que dizia WHITE'S MOTEL com a palavra TELEVISÃO acima brilhando em amarelo e a palavra VAGAS em rosa mais abaixo. Pelo visual malcuidado do lugar, imaginei que era o hotel mais barato da cidade. Perfeito para mim.

— Obrigada pela carona — disse assim que ele parou no estacionamento.

— De nada — ele respondeu, e me olhou. — Tem certeza de que está bem?

— Sim — respondi com uma confiança forçada. — Viajo sozinha à beça.

Desci com a mochila e duas gigantescas sacolas plásticas de loja de departamento cheias. Minha intenção era ter tirado tudo das sacolas e enfiado na mochila antes de sair de Portland, mas não tive tempo. Em vez disso, trouxe-as para cá. Trouxe tudo comigo para o quarto.

— Boa sorte — disse o homem.

Observei-o sair com o carro. O ar quente tinha gosto de poeira, o vento seco jogava meus cabelos nos olhos. O estacionamento era uma área com piso de pequenos seixos brancos cimentados; o motel, um longo corredor de portas e janelas fechadas com cortinas surradas. Pendurei a mochila nos ombros e peguei as sacolas. Parecia estranho ter apenas essas coisas. De repente me senti desprotegida e menos entusiasmada do que imaginei. Passei os últimos seis meses imaginando aquele momento, mas então, quando estava ali, a apenas alguns quilômetros da PCT, ela parecia menos real do que em meus devaneios, como se fosse um sonho, cada pensamento fluindo lentamente, impulsionado mais pela determinação do que pelo instinto. *Entre lá*, tive que dizer a mim mesma antes de conseguir me mover em direção à recepção do motel. *Peça um quarto*.

— São 18 dólares — disse a senhora que estava atrás do balcão.

Com uma ênfase indelicada, ela olhou sobre meu ombro, através da porta de vidro pela qual entrei momentos antes.

— A não ser que você esteja acompanhada. É mais caro para dois.

— Não estou acompanhada — disse, corando; era apenas quando dizia a verdade que eu parecia estar mentindo. — Aquele cara só me deixou aqui.

— Então, são 18 dólares por enquanto — ela retrucou. — Mas se alguém vier te encontrar, vai ter que pagar mais.

— Ninguém virá me encontrar — disse calmamente.

Tirei uma nota de vinte dólares do bolso do short e a empurrei sobre o balcão até ela. Ela pegou o dinheiro e me deu dois dólares e uma ficha para preencher com uma caneta presa a uma corrente de contas.

— Estou a pé, então não posso preencher a parte do carro — disse, apontando para a ficha. Sorri, mas ela não retribuiu o sorriso. — Além disso, não tenho um endereço. Estou viajando, então...

— Coloque o endereço para o qual você voltará — ela disse.

— Pois é, esse é o problema. Não tenho certeza de onde vou viver depois porque...

— Seus pais, então — ela disse como rispidez. — Onde quer que seja sua casa.

— Tá certo — eu disse, escrevendo o endereço de Eddie, embora na realidade minha ligação com Eddie nos quatro anos desde que minha mãe morreu tenha se tornado tão dolorosa e distante que mal conseguia considerá-lo meu padrasto. Não tinha mais um "lar", ainda que a casa que construímos estivesse lá. Leif, Karen e eu somos inseparáveis enquanto irmãos, mas conversamos e nos vemos raramente, nossas vidas profundamente diferentes. Paul e eu finalizamos nosso divórcio há um mês, após uma desgastante separação de um ano. Eu tinha amigos queridos a quem às vezes me referia como uma família, mas nossos compromissos uns com os outros eram informais e descontínuos, mais familiares em palavras do que em atos. *Sangue é mais espesso do que a água*, minha mãe sempre dizia quando eu estava crescendo, um sentimento que eu questionava com frequência. Mas acabou que não importava se estava certa ou errada. Ambos escaparam de minhas mãos protetoras.

— Pronto — eu disse à mulher, empurrando a ficha sobre o balcão em sua direção, mas ela demorou para se virar para mim. Estava assistindo a uma pequena televisão que ficava sobre a mesa atrás do balcão. O noticiário noturno. Algo sobre o julgamento de O. J. Simpson.

— Você acha que ele é culpado? — ela perguntou, ainda olhando para a TV.

— Parece que sim, mas acho que ainda é cedo pra saber. Ainda não temos todas as informações.

— É claro que foi ele! — ela gritou.

Quando finalmente me deu a chave, atravessei o estacionamento até uma porta no final do prédio, abri e entrei, deixando as coisas no chão e me sentando na cama macia. Estava no deserto de Mojave, mas o quarto era curiosamente escuro, cheirava a carpete úmido e a desinfetante Lysol. No canto, uma caixa de metal branca com saídas de ar deu sinal de vida — um climatizador que soprou um ar gelado por alguns minutos e depois desligou fazendo um barulho estridente que apenas aumentou minha desconfortável sensação de solidão.

Pensei em sair e conhecer alguém. Era uma coisa simples de fazer. Os últimos anos foram um verdadeiro banquete de companhias por uma-duas-ou-três-noites. Pareciam tão ridículos agora, toda aquela intimidade com pessoas que eu não amava e ainda assim ansiava por aquela sensação básica de um corpo contra o meu, apagando todo o resto. Levantei da cama e espantei as lembranças para impedir o desejo em minha mente: *Eu podia ir a um bar. Podia aceitar que um homem me pagasse uma bebida. Podíamos estar de volta aqui em um segundo.*

Bem por trás desse desejo estava a vontade de ligar para Paul. Ele era meu ex-marido agora, mas ainda era meu melhor amigo. Por mais que tivesse me afastado nos anos após a morte da minha mãe, também me apoiei bastante nele. Em meio à minha agonia em grande parte silenciosa a respeito de nosso casamento, tivemos bons momentos e fomos de uma forma estranhamente verdadeira um *casal feliz*.

A caixa de metal branca no canto religou sozinha novamente e me dirigi para a sua frente, deixando que o ar gelado soprasse em minhas pernas nuas. Estava usando as mesmas roupas desde que saíra de Portland na noite anterior, cada peça nova em folha. Era o meu uniforme de caminhada e me sentia um pouco estranha, como se fosse alguém que ainda viria a ser. Meias de lã e botas de couro de caminhada com presilhas de metal. Short azul-marinho com bolsos imponentes que fechavam com tiras de Velcro. Roupa de baixo feita com um tecido de secagem rápida e uma camiseta branca básica sobre um top.

Elas estavam entre as muitas coisas que passei o inverno e a primavera economizando para comprar, trabalhando o máximo de horas que podia no restaurante como garçonete. Quando as comprei, não me pareceram estranhas. Apesar de minhas recentes investidas na tensa vida urbana, podia ser facilmente descrita como uma pessoa *que ama a vida ao ar livre*. Afinal, passei a adolescência delineando-a na natureza de Minnesota. Minhas férias em família sempre envolveram algum tipo de acampamento, assim como as viagens que fiz com Paul ou sozinha ou com amigos. Dormi na caçamba de minha caminhonete, acampei ao ar livre em parques nacionais e florestas mais vezes do que consigo contar. Mas agora, aqui, tendo apenas essas roupas disponíveis, me senti subitamente uma fraude. Há seis meses, quando decidi fazer a caminhada na PCT, tive no mínimo uma dúzia de conversas nas quais expliquei por que essa viagem era uma boa ideia e como eu estava preparada para o desafio. E agora, sozinha em meu quarto no White's Motel, sabia que não podia negar o fato de que estava em território duvidoso.

— Talvez você devesse tentar uma viagem menor primeiro — sugeriu Paul quando, há alguns meses, lhe contei sobre meu plano durante uma de nossas discussões sobre devemos-ficar-juntos-ou-pedir-o-divórcio.

— Por quê? — perguntei com irritação. — Você não acha que posso dar conta?

— Não é isso — ele disse. — É só que você nunca fez uma trilha carregando uma mochila, pelo menos que eu saiba.

— Fiz, sim! — disse indignada, embora ele estivesse certo: não tinha feito.

Apesar de todas as coisas surpreendentes que eu já havia feito que me relacionavam a uma mochileira, nunca tinha realmente andado por uma floresta com uma mochila nas costas e passado lá uma noite inteira. Nem uma vez.

Nunca fui mochileira!, pensei, agora com uma hilaridade deplorável. Olhei rapidamente para a mochila e as sacolas de plástico que trouxe comigo de Portland com coisas que ainda nem tinha tirado da embalagem. A mochila era verde-floresta com detalhes pretos, a parte principal composta de três compartimentos largos guarnecidos por bolsos volumosos de tela e náilon colocados nas laterais como grandes orelhas. Ela ficava em pé sozinha, graças ao apoio de uma base plástica que se projetava junto ao fundo. Que ela ficasse assim em vez de adernada de lado como as outras mochilas me proporcionava um pequeno e estranho conforto. Fui até ela e a toquei na parte de cima como se estivesse acariciando a cabeça de uma criança. Há um mês fui aconselhada com veemência a arrumar a mochila como o faria na caminhada e a sair para um teste. Pretendia fazer isso antes de partir de Mineápolis, mas depois deixei para fazer assim que chegasse a Portland. Acabei não fazendo. Meu teste seria amanhã, no meu primeiro dia na trilha.

Peguei uma das sacolas plásticas e tirei um apito laranja, cuja embalagem proclamava ser "o mais barulhento do mundo". Tirei o apito da embalagem e o segurei pela corda amarela, depois o pendurei no pescoço como se fosse uma treinadora. Será que era para caminhar usando o apito dessa forma? Parecia uma tolice, mas eu não sabia. Como tantas outras coisas, quando comprei o apito mais barulhento do mundo, não pensei em todos os detalhes. Tirei o apito e o amarrei na armação da mochila, de modo que ficasse pendurado acima do meu ombro durante a caminhada. Ali seria mais fácil alcançá-lo, caso fosse necessário.

Precisaria dele?, me perguntei, melancólica, desabando na cama. Já tinha passado a hora de jantar, mas estava ansiosa demais para sentir fome, a solidão era um desconfortável *som surdo* que preenchia meu estômago.

— Você finalmente conseguiu o que queria — Paul disse quando nos despedimos em Mineápolis havia dez dias.

— Consegui o quê? — perguntei.

— Ficar sozinha — ele retrucou sorrindo, embora eu tinha podido apenas acenar de modo incerto com a cabeça.

Era o que eu queria, embora a *solidão* não fosse bem o que eu queria. O que eu precisava ter no que se referia ao amor parecia inexplicável. O fim do meu casamento era o grande desfecho de algo que começou com uma carta que chegou uma semana após a morte de minha mãe, embora o início tenha sido bem antes disso.

A carta não era para mim. Era para Paul. Recente como estava a minha dor, corri animadamente para nosso quarto e entreguei-a, quando vi o endereço do remetente. Era da New School, em Nova York. Na outra vida, apenas três meses antes, quando não sabia que minha mãe tinha câncer, ajudei Paul a se candidatar a um Ph.D. em filosofia política. Em meados de janeiro passado, a ideia de morar em Nova York parecia ser a coisa mais interessante do mundo. Mas agora, no final de março, enquanto ele abria a carta e gritava que tinha sido aceito e eu o abraçava e de todas as maneiras parecia estar celebrando a boa notícia, me senti dividida. Havia a mulher que eu era antes de minha mãe morrer e aquela que eu era agora, minha antiga vida reprimindo o que aparentava ser como uma ferida. O meu eu verdadeiro estava debaixo disso, pulsando sob todas as coisas que costumava achar que sabia. Como eu terminaria a faculdade em junho e poucos meses depois iríamos embora. Como alugaríamos um apartamento no East Village ou em Park Slope, lugares que somente imaginei e li a respeito. Como usaria ponchos estilosos com adoráveis chapéus de tricô e botas da moda enquanto me tornava uma escritora romântica e sem dinheiro como tantos de meus heróis e heroínas literários.

Tudo isso era impossível agora, independentemente do que a carta dizia. Minha mãe estava morta. Minha mãe estava morta. Minha mãe estava morta. Tudo o que sempre imaginei a respeito de mim mesma desapareceu no abismo de seu último suspiro.

Não podia sair de Minnesota. Minha família precisava de mim. Quem ajudaria na educação de Leif? Quem faria companhia a Eddie em sua solidão? Quem prepararia o jantar do Dia de Ação de Graças e manteria as tradições familiares? Alguém tinha que manter o que restou da família. E esse alguém tinha que ser eu. Era o mínimo que podia fazer por minha mãe.

"Você devia ir sozinho", eu disse a Paul enquanto ele ainda segurava a carta. Eu disse isso uma vez, depois outra, durante nossas conversas ao longo das semanas seguintes, minha convicção crescendo dia a dia. Parte de mim estava aterrorizada pela ideia de ele ir embora, outra parte torcia desesperadamente para que ele o fizesse. Se fosse embora, a porta de nosso casamento bateria sem que eu precisasse chutá-la. Eu estaria livre e nada seria minha culpa. Eu o amava, mas fui impetuosa e tinha 19 anos quando nos casamos; nem de longe pronta para me comprometer com alguém, não importa o quanto gostasse dela. Embora me sentisse atraída por outros homens logo depois que nos casamos, mantive o controle. Mas não aguentava mais fazer isso. Meu sofrimento destruiu meu autodomínio. Tanto me havia sido negado, considerei. Por que eu deveria me reprimir?

Minha mãe estava morta havia uma semana quando beijei outro homem. E outro uma semana depois. Só fiz sexo com ele e com os outros que vieram a seguir, jurando não cruzar um limite sexual que tivesse algum significado para mim, mas ainda assim eu sabia que era errado ser infiel e mentir. Senti-me presa na minha própria inabilidade entre deixar Paul ou ser sincera, então esperei que ele me deixasse e fosse sozinho para a faculdade, mas é claro que ele recusou.

Ele adiou a matrícula por um ano e ficamos em Minnesota de modo que eu pudesse ficar perto de minha família, embora minha proximidade no ano após a morte de minha mãe tenha adiantado pouco. Não fui capaz de manter a família unida. Eu não era a mamãe. Só depois de sua morte percebi quem ela era: a força aparentemente mágica no centro de nossa família que nos mantinha girando invisivelmente na poderosa órbita ao seu redor. Sem ela, Eddie aos poucos virou um estranho. Leif, Karen e eu mergulhamos em nossas próprias vidas. Por mais que eu tenha lutado para que isso fosse diferente, finalmente também tive que admitir: sem mamãe não éramos os mesmos; éramos quatro pessoas flutuando isoladamente entre os destroços do nosso sofrimento, ligadas apenas pela mais fina corda. Nunca fiz realmente aquele jantar de Ação de Graças. Na época de Ação de Graças, cerca de oito meses após a morte de mamãe, minha família era algo a que me referia no tempo passado.

Portanto, quando Paul e eu finalmente nos mudamos para a cidade de Nova York, um ano depois do que pretendíamos, eu estava feliz por ir. Lá eu poderia recomeçar. Poderia parar de sair com outros homens. Poderia parar de sofrer intensamente. Poderia parar de me enfurecer por causa da família que tive um dia. Poderia ser uma escritora que morava em Nova York. Andaria por aí usando botas da moda e um charmoso chapéu de tricô.

As coisas não aconteceram dessa forma. Eu era quem eu era: a mesma mulher que pulsava por baixo da ferida da antiga vida, só que agora eu estava em outro lugar.

Durante o dia eu escrevia contos; à noite eu era garçonete e trepava com um dos dois homens com quem eu estava simultaneamente *não fazendo algo inaceitável*. Estávamos morando em Nova York havia apenas um mês quando Paul abandonou a faculdade e decidiu tocar guitarra em vez de estudar. Seis meses depois, fomos embora de vez e fizemos uma breve parada em Minnesota antes de partir para uma longa viagem por todo o oeste, trabalhando e percorrendo um amplo círculo que incluía o Grand Canyon e o Vale da Morte, o Big Sur e São Francisco. No final da viagem, na primavera, chegamos a Portland e arranjamos empregos em restaurantes, ficando inicialmente com minha amiga Lisa em seu microscópico apartamento e depois em uma fazenda distante 16 quilômetros da cidade, onde, em troca de cuidar de uma cabra, um gato e um bando de galinhas exóticas, conseguimos morar durante o verão sem pagar aluguel. Tiramos o acolchoado da caminhonete e dormimos sobre ele na sala de estar, debaixo de uma enorme janela com vista para um pomar de aveleiras. Fazíamos longos passeios, colhíamos frutas silvestres e fazíamos amor. *Eu posso fazer isso*, pensava. *Eu posso ser a esposa de Paul.*

Mas novamente eu estava enganada. Poderia ser apenas quem eu aparentemente tinha que ser. Só que agora um pouco mais. Nem me lembrava da mulher que era antes de minha vida se dividir em duas. Morando naquela pequena casa de fazenda nos arredores de Portland alguns meses após o segundo aniversário da morte de mamãe, não estava mais preocupada em não fazer algo inaceitável. Quando Paul aceitou uma oferta de trabalho em Mineápolis, que exigiu que ele retornasse a Minnesota no meio de nosso bico de cuidar da fase de choco das galinhas exóticas, fiquei no Oregon e trepei com o ex-namorado da dona das galinhas. Trepei com um cozinheiro do restaurante onde trabalhei servindo mesas. Trepei com um massagista que me deu um pedaço de torta cremosa de banana e uma massagem gratuita. Os três em um espaço de tempo de cinco dias.

Para mim era como deviam se sentir as pessoas que se cortam de propósito. Não é bonito, mas eficiente. Não é bom, mas não há arrependimento. Eu estava tentando me curar. Tentando tirar o mal de dentro de mim para que pudesse ser boa novamente. Queria me curar de mim mesma. No final do verão, quando voltei a Mineápolis para morar com Paul, achei que tinha conseguido. Achei que estava diferente, melhor, *resolvida*. E estive por um tempo, navegando confiante pelo outono e entrando no ano novo. Então tive outro caso. Sabia que era o fim da linha. Não conseguia mais me suportar. Precisava finalmente falar para Paul as palavras que destroçariam a minha vida. Não que não o amasse. Mas que precisava ficar sozinha, embora não soubesse a razão.

Minha mãe estava morta havia três anos.

Quando falei todas as coisas que tinha a dizer, nós dois caímos no chão e choramos. No dia seguinte, Paul se mudou. Aos poucos contamos aos amigos que estávamos nos separando. Esperávamos conseguir resolver bem isso, dissemos. Não estávamos necessariamente nos divorciando. Primeiro, eles não acreditavam — parecíamos tão *felizes*, todos diziam. Depois, ficavam zangados, não conosco, mas comigo. Uma das minhas melhores amigas tirou a fotografia que tinha de mim do porta-retratos, rasgou ao meio e me mandou pelo correio. Outra trepou com Paul. Quando me senti ferida e senti ciúmes disso, ouvi de outra amiga que aquilo era exatamente o que eu merecia: provar do meu próprio veneno. Não tinha direito de discordar, mas meu coração estava partido. Ficava deitada em nosso acolchoado me sentindo quase levitar de tanto sofrimento.

Três meses separados e ainda estávamos em um tortuoso limbo. Eu não queria voltar para Paul, mas também não queria me divorciar. Queria ser duas pessoas de modo que pudesse fazer as duas coisas. Paul estava saindo com um pequeno número de mulheres, mas eu subitamente me tornei celibatária. Agora que tinha destruído meu casamento por causa do sexo, sexo era a última coisa que tinha na cabeça.

— Você precisa dar o fora de Mineápolis — disse minha amiga Lisa durante uma de nossas dolorosas conversas tarde da noite. — Vem me visitar em Portland — continuou.

Em uma semana pedi demissão de meu emprego de garçonete, carreguei a caminhonete e dirigi rumo a oeste pela mesma rota que faria um ano depois a caminho da Pacific Crest Trail.

Ao chegar a Montana, sabia que tinha feito a coisa certa — a imensidão verde visível por quilômetros através do meu para-brisa, o céu se estendendo bem além. A cidade de Portland piscava do outro lado, ainda fora de vista. Seria a minha agradável fuga, ainda que por pouco tempo. Lá eu deixaria os meus problemas para trás, pensei.

Em vez disso, só encontrei mais.

3

CURVADA EM UMA POSIÇÃO REMOTAMENTE ERETA

Quando acordei na manhã seguinte em meu quarto no White's Motel, tomei um banho e fiquei nua em frente ao espelho, me observando solenemente enquanto escovava os dentes. Tentei sentir algo parecido com excitação, mas só surgiu mesmo um desconforto soturno. Às vezes eu conseguia me ver, realmente me ver, e uma frase me vinha à cabeça, trovejando como um deus em minha mente, e conforme me olhava, diante daquele espelho manchado, o que me vinha era *a mulher com um buraco no coração*. Essa era eu. Foi por isso que senti falta de uma companhia na noite passada. Foi por isso que estava aqui, nua em um motel, com essa ideia absurda de fazer uma caminhada sozinha durante três meses. Coloquei minha escova de dente na pia e me inclinei para o espelho; olhei fixamente para meus próprios olhos. Podia sentir a minha desintegração interior como uma flor perdendo as pétalas ao vento. Cada vez que movimentava um músculo, outra pétala voava de mim. *Por favor*, pensei. *Por favor*.

Fui até a cama e olhei para a roupa de caminhada. Eu a estiquei cuidadosamente na cama antes de tomar uma chuveirada, do modo que mamãe fazia para mim no primeiro dia da escola quando eu era criança. Quando coloquei o top e a camiseta, as pequenas casquinhas que ainda contornavam minha nova tatuagem prenderam na manga da camiseta, e eu cuidadosamente puxei-as. Era a minha única tatuagem, um cavalo azul no meu deltoide esquerdo. Paul tinha uma combinando. Havíamos feito juntos em homenagem ao nosso divórcio, que tinha finalmente terminado havia um mês. Não éramos mais casados, mas as tatuagens pareciam comprovar nossa eterna ligação.

Eu estava com mais vontade ainda de ligar para Paul do que na noite passada, mas não podia me permitir. Ele me conhecia muito bem. Escutaria a melancolia e a hesitação em minha voz e entenderia que não era apenas porque me sentia ansiosa por iniciar a trilha. Ele perceberia que eu tinha algo para falar.

Coloquei as meias e amarrei as botas, fui até a janela e puxei a cortina. O sol estava refletindo as pedras brancas do estacionamento. Havia um posto de gasolina do outro lado, um bom lugar para pegar uma carona para a PCT, imaginei. Quando soltei a cortina, a sala ficou escura novamente. Eu gostava desse jeito, como um casulo aconchegante que eu nunca precisaria ter que deixar, embora soubesse que estava errada. Eram nove horas da manhã e já estava quente lá fora, a caixa de metal branco no canto deu sinal de vida com seu ruído refrescante. Apesar de tudo indicar que eu estava indo para lugar algum, eu tinha um lugar para estar: era o primeiro dia na PCT.

Abri os compartimentos da mochila e tirei tudo dela, jogando cada item na cama. Peguei as sacolas plásticas e as esvaziei também, depois olhei para a pilha de coisas. Era tudo o que eu precisava carregar pelos próximos três meses.

Lá estava o saco de compressão azul que guardava as roupas que eu ainda não tinha usado: uma calça de lã, uma camiseta térmica de manga comprida, um casaco grosso de lã com um capuz, dois pares de meias de algodão e dois conjuntos de calcinha e sutiã, um par de luvas finas, um chapéu, um gorro de lã, calças à prova d'água e outro saco reforçado, chamado de saco estanque, cheio até a boca de todo tipo de comida que eu precisaria nos próximos 14 dias até chegar à primeira parada para reabastecimento, um lugar chamado Kennedy Meadows. Havia o saco de dormir, uma cadeira dobrável que podia ser estendida e usada como base para o saco de dormir e uma lanterna de cabeça como aquelas usadas pelos mineiros, mais cinco cordas elásticas. Havia o purificador de água e um minúsculo fogareiro dobrável, um cartucho comprido de gás de alumínio e um pequeno isqueiro rosa. Havia uma panela pequena encaixada dentro de uma panela maior, utensílios que dobravam ao meio e um par de sandálias esportivas baratas que eu pretendia usar no acampamento no fim de cada dia. Tinha um pacote de toalhas de secagem rápida, um chaveiro-termômetro, uma lona e uma caneca térmica de plástico com alça. Tinha um kit para mordida de cobra, um canivete suíço, um binóculo em miniatura em um estojo de couro falso fechado com zíper, um rolo de corda fluorescente, uma bússola que ainda não sabia usar e um livro que me ensinaria a usá-la chamado *Staying Found* (Orientando-se), que pensei em ler no avião para Los Angeles, mas não li. Tinha um kit de primeiros socorros em um imaculado estojo de lona vermelha que fechava com um clique, um rolo de papel higiênico em um saco ziplock e uma pequena espátula de aço inox, dentro de um estojo preto com a frase U-Dig-It na frente. Tinha uma pequena sacola de artigos de higiene e objetos pessoais que achei que precisaria ao longo do caminho, com xampu, condicionador, sabonete, loção e desodorante, cortador de unha, repelente de inseto e protetor solar, pente, esponja menstrual natural e um hidratante labial com protetor solar. Tinha uma lanterna, um lampião de metal com uma vela votiva dentro e uma vela sobressalente, um serrote dobrável — para quê eu não sei — e uma bolsa de náilon verde com a barraca dentro. Tinha duas garrafas plásticas de água com capacidade para um litro e um reservatório de hidratação com capacidade para 10 litros, uma capa de náilon do tamanho de um punho que, desenrolada, protegia a mochila, e uma bola de Gore-Tex que virava uma capa de chuva. Tinha coisas que eu trouxe de casa para o caso de as outras coisas que eu trouxe falharem, como pilhas extras, caixa de fósforos à prova d'água, uma manta isotérmica e um frasco de comprimidos de iodo. Tinha duas canetas e três livros além de *Staying Found, The Pacific Crest Trail, Volume 1: California* (o mesmo guia que me levou à jornada, escrito por quatro autores que descrevem em um tom calmo, porém austero, os rigores e as recompensas da trilha), *Enquanto agonizo*, de William Faulkner, e *The Dream of a Common Language* (O sonho de uma língua comum), de Adrienne Rich. Havia um bloco de duzentas páginas, do tamanho 8x11, que eu usava como diário e um saco ziplock com a minha carteira de motorista, um pequeno maço de dinheiro, um bolo de selos postais e um bloco espiral pequeno com os endereços de amigos anotados em algumas páginas. Havia uma máquina fotográfica Minolta X-700, 35mm, de qualidade profissional, com um conjunto de lentes zoom e de flash acopláveis e um pequeno tripé dobrável, tudo arrumado dentro de um estojo acolchoado do tamanho de uma bola de futebol.

Não que eu fosse uma fotógrafa.

Fui a uma loja de esportes ao ar livre em Mineápolis chamada REI pelo menos uma dúzia de vezes ao longo dos últimos meses para comprar boa parte desses itens. Raramente era uma tarefa simples. Comprar até mesmo um cantil sem primeiro analisar cuidadosamente a mais recente tecnologia aplicada aos cantis era besteira, rapidamente aprendi. Havia prós e contras sobre vários materiais que precisavam ser considerados, sem contar a pesquisa que foi feita em relação ao design. E isso era somente a menor e menos complexa parte das compras que tive que fazer. O restante dos equipamentos que precisaria era ainda mais complexo, percebi após conversar com homens e mulheres da REI sempre dispostos a me ajudar quando me encontravam diante de uma vitrine de fogareiros superleves ou percorrendo a seção de barracas. Esses atendentes variavam de idade, comportamento e afinidade com cada setor de aventura na natureza, mas o que tinham em comum era que todos podiam conversar sobre os equipamentos com interesse e sutileza por um tempo tão inacreditável que no fundo me deixava encantada. Eles se *importavam* se meu saco de dormir tinha um protetor de zíper que não emperrava e um protetor para o rosto que permitia o capuz ser ajustado de forma confortável e sem impedir a respiração. Ficavam *satisfeitos* com o fato de que meu purificador de água tinha um elemento de fibra de vidro pregueado para aumentar a superfície de filtragem. O conhecimento deles conseguiu ser transferido para mim. Quando tomei a decisão de qual mochila comprar, o modelo mais caro da Gregory com armação externa híbrida que proclamava ter o equilíbrio e a agilidade de uma mochila com armação interna, me senti como se tivesse me tornado especialista em acampar.

Foi apenas quando estava de pé olhando para a pilha de equipamentos meticulosamente escolhidos estendidos na cama do quarto no hotel em Mojave que percebi com profunda humildade que não era.

Comecei a organizar as coisas, apertando, socando e forçando tudo em todo espaço disponível da mochila até que não cabia mais nada.

Tinha planejado usar as cordas elásticas para amarrar o saco de comida, a barraca, a lona, o saco de roupas e a cadeira de acampar que virava cama no lado de fora da mochila, nos lugares da armação externa feitos para isso, mas agora era nítido que havia outras coisas que teriam que ficar do lado de fora também. Usei a corda elástica para amarrar todas as coisas que planejei e depois também prendi algumas outras nelas: as tiras das sandálias, o estojo da máquina fotográfica e as alças da caneca térmica e do lampião. Prendi o estojo U-Dig-It com a espátula de metal à barrigueira da mochila e o chaveiro-termômetro em um de seus zíperes.

Quando acabei, sentei-me no chão, suada por conta do esforço, e olhei com tranquilidade para a mochila. E então me lembrei de um último detalhe: a água.

Escolhi aquele ponto de partida para começar a trilha basicamente porque estimei que dali eu levaria cerca de cem dias para chegar a Ashland, no Oregon, lugar onde originalmente planejei terminar a caminhada porque ouvi falar bem da cidade e achei que poderia gostar de morar lá. Meses atrás eu tinha traçado no mapa uma rota para o sul, somando os quilômetros e os dias, e parei no desfiladeiro de Tehachapi, onde a PCT cruza a Highway 58 no trecho noroeste do deserto de Mojave, não muito longe da cidade de Mojave. O que não tinha percebido até algumas semanas atrás era que comecei a caminhada em um dos trechos mais áridos da trilha, um trecho onde até o trilheiro mais rápido, mais preparado fisicamente e mais experimentado nem sempre conseguia encontrar todo dia uma fonte de água. Para mim, isso seria impossível. Eu demoraria dois dias para cobrir os 27 quilômetros e alcançar a primeira fonte de água, portanto teria que levar o suficiente para aguentar chegar lá.

Enchi as garrafas de um litro na pia do banheiro e coloquei-as nos bolsos laterais telados da mochila. Desencavei o reservatório de hidratação do lugar onde o enfiei no compartimento principal da mochila e enchi seus 10 litros de água. Água, aprendi mais tarde, pesa um quilo por litro. Não sei qual era o peso de minha mochila naquele primeiro dia, mas sei que só de água tinha 12 quilos. E eram incômodos 12 quilos. O reservatório era como uma gigantesca bola achatada de água, balançando, adernando e escorregando de minhas mãos, e rolou sozinho para o chão quando tentei amarrá-lo na mochila. O cantil tinha tiras nas bordas; com grande esforço eu prendi as cordas elásticas nele, ao lado do estojo da máquina e das sandálias e da caneca térmica e do lampião, até ficar tão frustrada que tirei a caneca e a joguei do outro lado do quarto.

Por fim, quando tudo o que eu ia levar estava em seu devido lugar, uma calma se abateu sobre mim. Estava pronta para começar. Coloquei o relógio, pendurei os óculos escuros no pescoço com o cordão de neoprene rosa, vesti o chapéu e olhei para a mochila. Parecia ao mesmo tempo enorme, compacta, quase adorável e assustadoramente independente. Ela tinha uma característica animadora; em sua companhia eu não me sentia totalmente sozinha. De pé, ela vinha na altura da minha cintura. Segurei-a e me abaixei para levantá-la.

Ela não saiu do lugar.

Eu me agachei e agarrei sua armação de forma mais vigorosa e tentei levantá-la novamente. Mais uma vez ela não se mexeu. Nem um centímetro. Tentei levantá-la com as duas mãos, firmei as pernas e peguei-a com um abraço de urso, com todo o fôlego, toda a determinação e força, enfim, com tudo o que eu tinha para dar. Ainda assim não consegui. Era exatamente como tentar levantar um Fusca. Ela parecia tão linda, tão *pronta* para ser levantada e, no entanto, era impossível fazer isso.

Sentei no chão ao seu lado e refleti sobre a situação. Como eu poderia carregar uma mochila por mais de 1.600 quilômetros sobre montanhas pedregosas e desertos áridos se não conseguia sequer mexer um centímetro dela em um quarto com ar-condicionado? A ideia era absurda e ainda assim eu *tinha* que levantar aquela mochila. Não me passou pela cabeça que eu não conseguiria. Simplesmente pensei que se eu somasse todas as coisas que eu precisava para fazer a caminhada seria igual a um peso que eu podia carregar. As pessoas da REI, isso era verdade, mencionaram o peso com frequência em seus monólogos, mas não tinha prestado muita atenção. Parecia haver questões mais importantes a serem consideradas, como, por exemplo, se o protetor para o rosto do saco de dormir permitiria que o capuz fosse ajustado de forma confortável sem impedir a minha respiração.

Refleti sobre o que poderia tirar da mochila, mas cada item me parecia tão obviamente necessário ou mais ainda em-caso-de-emergência que não ousei retirar nada. Teria que carregar a mochila do jeito que estava.

Deslizei pelo carpete e fiquei de costas bem na frente da mochila, enfiei os braços nas alças e fechei a tira peitoral. Respirei fundo e comecei a balançar para a frente e para trás a fim de pegar impulso até que finalmente me atirei para a frente com tudo nas costas e fiquei apoiada nas mãos e nos joelhos. A mochila já não estava mais no chão. Estava oficialmente presa a mim. Ainda parecia um Fusca, só que agora parecia que eu estava com o Fusca estacionado nas minhas costas. Fiquei naquela posição por alguns minutos, tentando me equilibrar. Lentamente, mexi os pés e simultaneamente escalei a grade metálica de refrigeração com as mãos até ficar na vertical o suficiente para fazer um levantamento terra. A armação da mochila rangeu quando levantei, também se esforçando com o enorme peso. Quando fiquei de pé, o que significava ficar curvada em uma posição remotamente ereta, estava segurando a grade metálica de ventilação que acidentalmente arranquei da unidade de refrigeração devido ao esforço.

Eu não podia nem começar a recolocá-la no lugar. O lugar para o qual eu tinha que ir ficava a apenas alguns centímetros do meu alcance, mas aqueles centímetros estavam inteiramente fora de questão. Encostei a grade na parede, afivelei a barrigueira e comecei a cambalear e a oscilar pelo quarto, meu centro de gravidade se deslocando para qualquer direção que eu inclinasse. O peso marcava dolorosamente os meus ombros de modo que ajustei com mais força a barrigueira, na tentativa de equilibrar a carga, o que apertou minha barriga com tanta força que a carne estufou e escapou para os lados. Minha mochila se ergueu como uma capa por trás de mim, elevando-se vários centímetros acima da minha cabeça e me prendendo de cima até o cóccix como um torno. A sensação era horrível e no entanto talvez isso era ser um mochileiro.

Eu não sabia.

Só sabia que estava na hora de ir, então abri a porta e caminhei em direção à luz.

PARTE DOIS

RASTROS

As palavras são propósitos.
As palavras são mapas.

ADRIENNE RICH,
Diving into the Wreck

Você me aceita como eu sou?
Me aceita?

JONI MITCHELL,
California

4

PACIFIC CREST TRAIL, VOLUME 1: CALIFORNIA

Fiz um monte de coisas estúpidas e perigosas na vida, mas pegar carona com um estranho ainda não tinha sido uma delas. Coisas horríveis acontecem com quem pega carona, principalmente com mulheres sozinhas. Elas são estupradas e decapitadas. Torturadas e abandonadas para morrer. Mas no caminho entre o White's Motel e o posto de gasolina, não podia permitir que esse tipo de pensamento me atrapalhasse. A não ser que eu quisesse andar os quase 20 quilômetros ao longo do escaldante acostamento da autoestrada para chegar à trilha, eu precisava de uma carona.

Além disso, pegar carona era basicamente o que os trilheiros da PCT *faziam* quando necessário. E eu era uma trilheira da PCT, certo? *Certo?*

Certo.

O *Pacific Crest Trail, Volume 1: California* explicou o processo com sua habitual serenidade. Em algumas ocasiões, a PCT cruzaria uma estrada e haveria uma agência do correio alguns quilômetros à frente, para onde você devia enviar a caixa com os alimentos e os suprimentos necessários à próxima parte da trilha. Pegar uma carona era a única solução prática quando se tratava de pegar essas caixas e retornar à trilha.

Parei perto da máquina de refrigerantes, do outro lado do posto de gasolina, observando as pessoas indo e vindo, tentando arranjar coragem para me aproximar de uma delas, torcendo para sentir que estaria segura quando visse a pessoa certa. Vi homens idosos e grisalhos com chapéus de caubói, famílias cujos carros já estavam lotados e adolescentes que estacionavam com a música explodindo pelas janelas abertas. Ninguém em especial parecia ser um assassino ou estuprador, mas da mesma forma ninguém em especial parecia não ser. Comprei uma lata de Coca-Cola e a tomei com um ar casual que camuflava o fato de que eu não podia ficar completamente de pé por conta do inacreditável peso nas costas. Por fim, precisava agir. Eram quase 11 da manhã, as horas lançando-se gradualmente no calor de um dia de junho no deserto.

Uma minivan com placa do Colorado estacionou e dois homens saíram. Um homem tinha mais ou menos a minha idade, o outro parecia ter uns 50 anos. Aproximei-me deles e pedi uma carona. Eles hesitaram e olharam um para o outro, as expressões deixando claro que os dois buscavam silenciosamente uma razão para dizer não, portanto continuei falando, explicando rapidamente sobre a PCT.

— Tudo bem — disse o mais velho finalmente, com nítida relutância.

— Obrigada — vibrei como uma adolescente.

Quando manquei em direção à grande porta lateral da van, o homem mais jovem a abriu para mim. Olhei para seu interior, percebendo subitamente que não tinha a menor ideia de como entrar. Eu não podia nem tentar entrar com a mochila nas costas. Precisava tirá-la, mas ainda assim, como fazer isso? Se desafivelasse as tiras que prendiam as alças da mochila ao redor do meu peito e dos meus ombros, não conseguiria evitar que ela caísse violentamente, podendo até arrancar fora os meus braços.

— Precisa de ajuda? — o homem mais novo perguntou.

— Não. Estou bem — respondi em um tom falsamente calmo. A única coisa que consegui pensar foi virar de costas para a van e me agachar, de modo a me sentar na moldura da porta enquanto segurava na borda da porta de correr e deixava que a mochila encostasse no chão atrás de mim. Foi uma felicidade. Desafivelei as tiras da mochila e cuidadosamente me desprendi sem inclinar a mochila e então me virei para entrar na van e sentar ao seu lado.

Os homens ficaram mais simpáticos assim que pegamos a estrada, indo de carro para o oeste por uma paisagem árida de arbustos ressecados e montanhas pálidas se perdendo no horizonte. Eram pai e filho de um subúrbio em Denver, a caminho de uma cerimônia de formatura em San Luis Obispo. Logo depois, uma placa que anunciava o desfiladeiro de Tehachapi apareceu e o homem mais velho diminuiu a velocidade e parou no acostamento da estrada. O rapaz saiu e abriu a porta grande para mim. Tinha esperança de colocar a mochila da mesma forma que a tirei, ajudada pela altura do piso da van enquanto agachada à porta, mas antes que conseguisse descer o homem pegou a mochila e a colocou pesadamente no chão de terra na lateral da estrada. Ela caiu com tanta força que achei que o reservatório de hidratação fosse estourar. Desci atrás dela, a empurrei de volta à posição reta e bati a poeira.

— Tem certeza de que consegue levantar a mochila? — ele perguntou. — Porque *eu* mal consegui.

— É claro que consigo — eu disse.

Ele ficou ali parado, como se estivesse esperando que eu provasse isso.

— Obrigada pela carona — eu disse, querendo que ele fosse embora, de modo que não pudesse testemunhar a minha humilhante rotina de colocar a mochila.

Ele acenou com a cabeça e fechou a porta de correr da van.

— Cuide-se.

— Pode deixar — eu disse, observando-o voltar para a van.

Fiquei parada na rodovia silenciosa depois que eles se afastaram. Rajadas de poeira eram sopradas em forma de pequenos redemoinhos debaixo de um brilhante sol da tarde. Estava a quase 1.200 metros de altitude, cercada em todas as direções por montanhas bege e aparentemente áridas, pontilhadas por concentrações de artemísias, árvores-de-josué e chaparrais de um metro de altura. Eu estava no limite oeste do deserto de Mojave e na base sul da Sierra Nevada, a enorme cadeia de montanhas que se estendia para o norte por mais de 640 quilômetros até o Parque Nacional de Lassen Volcanic, onde ela se juntava com a cordilheira das Cascatas, que ia desde o norte da Califórnia, através do Oregon e de Washington, até atravessar a fronteira canadense. Essas duas cadeias de montanhas seriam o meu mundo pelos próximos três meses; seus picos, o meu lar. Em um mourão depois da vala, avistei o brilho de um marco de metal do tamanho de uma mão que dizia PACIFIC CREST TRAIL.

Cheguei. Podia finalmente começar.

Lembrei que seria o momento perfeito para tirar uma foto, mas pegar a máquina exigiria a remoção de tal sequência de equipamentos e cordas elásticas que nem quis tentar. Além disso, para tirar uma foto de mim mesma, teria que encontrar um ponto de apoio para a máquina para que eu pudesse acertar o temporizador e correr para o lugar antes que disparasse, e nada ao redor me parecia muito promissor. Mesmo o mourão da cerca no qual o marco da PCT estava preso parecia muito ressecado e frágil. Em vez disso, me sentei no chão diante da mochila da mesma forma que fiz no quarto do hotel, amarrei-a sobre os ombros e depois me atirei para a frente, ficando apoiada nas mãos e nos joelhos para dar o impulso e ficar de pé.

Exultante, nervosa, curvada em uma posição remotamente ereta, afivelei e ajustei a mochila e ensaiei os primeiros passos na trilha em direção a uma placa de metal marrom que estava pregada em outro mourão da cerca. Quando levantei a aba do chapéu, vi um bloco e uma caneta dentro. Era o livro de registro da trilha sobre o qual li a respeito em meu guia. Escrevi o meu nome e a data e li os nomes dos trilheiros que passaram por ali nas semanas anteriores, a maioria homens viajando em duplas, nenhuma mulher sozinha. Demorei um pouco mais, sentindo uma onda de emoção pelo momento e depois percebi que não havia nada a fazer a não ser seguir em frente, então eu segui.

A trilha seguia para leste, em paralelo à autoestrada por um tempo, descendo pelo leito rochoso de um rio seco e subindo novamente. *Eu estou fazendo a trilha!*, pensei. E então, *estou na Pacific Crest Trail.* Foi esse exato ato de caminhar vindo do fundo da minha alma que me fez acreditar que uma viagem desse tipo era um empreendimento viável. O que é fazer uma trilha senão caminhar, afinal de contas? *Eu consigo caminhar!*, argumentei quando Paul demonstrou preocupação com o fato de eu nunca ter realmente feito uma trilha. Eu andava o tempo todo. Eu caminhava durante horas em meu trabalho de garçonete. Caminhava nos arredores das cidades em que vivia e nas que visitava. Caminhava por prazer e necessidade. Todas essas coisas eram verdade. Mas, após aproximadamente 15 minutos caminhando na PCT, ficou claro que nunca caminhei em montanhas desérticas no início de junho com uma mochila amarrada nas costas que pesava significativamente mais da metade do que eu pesava.

O que, como ficou claro, não tem muita coisa a ver com caminhar. Na realidade, parece mais o inferno do que uma caminhada.

Comecei a ficar ofegante e suar imediatamente, a poeira grudando nas botas e panturrilhas enquanto a trilha virava para o norte e começava a subir em vez de ziguezaguear. À medida que eu subia, cada vez mais, cada passo era um trabalho árduo, interrompido apenas por pequenas descidas eventuais, que não eram exatamente tréguas no inferno e sim um novo tipo de inferno, já que eu precisava me firmar a cada passo para que a força da gravidade não me jogasse para a frente e me fizesse cair devido ao meu incrível e incontrolável peso. Eu tinha a sensação de que a mochila não estava tão presa a mim quanto eu a ela. Como se eu fosse um edifício com membros, desconectado da base, adernando em meio à natureza selvagem.

Dentro de quarenta minutos, a voz dentro da minha cabeça estava gritando: *No que eu fui me meter?* Tentei ignorá-la e cantarolar enquanto caminhava, embora tenha achado muito difícil cantarolar ao mesmo tempo em que ofegava, gemia em agonia e tentava permanecer curvada naquela posição remotamente ereta e também me jogava para a frente enquanto me sentia como um edifício com pernas. Então, tentei basicamente me concentrar no que ouvia, nos meus pés ressoando na trilha seca e rochosa, nas folhas quebradiças e nos galhos dos arbustos baixos balançando com o vento quente, mas isso não era possível. O clamor *No que eu fui me meter?* era um grito poderoso. Não podia ser ignorado. A única distração possível era a busca vigilante por cascavéis. Imaginava uma em cada curva, pronta para me atacar. A paisagem era feita para elas, parecia. E também para pumas e astutos serial killers da natureza.

Mas eu não estava pensando neles.

Foi um acordo que fiz comigo mesma alguns meses antes e a única coisa que me permitiu fazer a trilha sozinha. Sabia que, se deixasse o medo tomar conta, minha jornada estaria condenada. O medo, de certa forma, nasce da história que contamos a nós mesmos, portanto escolhi contar uma história diferente da história a que as mulheres estão acostumadas. Decidi que estava segura. Que era corajosa. Que nada podia me vencer. Insistir nessa história era uma forma de controlar a mente, mas, para a maior parte das coisas, ela funcionou. Toda vez que eu ouvia um som de origem desconhecida ou que sentia algo horrível se fixando na minha imaginação, eu o afastava. Simplesmente não me permitia ter medo. Medo gera medo. Energia gera energia. Eu me determinei a gerar energia. E não demorou muito para que eu realmente *não sentisse* sentir medo.

Eu estava me esforçando muito para ter medo.

Dei um passo e depois outro, me movendo de forma quase rastejante. Não achei que a caminhada na PCT seria fácil. Sabia que demoraria um pouco para me acostumar. Mas agora que estava ali, não tinha tanta certeza de que me acostumaria. Caminhar na PCT era diferente do que tinha imaginado. *Eu* era diferente do que tinha imaginado. Não conseguia sequer lembrar o que eu tinha imaginado havia seis meses, em dezembro passado, quando tomei a decisão de fazer isso.

Eu estava dirigindo em um trecho da autoestrada a leste de Sioux Falls, na Dakota do Sul, quando tive a ideia. Tinha dirigido de Mineápolis a Sioux Falls no dia anterior com a minha amiga Aimee para pegar a minha caminhonete, que ficou lá na semana anterior, ao enguiçar quando estava emprestada com um amigo.

Quando cheguei com Aimee a Sioux Falls, minha caminhonete havia sido rebocada. E estava em um estacionamento cercado por uma cerca de arame e enterrada na neve de uma nevasca que tinha caído alguns dias antes. Foi por causa dessa nevasca que fui à REI no dia anterior para comprar uma pá. Enquanto esperava na fila do caixa para pagar, avistei um guia sobre algo chamado Pacific Crest Trail. Peguei, olhei a capa e li a contracapa antes de devolvê-lo a seu lugar na prateleira.

Assim que Aimee e eu tiramos a caminhonete da neve naquele dia em Sioux Falls, entrei e liguei o carro. Achei que não ouviria nada a não ser aquele clique seco que os carros fazem quando não têm nada a oferecer, mas ele ligou de primeira. Podíamos ter voltado a Mineápolis, mas acabamos decidindo passar a noite em um hotel. Saímos para jantar cedo em um restaurante mexicano, entusiasmadas com a inesperada facilidade de nossa jornada. Enquanto comíamos tortilhas com molho e bebíamos margueritas, senti uma estranha sensação na boca do estômago.

— É como se eu tivesse engolido uma tortilha inteira — eu disse a Aimee. — Como se as bordas ainda estivessem intactas e me espetando por dentro.

Senti-me cheia e com umas pontadas na barriga, como nunca me sentira antes.

— Talvez esteja grávida — brinquei, e no momento em que falei isso percebi que não estava brincando.

— Você está? — perguntou Aimee.

— Posso estar — respondi, subitamente aterrorizada. Tinha transado sexo havia algumas semanas com um cara chamado Joe. Tinha o conhecido no verão anterior, em Portland, quando fui visitar Lisa e fugir dos problemas. Estava lá havia apenas alguns dias quando ele me abordou em um bar e colocou a mão no meu pulso.

— *Legal* — ele disse, contornando com os dedos as extremidades afiadas de meu bracelete de metal.

Ele tinha o cabelo estilo punk-rock cor de néon, cortado rente ao crânio, e uma tatuagem chamativa que cobria metade do braço, embora o rosto fosse exatamente o contrário desses disfarces: obstinado e gentil, como um gatinho querendo leite. Ele tinha 24 anos e eu 25. Não dormia com ninguém desde que me separei de Paul havia três meses. Naquela noite transamos no chão, em cima do volumoso futon de Joe, e mal dormimos, conversando até o sol nascer, basicamente sobre ele. Ele me contou sobre a mãe inteligente, o pai alcoólatra, e a sofisticada e rigorosa faculdade onde tinha se formado no ano anterior.

— Você já experimentou heroína? — ele perguntou pela manhã.

Balancei a cabeça negativamente e ri de forma casual.

— Deveria?

Eu podia ter deixado para lá. Joe tinha acabado de começar a usar heroína quando nos conhecemos. Era algo que fazia longe de mim, com um grupo de amigos dele que eu não conhecia. Poderia ter passado direto por cima disso, mas algo me impeliu a fazer uma parada. Eu estava curiosa. Eu estava disponível. Em minha juventude e meu sofrimento, eu estava pronta para me autodestruir.

Portanto, não apenas disse sim à heroína. Eu me agarrei a ela com as duas mãos.

Estava enroscada com Joe após o sexo em seu sofá caindo aos pedaços quando usei pela primeira vez, uma semana após conhecê-lo. Nós nos revezávamos inalando a fumaça da brasa da pasta preta de heroína colocada sobre uma folha de alumínio em um cachimbo igualmente feito de alumínio. Em poucos dias eu não estava mais em Portland para visitar Lisa e fugir do meu sofrimento. Estava em Portland movida a drogas e meio que apaixonada por Joe. Eu me mudei para o apartamento dele em cima de uma farmácia abandonada, onde passamos a maior parte do verão fazendo sexo ousado e usando heroína. No início era algumas vezes por semana, depois, a cada dois dias e então todo dia. Primeiro nós a fumamos, depois a cheiramos. *Mas nunca iríamos injetar!*, garantimos. Absolutamente nunca.

Então injetamos.

Era bom. Como algo incrivelmente lindo e fora deste mundo. Como se eu tivesse encontrado um planeta de verdade que eu não sabia que conhecia, mas que sempre esteve lá. O planeta Heroína. O lugar onde não existe dor, onde era digno de pena, mas basicamente normal que minha mãe tivesse morrido, que meu pai biológico não fizesse parte da minha vida e que minha família tivesse entrado em colapso e eu não conseguisse continuar casada com o homem que amava.

Pelo menos era assim que eu me sentia quando estava drogada.

Nas manhãs, meu sofrimento era multiplicado por mil. Nas manhãs, não havia apenas esses fatos tristes da minha vida. Agora tinha também o fato adicional de que eu era um monte de merda. Acordava no quarto nojento de Joe incomodada com cada detalhe banal: a luminária e a mesa, o livro que caiu e ficou de cabeça para baixo e aberto, as páginas frágeis amassadas no chão. No banheiro, eu lavava o rosto, soluçava nas mãos por alguns rápidos segundos e me aprontava para o trabalho de garçonete que consegui em um lugar que servia café da manhã. Eu pensava: *Esta não sou eu. Esta não é como eu sou. Pare com isso. Deixa disso*. Mas à tarde eu voltava com um bolo de dinheiro para comprar mais um pouco de heroína, e pensava: *Sim. Eu tenho que fazer isso. Eu tenho que desperdiçar minha vida. Tenho que ser uma viciada.*

Mas não era para ser assim. Lisa me ligou um dia e disse que queria me ver. Eu continuava em contato com ela, passava longas tardes em sua casa, insinuando no que estava metida. Assim que entrei em sua casa desta vez, sabia que algo estava acontecendo.

— Então, me conta sobre a heroína — ela exigiu.

— Heroína? — retruquei cinicamente.

O que eu poderia dizer? Era inexplicável, mesmo para mim.

— Não estou ficando viciada, se é com isso que você está preocupada — falei, apoiada na bancada da cozinha enquanto ela varria o chão.

— É isso que está me preocupando — ela disse de modo firme.

— Bem, não se preocupe — eu disse.

Expliquei o que estava fazendo da forma mais racional e alegre que consegui. Só fazia alguns meses. Logo pararíamos.

Joe e eu estávamos simplesmente nos divertindo, fazendo algo pelo prazer de fazer.

— É verão! — exclamei. — Lembra que foi você que sugeriu que eu viesse pra cá relaxar? Estou relaxando. — Sorri, mas ela não sorriu junto. Lembrei-a de que nunca me envolvera com drogas antes; que bebia álcool com moderação e controle. Gostava de experimentar, disse a ela. Era uma artista. O tipo de mulher que dizia sim, em vez de dizer não.

Ela contestou cada afirmação, questionou cada racionalização. Ela varreu, varreu e varreu o chão à medida que nossa conversa virava uma discussão. Por fim ficou tão furiosa comigo que me deu uma vassourada.

Voltei para a casa de Joe e conversamos sobre como Lisa simplesmente não entendia.

Então, duas semanas depois, Paul me telefonou.

Ele queria me ver. Agora. Lisa contou a ele sobre Joe e sobre meu uso de heroína e ele imediatamente dirigiu 273 quilômetros desde Mineápolis para conversar comigo. Encontrei com ele uma hora depois no apartamento de Lisa. Era um dia quente e ensolarado no fim de setembro. Tinha feito 26 anos na semana anterior. Joe tinha esquecido. Era o primeiro aniversário da minha vida em que ninguém me desejou Feliz Aniversário.

— Feliz Aniversário — disse Paul quando entrei.

— Obrigada — eu disse, de maneira extremamente formal.

— Pensei em te ligar, mas não tinha seu telefone, quero dizer, do Joe.

Acenei com a cabeça. Era estranho vê-lo. Meu marido. Um fantasma da minha vida real. A pessoa mais verdadeira que conheci. Sentamos à mesa da cozinha com os galhos de uma figueira batendo de leve na janela ao lado, a vassoura com a qual Lisa me bateu encostada na parede.

Ele disse:

— Você está diferente. Parece tão... Como posso dizer? Parece não estar aqui.

Sabia o que ele queria dizer. A maneira que me olhava revelava tudo o que eu me recusava a escutar de Lisa. Eu *estava* diferente. Eu não estava lá. A heroína tinha me deixado assim. E apesar disso a ideia de abandoná-la parecia impossível. Olhar diretamente para o rosto de Paul me fez entender que eu não conseguia pensar direito.

— Pelo menos me diz por que você está fazendo isso com você — ele pediu, com os olhos bondosos, o rosto tão familiar a mim.

Ele se inclinou sobre a mesa e segurou minhas mãos, e nós nos aproximamos um do outro, olhos nos olhos, as lágrimas primeiro desceram pelo meu rosto e depois pelo rosto dele. Ele queria que eu fosse para casa com ele naquela tarde, ele disse com tranquilidade. Não para me reconciliar com ele, mas para fugir. Não de Joe, mas da heroína.

Eu disse que precisava pensar. Voltei ao apartamento de Joe e me sentei no sol na cadeira que Joe deixava na calçada em frente ao prédio. A heroína me fez ficar estúpida e distante de mim mesma. Um pensamento tomava forma e depois desaparecia. Mal conseguia fazer a minha mente funcionar, mesmo quando não estava drogada. Enquanto estava sentada, um homem chegou perto de mim e disse que seu nome era Tim. Ele pegou a minha mão, me cumprimentou e disse que eu podia confiar nele. Aí perguntou se eu poderia lhe dar três dólares para comprar fraldas, depois se podia usar o meu telefone do apartamento, depois se eu tinha troco para uma nota de cinco dólares, e assim foi fazendo uma série de perguntas esquisitas e contando histórias tristes que me confundiram e me fizeram levantar e tirar os últimos dez dólares que eu tinha do bolso do meu jeans.

Quando ele viu o dinheiro, tirou uma faca da camisa. E a segurou quase que educadamente contra o meu peito e sussurrou:

— Passa o dinheiro, meu bem.

Coloquei minhas poucas coisas na mala, escrevi um bilhete para Joe e o prendi no espelho do banheiro, e liguei para Paul. Quando ele encostou na esquina, entrei em seu carro.

Sentei no banco do carona, e enquanto atravessávamos o campo, sentia a minha vida de verdade presente, mas inalcançavel. Paul e eu brigamos, choramos e sacudimos o carro com a nossa raiva. Fomos monstruosos em nossa crueldade e então conversamos educadamente depois disso, chocados um com o outro e com nós mesmos. Decidimos que nos divorciaríamos e depois que não nos divorciaríamos. Eu o odiava e o amava. Com ele, me sentia presa, marcada, controlada e amada. Como uma filha.

— Não pedi pra você vir me resgatar — gritei ao longo de uma de nossas discussões. — Você veio por suas próprias razões. Só assim você pode ser um grande herói.

— Talvez — ele disse.

— Por que você veio de tão longe me buscar? — perguntei, ofegante em minha dor.

— Porque — ele disse, segurando o volante e olhando para a noite estrelada através do para-brisas. — Porque sim.

Vi Joe algumas semanas depois, quando ele veio me visitar em Mineápolis. Não éramos mais um casal, mas imediatamente voltamos aos nossos velhos hábitos, nos drogando todos os dias durante a semana em que ele ficou lá, transando algumas vezes. Mas quando ele foi embora, encerrei a história. Com ele e com a heroína. Não pensei mais nisso até estar sentada com Aimee em Sioux Falls e perceber a sensação bizarra de estar sendo-espetada-por-bordas-afiadas-de-pedaços-inteiros-de-tortilha em meu estômago.

Saímos do restaurante mexicano e fomos a um grande supermercado em busca de um teste de gravidez. Enquanto caminhávamos pela loja iluminada, silenciosamente argumentei comigo mesma que provavelmente não estava grávida. Eu me esquivei dessa bala muitas vezes, me afligi e me preocupei sem motivo, imaginando sintomas de gravidez tão convincentes que ficava assustada quando a menstruação chegava. Mas agora eu tinha 26 anos, bastante experiência sexual; não ia me render a outro susto.

De volta ao hotel, fechei a porta do banheiro e fiz xixi na vareta de teste enquanto Aimee sentava na cama do lado de fora. Em poucos segundos, duas linhas azul-escuras apareceram no pequeno painel do teste.

— Estou grávida — disse quando saí, as lágrimas brotando em meus olhos.

Aimee e eu reclinamos na cama e conversamos sobre isso por uma hora, embora não houvesse muito a dizer. Que eu faria um aborto era um fato tão nítido que parecia tolice discutir qualquer outra coisa.

São quatro horas de carro de Sioux Falls a Mineápolis. Aimee me seguiu no carro dela na manhã seguinte, para o caso de minha caminhonete quebrar novamente. Dirigi sem ouvir o rádio, pensando na minha gravidez. Era do tamanho de um grão de arroz e ainda assim podia senti-la na parte mais profunda e forte de mim mesma; me deixava arrasada, provocava mudanças drásticas e reverberava. Em algum lugar das terras cultiváveis a sudoeste de Minnesota, eu caí no choro, chorava tão forte que mal conseguia dirigir, e não era pela gravidez que eu não queria. Estava chorando por tudo, pela lama doentia em que transformei minha vida desde que minha mãe morreu, pela existência idiota na qual transformei a minha vida. Não fui criada para ser assim, para viver assim, para fracassar de forma tão soturna.

Foi então que me lembrei daquele guia que peguei em uma prateleira da REI enquanto esperava para comprar a pá alguns dias antes. Direta como um murro na cara, a lembrança da fotografia de capa, de um lago pontilhado por pedras cercado por penhascos rochosos e um céu azul, parecia me libertar. Achei que estava apenas fazendo o tempo passar quando peguei o livro enquanto esperava na fila, mas agora ele parecia ser algo mais — um sinal. Não apenas do que eu poderia fazer, mas do que precisava fazer.

Quando Aimee e eu chegamos a Mineápolis, me despedi dela em sua saída, mas não peguei a minha. Em vez disso, dirigi até a REI, comprei o *Pacific Crest Trail, Volume 1: California,* o levei para o apartamento e fiquei lendo a noite toda. Li o livro diversas vezes ao longo dos meses seguintes. Fiz o aborto e aprendi como fazer flocos desidratados de atum e como fazer carne de peru seca me inscrevi em um curso de atualização de primeiros socorros e pratiquei usando meu purificador de água na pia da cozinha. Eu precisava mudar. *Eu tinha que mudar* era o pensamento que me motivou naqueles meses de planejamento. Não me tornar uma pessoa diferente, mas voltar a ser quem eu era, forte, responsável, realista e motivada, ética e generosa. A PCT me faria assim. Lá, eu caminharia e pensaria sobre toda a minha vida. Descobriria novamente a minha força, longe de tudo que tornou a minha vida ridícula.

Mas aqui estava eu na PCT, mais uma vez ridícula, embora de um jeito diferente, curvada em uma posição remotamente ereta no primeiro dia na trilha.

Três horas depois, cheguei a um local plano incomum perto de uma concentração de árvores-de-josué, yuccas e zimbros e parei para descansar. Para meu grande alívio, havia uma pedra sobre a qual eu podia me sentar e tirar a mochila da mesma maneira que fiz na van em Mojave. Aliviada por estar livre de seu peso, passeei ao redor e acidentalmente encostei em uma das árvores-de-josué e fui furada por seus afiados espinhos. O sangue imediatamente brotou dos três cortes em meu braço. O vento soprou tão forte que, quando tirei o kit de primeiros socorros da mochila e o abri, todos os band-aids voaram. Eu os persegui inutilmente pelo terreno plano, logo desapareceram montanha abaixo, fora do alcance. Sentei no chão de terra, pressionei a manga da camiseta contra o braço e tomei vários goles da garrafa d'água.

Nunca me senti tão exausta em toda a minha vida. Parte disso tinha a ver com meu corpo se adaptando ao esforço e à altitude — estava acima de 1.500 metros agora, 360 metros acima de onde comecei, no desfiladeiro de Tehachapi —, mas grande parte da culpa de minha exaustão podia ser creditada ao peso absurdo da mochila. Olhei para ela desanimada. Era o fardo que eu tinha que carregar como resultado de minhas ridículas decisões, e ainda assim eu não sabia como conseguiria fazer isso. Peguei o guia e dei uma olhada, segurando as páginas esvoaçantes contra o vento e torcendo para que as palavras conhecidas e os mapas afastassem o desconforto; que o livro me convencesse, através da suave harmonia de suas quatro partes, que eu podia fazer isso, da mesma forma que ele fez durante os meses em que elaborei este plano. Não tinha as fotos dos quatro autores do *Pacific Crest Trail, Volume 1: California*, mas eu podia ver cada um deles em minha imaginação: Jeffrey P. Schaffer, Thomas Winnett, Ben Schifrin e Ruby Jenkins. Eles eram sensíveis e gentis, sábios e experientes. Eles me orientariam. Eles tinham que fazer isso.

Muitas pessoas da REI me contaram sobre as próprias experiências em trilhas, mas nenhuma tinha feito a trilha PCT e não me passou pela cabeça procurar alguém que tivesse feito. Era verão de 1995, a idade da pedra lascada no que se refere à internet. Agora, existem dúzias de diários on-line de aventureiros que fizeram a PCT e um poço sem-fim de informações sobre a trilha, tanto fixas quanto em constante mudança, mas não tive nada disso. Tive apenas o *Pacific Crest Trail, Volume 1: California*. Ele era a minha bíblia. Minha tábua de salvação. O único livro que li sobre me aventurar na PCT ou em qualquer outro lugar, para falar a verdade.

Mas folheá-lo pela primeira vez estando realmente sentada na trilha era menos reconfortante do que eu esperava. Havia coisas que eu tinha deixado passar, eu percebia agora, tal como o comentário na página 6 de um camarada chamado Charles Long, com quem os autores de *Pacific Crest Trail, Volume 1: California* concordavam entusiasticamente, que dizia: "Como um livro pode descrever os fatores psicológicos para os quais uma pessoa precisa se preparar... o desespero, a alienação, a ansiedade e principalmente a dor, tanto física quanto mental, que afeta profundamente a capacidade de decisão do trilheiro, que são as verdadeiras coisas que precisam ser planejadas? Não existem palavras que consigam transmitir esses fatores..."

Eu sentei, tonta, com o súbito conhecimento de que realmente nenhuma palavra *poderia* transmitir esses fatores. Elas não precisavam fazer isso. Agora eu sabia exatamente do que se tratava. Aprendi sobre elas tendo caminhado pouco mais de 4 quilômetros nas montanhas desérticas embaixo de uma mochila que parecia um Fusca. Continuei a leitura, registrando sugestões de que era recomendável melhorar a forma física antes de começar, talvez treinando especificamente para a caminhada. E, obviamente, conselhos sobre o peso da mochila. Havia sugestões até mesmo para evitar levar o próprio guia porque era pesado demais e, além disso, desnecessário. O ideal era levar cópias ou apenas as partes necessárias, e incluir o restante na próxima caixa de suprimentos. Fechei o livro.

Por que não *tinha* pensado nisso? Em dividir o guia em partes?

Porque eu era uma grande idiota e não sabia que droga estava fazendo, essa era a razão. E estava sozinha no meio do nada com uma carga brutal para carregar quando descobri isso.

Abracei as pernas, pressionei meu rosto contra os joelhos e fechei os olhos, amontoada em mim mesma, o vento açoitando furiosamente o meu cabelo cortado no ombro.

Quando abri os olhos alguns minutos depois, vi que estava sentada perto de uma planta que eu conhecia. Essa sálvia era menos verde do que a sálvia que minha mãe plantou em nosso quintal durante anos, mas o formato e o cheiro eram iguais. Eu me estiquei e apanhei um punhado de folhas, que esfreguei entre as palmas das mãos, depois aproximei o nariz e inspirei profundamente, do modo que a minha mãe me ensinou a fazer. *Isso dá uma injeção de energia*, ela sempre proclamava, implorando a mim e a meus irmãos que seguíssemos sua orientação naqueles dias longos em que trabalhamos para construir nossa casa e nossos corpos e espíritos estavam enfraquecidos.

Ao inalar essa sálvia agora, senti mais a poderosa memória de minha mãe do que o cheiro natural da sálvia do deserto. Olhei para o céu azul, sentindo realmente uma injeção de energia, mas acima de tudo sentindo a presença da minha mãe, lembrando por que acreditei que poderia fazer essa trilha. De todas as coisas que me convenceram de que eu não devia ter medo durante esta jornada, de todas as coisas que me fizeram acreditar que eu podia fazer a PCT, a morte da minha mãe foi o que me levou a acreditar profundamente em minha segurança: nada de ruim podia me acontecer, pensei. O pior já tinha acontecido.

Eu me levantei, deixei que o vento levasse as folhas de sálvia das minhas mãos e fui até a extremidade da área plana onde estava. A terra do outro lado dava lugar a um afloramento rochoso mais abaixo. Dava para enxergar por quilômetros as montanhas que me cercavam, descendo suavemente até um grande vale desértico. Turbinas eólicas brancas e angulosas marcavam as serras no horizonte. O guia explicou que geravam energia elétrica para os moradores das cidades e das vilas logo abaixo, mas eu estava longe agora. Das cidades e das vilas. Da eletricidade. Até mesmo da Califórnia, embora estivesse justamente no coração do estado, da verdadeira Califórnia, com seu vento inclemente e suas árvores-de-josué e cascavéis espreitando em locais que eu ainda não havia descoberto.

Ali parada, percebi que tinha encerrado o dia, apesar de ter tido a intenção de continuar quando parei. Cansada demais para acender o fogareiro e exausta demais para ter fome, montei a barraca, embora ainda fosse quatro horas da tarde. Peguei as coisas na mochila e joguei dentro da barraca para evitar que fosse arrancada pelo vento, depois empurrei a mochila e entrei. Fiquei imediatamente aliviada por estar protegida, mesmo que a *proteção* significasse uma entulhada caverna de náilon verde. Montei a pequena cadeira de acampamento e me sentei no pequeno portal onde o teto da barraca era alto o suficiente para acomodar a minha cabeça. Depois vasculhei as coisas para encontrar um livro: não o *Pacific Crest Trail, Volume 1: California*, que eu devia estar lendo para saber o que me esperava no dia seguinte, e não o *Staying Found*, que eu devia ter lido antes de começar a trilha, e sim o livro de poemas de Adrienne Rich, *The Dream of a Common Language*.

Esse, eu sabia, era um peso injustificável. Podia imaginar as expressões de desaprovação nos rostos dos autores do *Pacific Crest Trail, Volume 1: California*. Mesmo o romance de Faulkner tinha mais direito de estar na mochila, nem que fosse porque ainda não o tinha lido e, portanto, podia ser explicado como lazer. Li *The Dream of a Common Language* tantas vezes que praticamente sabia o livro de cor. Durante os últimos anos, certas estrofes viraram uma espécie de mantra, palavras que recitava para mim mesma em meio ao sofrimento e à confusão. Esse livro era um consolo, um velho amigo e, quando o segurei nas mãos na minha primeira noite na trilha, não me arrependi nem um pouco de tê-lo carregado — mesmo que carregá-lo significasse que não podia fazer nada mais do que me curvar sob seu peso. Era verdade que o *Pacific Crest Trail, Volume 1: California* era agora a minha bíblia, mas o *The Dream of a Common Language* era a minha religião.

Eu o abri e li o primeiro poema em voz alta, minha voz sobressaía em meio ao vento que soprava nas paredes da barraca. E li novamente, e reli.

Era um poema chamado “Poder”.

5

RASTROS

Sou tecnicamente 15 dias mais velha do que a Pacific Crest Trail. Nasci no dia 17 de setembro de 1968, e a trilha foi oficialmente demarcada por lei do Congresso no dia 2 de outubro do mesmo ano. A trilha existiu em diversos formatos bem antes disso, alguns trechos foram criados e unificados desde os anos 1930, quando um grupo de trilheiros e entusiastas da natureza se interessou pela primeira vez em criar uma trilha entre o México e o Canadá, mas só a partir de 1968 é que a PCT foi demarcada, sendo completada apenas em 1993. Foi oficialmente estabelecida há exatos dois anos, antes de eu acordar naquela primeira manhã entre as árvores-de-josué que me machucaram. Para mim, a trilha não parecia ter dois anos. Não parecia sequer ter mais ou menos a minha idade. Ela parecia antiga. Sábia. Completa e profundamente indiferente a mim.

Acordei assim que amanheceu, mas por uma hora não consegui fazer nada além de ficar acordada, perdendo tempo no saco de dormir enquanto lia o guia ainda sonolenta, embora tenha dormido por 12 horas, ou, pelo menos, fiquei deitada por esse tempo. O vento me acordou várias vezes ao longo da noite, atingindo a barraca com fortes rajadas, algumas violentas o suficiente para fazer as laterais encostarem na minha cabeça. Ele abrandou algumas horas antes do amanhecer, mas depois foi outra coisa que me acordou: o silêncio. A prova irrefutável de que eu estava aqui, sozinha, na vastidão do mundo.

Engatinhei para fora da barraca e me levantei devagar, com os músculos doloridos por causa da caminhada do dia anterior, os pés descalços sensíveis no chão pedregoso. Ainda não estava com fome, mas me forcei a tomar o café da manhã, colocando duas colheres cheias de leite de soja em pó em uma de minhas panelas e batendo com água antes de acrescentar a granola. Para mim, a mistura não era mais gostosa que o leite. Ou menos gostosa. Seu sabor não se parecia com nenhuma outra coisa. Eu podia da mesma forma estar comendo grama. Minhas papilas gustativas estavam aparentemente dormentes. Continuei a colocar a colher na boca de qualquer forma. Precisava de nutrição para o longo dia que viria. Acabei com a água das garrafas e as enchi desajeitadamente com o reservatório de hidratação que balançava em minhas mãos. De acordo com o *The Pacific Crest Trail, Volume 1: California*, eu estava a 20 quilômetros da primeira fonte de água: a nascente Golden Oak, aonde pretendia chegar ao fim do dia, apesar da fraca amostra do dia anterior.

Arrumei a mochila como tinha feito no hotel, comprimindo e apertando as coisas até que nada mais coubesse, depois amarrando o restante com as cordas elásticas do lado de fora. Levei uma hora para levantar acampamento e recomeçar a caminhada. Quase imediatamente pisei em uma pequena pilha de excrementos, a alguns metros de onde dormi. Era preto como o piche. Um coiote, eu torcia. Ou seria um puma? Vasculhei o chão de terra à procura de pegadas, mas não vi nenhuma. Esquadrinhei a paisagem, pronta para ver a face de um grande felino entre os arbustos de sálvia e as pedras.

Comecei a andar, sentindo-me confiante de um jeito que não me senti no dia anterior, menos cuidadosa com cada passo apesar do excremento, e mais forte sob a mochila. Essa força desmoronou 15 minutos depois, à medida que subia, e então subi um pouco mais, prosseguindo pelas montanhas rochosas, fazendo um zigue-zague atrás do outro. A armação da mochila gemia atrás de mim a cada passo, pressionada pelo peso. Os músculos do alto das minhas costas e dos meus ombros estavam no limite da tensão, com nós dolorosos. Eu parava em intervalos e me curvava para abraçar os joelhos e tirar o peso da mochila dos ombros por um momento de alívio antes de seguir cambaleando.

Ao meio-dia eu já tinha ultrapassado os 1.800 metros e o ar tinha esfriado, o sol de repente desaparecendo atrás das nuvens. Ontem estava quente no deserto, mas agora eu tremia enquanto comia uma barra de proteína e damascos secos de almoço, minha camiseta molhada de suor ficando gelada nas costas. Desencavei o casaco de lã do saco de roupas e vesti. Depois, me deitei na lona por alguns minutos e, sem perceber, caí no sono.

Acordei com gotas de chuva batendo no rosto e olhei para o relógio. Dormi por quase duas horas. Não sonhei com nada, na verdade nem percebi que dormi, como se em vez disso alguém tivesse vindo por trás de mim e me deixado inconsciente com uma pedrada. Quando acordei, percebi que estava mergulhada em uma nuvem, a neblina tão impenetrável que não conseguia ver além de alguns metros. Ajustei a mochila e continuei caminhando através da chuva fina, embora meu corpo tivesse a sensação de estar abrindo caminho através de águas profundas a cada passo. Enrolei a camiseta e o short para acolchoar partes do meu quadril, das costas e dos ombros que estavam sendo esfoladas pela mochila, mas isso só piorou as coisas.

Continuei subindo até o fim da tarde e começo da noite, incapaz de enxergar qualquer coisa a não ser o que estivesse imediatamente à minha frente. Não estava pensando em cobras, como no dia anterior. Não estava pensando: *Estou na Pacific Crest Trail.* Não estava sequer pensando: *No que é que fui me meter?* Estava pensando apenas em me movimentar para a frente. Minha mente era um vaso de cristal que continha um único desejo. Meu corpo era o seu oposto: uma bolsa de vidros quebrados. Toda vez que me movimentava, ele doía. Contei os passos para tirar a dor da minha mente, silenciosamente marcando em minha cabeça os números até cem antes de começar novamente. Os conjuntos de números tornaram a caminhada um pouco mais suportável, como se eu tivesse apenas que ir até o fim de cada um.

À medida que eu subia, percebi que não sabia o que era uma montanha, ou mesmo se eu estava subindo uma montanha ou uma série de montanhas juntas. Eu não cresci perto de montanhas. Andei por algumas, mas somente caminhadas de um dia em trilhas bastante conhecidas. Elas pareciam ser apenas serras bem altas. Mas não eram isso. Eram, agora entendia, estratificadas e complexas, inexplicáveis e análogas a nada. Cada vez que atingia o lugar que eu achava que era o topo da montanha ou da série de montanhas coladas umas nas outras, eu errava. Havia sempre mais um pouco a *subir*, mesmo que antes houvesse uma pequena inclinação que descia tentadoramente. Portanto, para cima eu ia até alcançar o que era de fato o topo. Eu sabia que era o topo porque havia neve. Não no chão, mas caindo do céu, em flocos finos que giravam em padrões malucos, empurrados pelo vento.

Eu não esperava que chovesse no deserto e certamente não esperava que nevasse. Assim como não tinha montanha nem deserto onde cresci e, apesar de eu ter feito caminhadas de um dia em alguns, não entendia realmente os desertos. Acreditava que eram lugares secos, quentes e arenosos, cheios de cobras, escorpiões e cactos. Não eram assim. Eram isso e um monte de outras coisas. Eram estratificados, complexos, inexplicáveis e incomparáveis. Minha nova existência estava além da analogia, percebi naquele segundo dia na trilha.

Eu estava em um território completamente novo.

O que era uma montanha e o que era um deserto não eram as únicas coisas que eu não esperava. Eu não esperava que a pele de meu cóccix, de meus quadris e da frente dos meus ombros fosse sangrar. Não esperava fazer a média de meio quilômetro por hora, que é o que, segundo meus cálculos e por conta do guia altamente descritivo, venho mantendo até agora, juntando as diversas paradas com o tempo que passo realmente caminhando. Na época em que fazer a PCT não passava de uma ideia, planejei fazer uma média de 22 quilômetros por dia ao longo da viagem, embora na maior parte dos dias eu percorreria na realidade mais do que isso porque a média antecipada incluía os dias de descanso que eu tiraria a cada uma semana ou duas, quando não caminharia de jeito nenhum. Mas não tinha considerado a falta de preparo físico e os rigores reais da trilha até estar nela.

Desci levemente em pânico até que a neve voltou a ser neblina e a neblina se abriu em vistas amplas das montanhas verdes e marrons mais próximas e também das mais distantes, suas silhuetas alternadamente inclinadas e recortadas em contraste com o céu azul-claro. Enquanto caminhava, o único som era das minhas botas batendo contra o cascalho da trilha e o rangido do atrito da mochila que aos poucos estava me deixando maluca. Parei e tirei a mochila para esfregar o protetor labial em sua armação, no local onde eu achava que o rangido poderia morar, mas, quando segui em frente, percebi que não fez nenhuma diferença. Falei alto algumas palavras para me distrair. Tinha se passado pouco mais de 48 horas desde que me despedi dos homens que me deram carona até a trilha, mas parecia que já tinha se passado uma semana e minha voz soou estranha assim sozinha no ar. Tive a impressão de que encontraria outro trilheiro logo. Estava surpresa por não ainda ter encontrado ninguém, embora minha solidão viesse a calhar uma hora depois, quando de repente tive vontade de fazer o que em minha mente eu chamava de *ir ao banheiro*, embora aqui ao ar livre ir ao banheiro significasse ficar agachada sem apoio para poder cagar em um buraco feito por mim. Foi por essa razão que tinha trazido a pá de aço inox que estava presa na mochila em seu próprio estojo de náilon preto com o U-Dig-It impresso na frente.

Eu não cavava, mas era o estilo dos mochileiros, então não havia mais nada a fazer. Caminhei até encontrar um lugar que parecia razoável para me aventurar fora da trilha. Tirei a mochila, peguei a espátula do estojo e corri para trás de um arbusto de sálvia para cavar. A terra era pedregosa, bege-avermelhado e parecia dura. Cavar um buraco nela era como tentar furar uma bancada de cozinha de granito salpicado de areia e seixos. Somente uma britadeira daria conta do trabalho. Ou um homem, pensei irritada, apunhalando a terra com a ponta da espátula até quase quebrar os pulsos. Tirei lascas e mais lascas inutilmente, meu corpo trêmulo com cãibras e suando frio. Finalmente tive que me levantar para não cagar nas calças. Não tinha opção a não ser tirá-las, nessa altura eu já tinha tirado a calcinha porque ela só aumentava meu problema no quadril esfolado, e simplesmente me agachei e mandei ver. Depois que acabei, fiquei tão fraca com o alívio que quase tropecei no monte do meu próprio cocô quente.

Um pouco depois, manquei pelos arredores para coletar rochas e construir um pequeno dólmen para a merda, enterrando a prova antes de continuar a caminhada.

Achei que estivesse indo para a nascente Golden Oak, mas às sete horas ainda não estava à vista. Não me importei. Cansada demais para ter fome, pulei novamente o jantar, dessa forma economizando a água que teria usado para prepará-lo, até encontrar um local plano o suficiente para armar a barraca. O pequeno termômetro que balançava na lateral da mochila marcava 5,5 graus. Tirei as roupas suadas e coloquei-as para secar dobradas sobre um arbusto antes de entrar na barraca.

Pela manhã, tive que me esforçar para vestir as roupas. Duras como tábuas, tinham congelado durante a noite.

Cheguei à nascente Golden Oak em poucas horas no terceiro dia na trilha. A vista da piscina quadrada de concreto levantou bastante o meu ânimo, não apenas porque na nascente havia água, mas também porque humanos tinham nitidamente construído a piscina. Molhei as mãos na água, atrapalhando alguns insetos que nadavam em sua superfície. Peguei o purificador e coloquei o tubo de entrada na água e comecei a bombear como pratiquei na pia da minha cozinha em Mineápolis. Foi mais difícil do que eu lembrava ter sido, talvez porque quando fiz o teste apenas bombeei algumas vezes. Agora parecia ser necessário ter mais músculos para pressionar a bomba. E quando consegui fazer a bomba funcionar, o tubo de entrada flutuou na superfície e, portanto, só puxou ar. Bombeei mais algumas vezes até que não consegui mais e precisei parar para descansar; depois bombeei mais um pouco, finalmente enchendo as duas garrafas e o reservatório. Levei quase uma hora, mas precisava fazer isso. A próxima fonte de água ficava a desanimadores 30 quilômetros de distância.

Tinha toda intenção de caminhar naquele dia, mas acabei sentando na cadeira de acampamento, perto da fonte. Havia, finalmente esquentado, o sol batendo nos meus braços e nas minhas pernas nuas. Tirei a camiseta, abaixei o short e me recostei com os olhos fechados, torcendo para que o sol aliviasse as partes da pele do meu tronco que estavam machucadas pela mochila. Quando abri os olhos, vi um pequeno lagarto em uma pedra próxima. Ele parecia estar fazendo flexões.

— Olá, lagarto — eu disse, e ele parou de fazer flexões e ficou totalmente imóvel antes de desaparecer como um raio.

Eu precisava me apressar. Já estava atrasada em relação à programação, mas naquele dia não consegui me obrigar a deixar o pequeno trecho de carvalhos viçosos que rodeava a nascente Golden Oak. Além das áreas em carne viva, meus músculos e ossos doíam e meus pés estavam marcados por um número cada vez maior de bolhas. Sentei-me no chão para examiná-los, sabendo que não havia quase nada que eu pudesse fazer para evitar que as bolhas piorassem. Passei o dedo delicadamente sobre elas e depois mais acima, no machucado negro do tamanho de uma moeda de um dólar que surgiu em meu tornozelo e que não era um ferimento da PCT e sim uma prova de minha idiotice pré-PCT.

Foi por causa dessa ferida que tinha optado por não ligar para Paul quando me senti tão sozinha no hotel lá em Mojave; com essa ferida no centro da história, sabia que ele perceberia que a minha voz estava escondendo alguma coisa. Como eu pretendia ficar longe de Joe nos dois dias que passei em Portland antes de pegar o avião para Los Angeles, mas não fiquei. Como acabei usando heroína com ele apesar de não ter tido uma recaída desde a vez em que ele foi me visitar em Mineápolis, havia seis meses.

— Minha vez — eu disse com pressa, após vê-lo se injetando lá em Portland.

A PCT de repente parecia tão distante no futuro, embora estivesse a apenas 48 horas de distância.

— Me dá o tornozelo — Joe disse quando não conseguiu encontrar uma veia no meu braço.

Passei o dia na nascente de Golden Oak com a bússola na mão, lendo *Staying Found*. Encontrei o norte, o sul, o leste e o oeste. Andei radiante sem a mochila e desci uma estrada de terra que dava na nascente para verificar o que eu podia ver. Era maravilhoso andar sem a mochila nas costas, mesmo com os pés no estado em que estavam, doídos como meus músculos. Sentia não apenas que estava de pé, mas suspensa, como se estivesse pendurada pelos ombros por duas faixas elásticas. Cada passo era um salto, leve como o ar.

Quando cheguei a uma vista panorâmica, parei e olhei para a amplidão. Eram apenas mais montanhas áridas, lindas e austeras, e mais filas de turbinas brancas angulosas no horizonte. Voltei ao acampamento, montei o fogareiro e tentei preparar uma refeição quente, a primeira na trilha, mas não consegui que o fogareiro mantivesse a chama acesa, não importava o que tentasse. Peguei o pequeno manual de instruções, li a seção de perguntas mais frequentes e descobri que enchi o cartucho do fogareiro com o gás errado. Eu o enchi com combustível sem chumbo em vez de com a nafta que ele precisa ter, e então o gerador estava entupido e a pequena panela, preta de fuligem por causa de minhas tentativas.

Eu não estava mesmo com fome. Minha fome era um dedo dormente pouquíssimo estimulado. Comi um punhado de lascas de atum desidratado e dormi às 18h15.

Antes de começar o quarto dia, cuidei dos machucados. Um funcionário da REI me encorajou a comprar uma caixa de Spenco 2nd Skin, emplastro em gel para tratar de queimaduras que também era ótimo para bolhas. Coloquei os curativos em todos os lugares da pele que estavam sangrando, feridos ou ralados, ou seja, nas pontas dos dedos dos pés, nos calcanhares, sobre os ossos do quadril e na parte da frente dos ombros e na lombar. Quando terminei, estiquei as meias na tentativa de amaciá-las antes de vestir. Eu tinha dois pares, mas ambos ficaram duros com a poeira e o suor seco. Pareciam ter sido feitas de papelão em vez de tecido, embora eu as trocasse com frequência, usando um par enquanto o outro secava ao ar livre, pendurado nas cordas elásticas da minha mochila.

Depois que me afastei da nascente, totalmente carregada com os 12 quilos de água mais uma vez, percebi que estava tendo uma espécie de divertimento estranho, abstrato e retrospectivo. Em alguns momentos entre as minhas várias agonias, percebi a beleza ao meu redor, a maravilha das pequenas e das grandes coisas: a cor de uma flor do deserto que roçou em mim na trilha ou a grandiosa amplitude do céu à medida que o sol morria sobre as montanhas. Estava em meio a tal devaneio quando escorreguei nos seixos e caí, aterrissando na trilha dura de cara para o chão com uma força que me tirou o fôlego. Fiquei deitada imóvel por um bom tempo, por causa da dor abrasadora em minha perna e do peso colossal nas minhas costas, que me prendia no solo. Quando consegui sair de debaixo da mochila e avaliei o estrago, vi um corte na perna sangrando muito e uma poça do tamanho de um punho já formada sob o corte. Derramei um pouquinho da minha preciosa água sobre ele, tirei a sujeira e as pedrinhas o melhor que pude, depois pressionei um pedaço de gaze, até que o sangramento diminuiu e prossegui mancando.

Caminhei o resto da tarde com os olhos fixos na trilha imediatamente à minha frente, temendo perder o passo novamente e cair. Foi então que avistei o que procurei por dias: rastros de puma. Ele passou pela trilha não muito antes de mim na mesma direção em que eu estava indo, suas pegadas nítidas na terra por uns 400 metros. Eu parava de poucos em poucos minutos para olhar ao redor. Fora os pequenos trechos verdes, a paisagem era basicamente uma variação de dourados e marrons, as mesmas cores do puma. Continuei andando, pensando sobre a notícia de jornal que li recentemente sobre três mulheres da Califórnia, cada uma morta por um puma em ocasiões diferentes ao longo do último ano, e sobre todos aqueles programas a respeito da natureza a que assisti quando criança, nos quais os predadores escolhem aqueles que consideram o mais fraco do bando. Não tinha dúvida de que era eu: aquela com mais chances de ter os membros arrancados um a um. Cantei bem alto as canções infantis que me vieram à cabeça, "Twinkle, Twinkle, Little Star" e "Take Me Home, Country Roads", esperando que minha voz aterrorizada espantasse o puma e ao mesmo tempo temendo que isso o alertasse para a minha presença, como se o sangue seco em minha perna e o fedor de dias do meu corpo não fossem suficientes para atraí-lo.

Enquanto examinava a área, percebi que tinha chegado tão longe que o terreno começou a mudar. A paisagem ao meu redor ainda era árida, dominada pelo mesmo chaparral e pelos mesmos arbustos de sálvia, mas agora as árvores-de-josué que definem o deserto de Mojave apareciam somente esporadicamente. Mais comuns eram os zimbros, pinheiros e carvalhos. De vez em quando eu atravessava campos sombreados com grama alta. A grama e as árvores relativamente grandes eram um alívio. Elas sugeriam água e vida. Insinuavam que eu podia fazer isso.

Até que uma árvore interrompeu o meu caminho. Tinha caído sobre a trilha, o tronco pesado mantido no alto pelos galhos, mas baixo o suficiente para que eu não pudesse passar por baixo, e ainda assim tão alto que tornava impossível passar por cima, principalmente considerando o peso da mochila. Contornar a árvore também estava fora de questão: a trilha descia de modo muito íngreme na lateral e o mato era fechado demais no outro lado. Parei por um longo tempo, tentando descobrir uma maneira de passar pela árvore. Eu tinha que conseguir, não importava o quão impossível parecesse. Era isso ou dar a volta e retornar ao hotel em Mojave. Eu me lembrei do pequeno quarto de 18 dólares com um profundo e arrebatador desejo, a vontade de voltar a ele inundando meu corpo. Encostei-me à árvore, desafivelei a mochila e a empurrei para cima e sobre o tronco áspero, me esforçando para descê--la até o outro lado sem deixar que ela caísse com tanta força no chão e não estourar o reservatório de hidratação com o impacto. Depois escalei a árvore, ralando as mãos que já estavam doloridas por causa do tombo. Ao longo do quilômetro e meio seguinte encontrei três outras árvores caídas. Quando consegui passar por todas elas, o corte na minha perna reabriu e começou a sangrar.

Na tarde do quinto dia, quando seguia o meu caminho ao longo de um trecho estreito e íngreme da trilha, olhei para o alto e vi um animal marrom enorme com chifres se preparando para me atacar.

— Alce! — gritei, embora soubesse que não era um alce. No pânico do momento, minha mente não conseguiu definir o que estava vendo e alce foi a coisa mais próxima que surgiu. — Alce! — gritei ainda mais desesperada conforme ele se aproximava. Eu me enfiei no meio dos arbustos e dos carvalhos que ladeavam a trilha, me arrastando nos galhos afiados o máximo que consegui, apesar do peso da mochila.

À medida que fazia isso, a fera vinha na minha direção, e percebi que estava prestes a ser atacada por um touro longhorn.

— Allllllce! — gritei mais alto buscando a corda amarela presa na armação da minha mochila que trazia o apito mais alto do mundo. Encontrei o apito, coloquei-o na boca, fechei os olhos e soprei com toda a força até precisar parar para tomar fôlego.

Quando abri os olhos, o touro tinha desaparecido.

A mesma coisa aconteceu com a pele da ponta do meu dedo indicador direito, arrancada em meu frenesi pelos galhos afiados dos arbustos.

A questão de caminhar na Pacific Crest Trail, que era tão profunda para mim naquele verão — e apesar disso também muito simples, como a maioria das questões —, era como eu tinha poucas escolhas e como frequentemente tinha que fazer a coisa que menos queria. Como não havia saída ou negação. Não tinha como entorpecer isso com um martíni nem esquecer com uma trepada. Enquanto me agarrava ao chaparral naquele dia, tentando fazer um curativo no meu dedo sangrando, aterrorizada por qualquer som que indicasse que o touro estava voltando, analisei minhas opções. Havia apenas duas e eram basicamente a mesma. Eu podia voltar de onde tinha vindo ou podia seguir na direção a que pretendia ir. O touro, admito com raiva, podia estar em qualquer uma das direções, já que eu não tinha visto para onde tinha corrido, pois fechei os olhos. Podia apenas escolher entre o touro que me faria voltar ou o touro que me levaria adiante.

E então fui em frente.

Precisei de todas as minhas forças para percorrer 14 quilômetros por dia. Percorrer 14 quilômetros por dia era uma conquista física bem além de qualquer coisa que já fiz na vida. Cada parte do meu corpo doía. A não ser meu coração. Não encontrei ninguém, mas, por mais estranho que pareça, não senti falta de ninguém. Não desejava nada a não ser comida e água e conseguir tirar a mochila. Continuei carregando-a. Para cima e para baixo e pelas montanhas áridas, onde pinheiros de Jeffrey e carvalhos-negros ladeavam a trilha, cruzando estradas de terra que mostravam marcas de pneus de grandes caminhões, embora nenhum estivesse à vista.

Na manhã do oitavo dia, senti fome e coloquei toda a comida no chão para avaliar a situação, o desejo por uma refeição quente subitamente forte. Mesmo em meu estado de exaustão e inapetência, naquela altura eu já tinha comido a maior parte do que não precisava ser cozido — a granola, as nozes, as frutas secas, o peru e o atum desidratado, as barras de proteína, o chocolate e o leite de soja em pó. A maior parte da comida que restava precisava ser cozida e eu não tinha um fogareiro que funcionasse. Eu só teria uma caixa de suprimentos à minha espera em Kennedy Meadows, que ficava a 217 quilômetros de onde estava. Uma pessoa experiente teria atravessado esses 217 quilômetros no tempo que estava na trilha. Com a média que estava fazendo, não tinha chegado nem na metade do caminho. E mesmo que chegasse a Kennedy Meadows com a comida que tenho, ainda precisava consertar o fogareiro e abastecê-lo com o combustível certo — e Kennedy Meadows, mais um posto avançado para caçadores, trilheiros e pescadores do que uma cidade, não era o lugar para fazer isso. Sentada no chão, com os sacos ziplock de comida desidratada que eu não podia preparar espalhados ao meu redor, decidi mudar de direção na trilha. Não muito longe de onde eu estava sentada, a PCT cruzava uma rede de estradas de terra que seguiam para várias direções.

Comecei a descer uma, achando que acabaria descobrindo a civilização na forma de uma autoestrada que ficava paralela à trilha a aproximadamente 32 quilômetros a leste. Caminhei sem saber exatamente em que estrada estava, seguindo apenas a crença de que encontraria alguma coisa, caminhando sem parar no sol quente e brilhante. Podia sentir meu próprio cheiro quando me movimentava. Eu levei desodorante e o passei todas as manhãs, mas não fazia mais diferença. Não tomava banho havia mais de uma semana. Meu corpo estava coberto de sujeira e sangue, e meu cabelo, emplastrado sob o chapéu, duro de poeira e de suor seco. Podia sentir os músculos do meu corpo se fortalecendo dia a dia e ao mesmo tempo e na mesma proporção os tendões e as articulações se deteriorando. Meus pés doíam tanto na parte interna quanto na externa, a pele em carne viva e cheia de bolhas, os ossos e músculos cansados pelos quilômetros. A estrada felizmente era plana ou descia suavemente, um bem-vindo descanso do incansável sobe e desce da trilha, mas ainda assim eu sofria. Por longos trechos, tentei imaginar que na realidade não tinha pés, que em vez disso as minhas pernas terminavam em duas indestrutíveis pernas artificiais que podiam aguentar qualquer coisa.

Depois de quatro horas comecei a me arrepender da decisão. Eu podia morrer de fome ou ser morta por touros longhorn selvagens, mas na PCT ao menos eu sabia onde estava. Reli o guia, agora incerta de que estava em uma das estradas que ele descrevia de forma superficial. Pegava o mapa e a bússola a cada hora para avaliar e reavaliar a minha posição. Peguei o *Staying Found* para ler de novo sobre como exatamente usar o mapa e a bússola. Analisei o sol. Passei por uma pequena manada de bois que não estavam cercados e o meu coração disparou ao vê-los, mas nenhum andou na minha direção. Apenas pararam de comer e levantaram as cabeças para me olhar enquanto eu cantava baixinho para eles: “Boi, boi, boi.”

A área que a estrada atravessava era surpreendentemente verde em alguns lugares e seca e rochosa em outros, e em duas ocasiões eu passei por tratores silenciosos e misteriosos parados na beira da estrada. Caminhei em estado de graça com a beleza e o silêncio, mas no fim da tarde a apreensão me deixou com um nó na garganta.

Estava na estrada, mas não tinha visto um ser humano em oito dias. Isso era a civilização e, no entanto, fora as vacas soltas no pasto, os dois tratores abandonados e a própria estrada, não havia nenhum sinal dela. Eu me senti como se estivesse estrelando um filme de ficção científica, como se fosse a última pessoa que sobrou no planeta, e pela primeira vez em minha jornada senti vontade de chorar. Respirei fundo para afastar as lágrimas, tirei a mochila e me sentei no chão para me reorganizar. Havia uma curva mais à frente na estrada, então fui até lá sem a mochila para ver o que havia.

O que vi foram três homens sentados na cabine de uma caminhonete amarela.

Um era branco. Um era negro. Um era latino.

Levei talvez sessenta segundos para chegar perto deles. Eles me olharam com a mesma expressão nos rostos que a minha quando vi o touro longhorn no dia anterior. Era como se a qualquer momento eles pudessem gritar "Alce!". Meu alívio ao vê-los foi enorme. Ainda assim, à medida que caminhava na direção deles, meu corpo inteiro se arrepiava com o complicado entendimento de que eu não era mais a única estrela em um filme sobre um planeta desprovido de pessoas. Agora eu estava em um tipo totalmente diferente de filme: era uma mulher sozinha com três homens de intenção, caráter e origem desconhecidos, me olhando da sombra de uma caminhonete amarela.

Quando lhes expliquei a minha situação pela janela aberta do lado do motorista, eles me encararam silenciosamente, os olhos mudando de surpresa para perplexidade e depois para deboche até que todos caíram na gargalhada.

— Você sabe no que se meteu, querida? — o homem branco me perguntou quando se recuperou, e balancei a cabeça negativamente.

Ele e o homem negro pareciam estar na faixa dos 60 anos, o latino mal tinha saído da adolescência.

— Você está vendo essa montanha aqui? — ele perguntou, apontando à frente, por trás do volante e através do para-brisas. — Estamos nos preparando para explodi-la.

Ele explicou que uma empresa de mineração havia comprado os direitos daquele trecho de terra e que eles estavam extraindo pedras decorativas do tipo que as pessoas usam em seus quintais.

— Meu nome é Frank — ele disse, batendo na aba do chapéu de caubói. — E, tecnicamente, você está invadindo, senhorita, mas não vamos usar isso contra você. — Ele me olhou e piscou. — Somos mineiros. Não somos donos da terra; se fôssemos, teríamos que atirar em você.

Ele riu mais uma vez e então apontou para o latino no meio e me disse que o nome dele era Carlos.

— Sou Walter — disse o homem negro sentado no banco do passageiro.

Eles eram as primeiras pessoas que eu via desde os caras da minivan com placa do Colorado que me deixaram no acostamento da estrada havia mais de uma semana. Quando falei, minha voz soava estranha, parecia estar mais alta e mais rápida do que me lembrava, como se houvesse alguma coisa que eu não conseguisse exatamente entender e me apegar a ela, como se cada palavra fosse um pequeno pássaro batendo as asas em retirada. Eles me disseram para entrar na caçamba da caminhonete, e percorremos a pequena distância depois da curva para pegar a minha mochila.

Frank parou e todos desceram. Walter pegou minha mochila e ficou chocado com o peso.

— Eu fui à Coreia — ele disse, suspendendo-a sobre a caçamba de metal da caminhonete com considerável esforço. — E nunca carregamos uma mochila tão pesada. Ou talvez eu tenha carregado uma vez uma tão pesada assim, mas foi quando estava sendo punido.

Rapidamente, sem que eu me envolvesse muito, foi decidido que eu iria para a casa de Frank, onde sua esposa me faria um jantar e eu poderia tomar um banho e dormir em uma cama. Pela manhã, ele me ajudaria a chegar a algum lugar onde eu pudesse consertar o fogareiro.

— Agora me explica isso tudo de novo? — Frank pediu várias vezes, e em todas elas os três ouviram atentos, porém confusos e interessados.

Eles moravam a aproximadamente 32 quilômetros da Pacific Crest Trail e apesar disso não tinham ouvido falar dela. Nenhum deles conseguia compreender qual motivo uma mulher poderia ter para fazer a caminhada sozinha, e Frank e Walter disseram em termos alegres e bem-educados:

— Acho bem legal — disse Carlos depois de um tempo. Ele me contou que tinha 18 anos e estava prestes a se alistar no exército.

— Talvez você deva fazer a trilha, em vez de se alistar — sugeri.

— Não — disse ele.

Os homens entraram na caminhonete novamente e andei na caçamba por alguns quilômetros até chegarmos ao lugar em que Walter tinha estacionado a sua. Ele e Carlos partiram e me deixaram sozinha com Frank, que tinha mais uma hora de trabalho a cumprir.

Sentei na cabine da caminhonete amarela observando Frank ir e vir com um trator, aplainando a estrada. Toda vez que passava, acenava para mim, e conforme se afastava eu furtivamente explorava as coisas que estavam dentro da caminhonete. No porta-luvas havia um frasco prateado de uísque de bolso. Tomei um golinho e rapidamente o coloquei de volta, meus lábios ardendo. Vasculhei embaixo do banco, tirei um pequeno estojo preto e o abri; vi uma arma tão prateada quanto o frasco de uísque, o fechei novamente e o enfiei embaixo do banco. As chaves da caminhonete balançavam na ignição e pensei, sem qualquer intenção, o que aconteceria se eu ligasse e saísse dirigindo. Tirei as botas e massageei os pés. A pequena marca que ficou em meu tornozelo quando me injetei heroína em Portland ainda estava lá, mas clareou para um leve e melancólico amarelo. Passei o dedo sobre ela, sobre o inchaço da pequena marca ainda visível em seu centro, impressionada com meu próprio absurdo, e então recoloquei as meias de modo que não pudesse mais vê-la.

— Que tipo de mulher você é? — Frank perguntou quando acabou o trabalho e sentou ao meu lado na caminhonete.

— Que tipo? — perguntei. Nossos olhos se cruzaram e algo se revelou nos olhos dele; e desviei o olhar.

— Você é como a Jane? O tipo de mulher que o Tarzan gostaria?

— Imagino que sim — eu disse, rindo, embora sentisse uma ansiedade inquietante, torcendo para que Frank desse a partida e dirigisse.

Ele era um homem alto e magro, bronzeado e de traços bonitos. Um mineiro que parecia um caubói. Suas mãos me lembraram de todas as mãos masculinas que conheci ao crescer, homens que ganhavam a vida com o trabalho braçal, homens cujas mãos nunca ficam limpas, não importa o quanto sejam esfregadas. Sentada ali com ele, me senti como sempre me sinto quando estou sozinha em determinadas circunstâncias com determinados homens — que tudo podia acontecer. De que ele poderia ficar na dele, com educação e gentileza, ou que poderia me agarrar e mudar completamente o rumo das coisas em um minuto. Quando Frank entrou na caminhonete, observei suas mãos, cada movimento seu, cada célula em meu corpo em alerta máximo, embora aparentasse estar tão relaxada quanto se tivesse acabado de acordar de um cochilo.

— Tenho uma coisinha para a gente — ele disse, abrindo o porta-luvas para pegar o frasco de uísque. — É a minha recompensa por um dia duro de trabalho — ele disse, tirando a tampa e me passando o frasco. — Damas primeiro.

Segurei o frasco, o levei aos lábios e deixei que o uísque lavasse a minha boca.

— Sim. Esse é o tipo de mulher que você é. É assim que vou chamá-la: Jane.

Ele pegou o frasco e deu um longo gole.

— Sabe, não estou de fato completamente sozinha aqui — falei, apressadamente, inventando a mentira conforme a falava. — Meu marido, seu nome é Paul, também está fazendo a trilha. Ele começou em Kennedy Meadows. Sabe onde é? Nós dois queríamos a experiência de caminhar sozinhos, então ele saiu do sul e eu saí do norte e vamos nos encontrar no meio do caminho, e depois continuamos juntos pelo resto do verão.

Frank balançou a cabeça e tomou outro gole do frasco.

— Bem, então ele é mais doido que você — ele disse, após refletir sobre isso por um tempo. — Uma coisa é ser uma mulher doida o suficiente pra fazer o que você está fazendo. Outra coisa é um homem deixar a mulher sair e fazer isso.

— Pois é — eu disse, como se concordasse com ele. — De qualquer forma, nos encontraremos em alguns dias.

Disse isso com tal convicção que eu mesma me convenci de que naquele exato minuto Paul estava vindo me encontrar. De que não tínhamos realmente entrado com o pedido de divórcio dois meses antes, em um dia de neve em abril. De que ele estava vindo me encontrar. Ou que ele saberia se eu não prosseguisse na trilha. De que meu desaparecimento seria notado em alguns dias.

Mas o oposto era verdadeiro. As pessoas da minha vida eram como os band-aids que tinham voado no vento do deserto no primeiro dia da trilha. Eles se espalharam e depois sumiram. Ninguém esperava que eu sequer desse um telefonema quando chegasse à primeira parada. Ou à segunda ou à terceira.

Frank recostou em seu assento e ajustou seu grande cinto de metal.

— Tem outra coisa com que gosto de me recompensar depois de um dia duro de trabalho — ele disse.

— O que é? — perguntei, com um sorriso tímido, meu coração batendo forte no peito.

Minhas mãos em meu colo latejavam. Estava intensamente consciente de minha mochila, longe demais na caçamba da caminhonete. Em um segundo decidi deixá-la para trás caso tivesse que empurrar a porta e correr.

Frank procurou debaixo do assento, onde ficava a arma em seu pequeno estojo preto.

Ele voltou com um saco plástico transparente. Dentro, havia um tipo de bala de alcaçuz em forma de tiras, finas e longas, cada porção enrolada como um laço. Ele segurou o saco na minha direção e perguntou:

— Aceita, senhorita Jane?

6

UM TOURO NAS DUAS DIREÇÕES

Devorei quase 2 metros das balas de alcaçuz de Frank enquanto ele dirigia, e teria comido mais 2 metros se estivesse disponível.

— Você espera aqui — ele me disse assim que estacionou na pequena entrada de terra que ficava ao longo de sua casa, um trailer em um pequeno acampamento de trailers em meio à árida vegetação. — Vou entrar e dizer a Annette quem você é.

Alguns minutos depois eles apareceram juntos. Annette era gorducha e grisalha, a expressão em seu rosto pouco receptiva e suspeita.

— Isso é tudo o que você tem? — ela queixou-se enquanto Frank tirava minha mochila da caminhonete.

Eu os acompanhei para dentro do trailer, onde Frank imediatamente desapareceu no banheiro.

— Fique à vontade — disse Annette, o que entendi que significava que eu devia me sentar à mesa que delimitava a cozinha enquanto ela preparava um prato de comida para mim. Havia uma pequena e barulhenta televisão bem no canto da mesa, o volume tão alto que era difícil ouvir. Outra reportagem sobre o julgamento de O. J. Simpson. Assisti à reportagem até que Annette voltou e colocou o prato diante de mim, depois desligou a TV.

— É só no que se ouve falar, O.J. isso, O.J. aquilo — ela disse. — Você não imaginaria que existem crianças morrendo de fome na África. Pode começar — ela disse, gesticulando em direção à comida.

— Vou esperar — eu disse em um tom casual que camuflou o desespero que eu sentia. Encarei o prato. Era uma pilha enorme de costeletas grelhadas, milho em conserva e salada de batata. Pensei em me levantar e lavar as mãos, mas temia que ao fazer isso atrasasse o jantar. Não importava. A noção de lavar as mãos antes de comer era tão distante quanto o noticiário da TV.

— Coma! — Annette ordenou, colocando um copo plástico de refresco de cereja diante de mim.

Levei o garfo cheio de salada de batata à boca. Estava tão gostoso que quase caí da cadeira.

— Você é universitária?

— Sim — respondi estranhamente lisonjeada de que eu lhe parecesse dessa forma apesar da sujeira e do mau cheiro. — Ou melhor, eu era. Eu me formei há quatro anos — disse, e então comi outro bocado, percebendo que isso era tecnicamente uma mentira.

Embora eu tivesse prometido à mamãe em seus últimos dias de vida que terminaria a faculdade, não terminei. Mamãe morreu em uma segunda-feira das férias de primavera e voltei à faculdade na segunda-feira seguinte. Perambulei por um monte de aulas naquele último trimestre, meio cega de sofrimento, mas não tirei o diploma porque deixei de fazer uma coisa. Não escrevi o artigo de cinco páginas para uma aula de Inglês intermediário. Era para ser uma coisa fácil, mas quando tentei começar a escrever, só ficava olhando para a tela branca do computador; subi no palco com a beca e o barrete, e aceitei o pequeno cilindro com o documento que me foi oferecido, mas, quando o desenrolei, ele dizia o que eu sabia que diria: que até terminar o artigo eu não teria o meu diploma de bacharelado. Fiquei apenas com a dívida do crédito educativo, que, pelos meus cálculos, só terei acabado de pagar quando completar 43 anos.

Na manhã seguinte, Frank me deixou em uma loja de conveniência na autoestrada depois de me instruir a pegar uma carona para uma cidade chamada Ridgecrest. Sentei na porta da frente da loja até que um cara que fazia entregas de batatas fritas apareceu e aceitou me dar uma carona, apesar do fato de que era contra as regras da empresa dar caronas.

Seu nome era Troy, ele me disse assim que subi em seu grande caminhão. Ele dirigia pelo sul da Califórnia cinco dias por semana, entregando sacos de batatas fritas de todos os tipos. Era casado com a namorada de ensino médio havia 17 anos, desde que tinha 17 anos.

— Dezessete anos fora da prisão e 17 anos dentro dela — ele brincou, embora sua voz transparecesse arrependimento. — Eu daria qualquer coisa para trocar de lugar com você — ele disse enquanto dirigia. — Sou o tipo de espírito livre que nunca teve coragem de se libertar.

Ele me deixou na Todd's Outdoor Supply Store, onde o senhor Todd em pessoa desmontou o meu fogareiro, limpou, instalou um novo filtro, vendeu o combustível correto e depois me orientou em um teste de acender o fogareiro só para ter certeza. Comprei mais um rolo de fita de vedação e curativos 2nd Skin para minha pele machucada, depois fui a um restaurante, pedi um milk-shake de chocolate e um cheeseburger com batata frita, me sentindo como me senti no jantar do dia anterior: deslumbrada com cada delicioso pedaço. Depois, andei pela cidade, os carros zunindo, os rostos dos motoristas e dos passageiros se virando para me olhar com fria curiosidade. Passei por lanchonetes fast-food e concesssionárias de veículos sem saber se devia esticar o dedo para pedir uma carona ou passar a noite em Ridgecrest e voltar para a PCT no dia seguinte. Quando parei num cruzamento, tentando decidir qual direção tomar, um homem de aparência suja apareceu do meu lado em uma bicicleta. Ele segurava um saco de papel amarrotado.

— Está saindo da cidade? — ele perguntou.

— Talvez — eu disse.

Sua bicicleta era pequena demais para ele; era feita para um garoto e não para um homem — tinha labaredas espalhafatosas pintadas nas laterais.

— Pra qual direção você está indo? — ele perguntou.

Seu cheiro corporal era tão forte que eu quase tossi, embora eu devesse estar cheirando tão mal quanto ele. Apesar do banho que tomei na noite anterior após o jantar na casa de Frank e Annette, ainda vestia minhas roupas sujas.

— Talvez fique em um hotel de estrada por uma noite — disse a ele.

— Não faça isso — ele gritou. — Eu fiz isso e me prenderam.

Concordei, percebendo que ele pensava que eu era como ele. Uma andarilha. Uma fora da lei. Não uma suposta universitária ou mesmo uma ex-universitária. Nem tentei explicar sobre a PCT.

— Pode ficar com isso — ele disse, me entregando o saco de papel. — É pão e mortadela. Você pode fazer sanduíches.

— Não, obrigada — agradeci, comovida e ao mesmo tempo sentindo repulsa pela oferta.

— De onde você é? — ele perguntou, relutante em se afastar.

— Minnesota.

— Ei! — ele gritou, um sorriso se espalhando pelo rosto imundo. — Você é minha irmã. Eu sou de Illinois. Illinois e Minnesota são como vizinhos.

— Bem, *quase* vizinhos; existe Wisconsin no meio — eu disse, e imediatamente me arrependi, evitando magoá-lo.

— Mas isso ainda nos faz vizinhos — ele disse, e me ofereceu a palma da mão aberta bem baixo para que eu pudesse saudá-lo. Eu o saudei.

— Boa sorte — eu disse a ele, enquanto ele se afastava pedalando.

Caminhei até uma mercearia e percorri os corredores de um lado para o outro antes de tocar qualquer coisa, fascinada pelas montanhas de comida. Comprei algumas coisas para repor a comida que tinha consumido quando não podia preparar minhas refeições desidratadas e andei ao longo de uma movimentada avenida até encontrar o que parecia ser o hotel mais barato da cidade.

— Meu nome é Bud — o homem atrás do balcão disse quando pedi um quarto.

Ele tinha uma expressão abatida e uma tosse de fumante. As bochechas bronzeadas caíam nas laterais do rosto enrugado. Quando contei sobre a PCT, ele insistiu em lavar minhas roupas.

— Posso simplesmente colocá-las com os lençóis e as toalhas, querida. Não custa nada — ele disse quando protestei.

Fui para o quarto, tirei a roupa e coloquei a minha calça impermeável e o casaco de náilon, embora fosse um dia quente de junho; depois voltei ao escritório e entreguei minha pequena pilha de roupas sujas timidamente para Bud, agradecendo a ele novamente.

— Estou fazendo isso porque gostei do seu bracelete. Por isso que ofereci — ele disse.

Puxei a manga do casaco e ambos olhamos para o bracelete prateado desbotado, um daqueles braceletes gravados em memória de algum soldado desaparecido em ação na Guerra do Vietnã que a minha amiga Aimee colocou no meu braço quando nos despedimos em uma rua de Mineápolis semanas antes.

— Me deixa ver quem você tem aí — ele disse, se esticando através do balcão e segurando meu pulso de modo que pudesse ler as palavras.

— William J. Crockett — ele disse e soltou meu pulso.

Aimee pesquisou um pouco e me disse que William J. Crockett era um piloto da força aérea que teve o avião abatido no Vietnã quando faltavam dois meses para completar 26 anos. Ela usou o bracelete por anos sem tirá-lo uma única vez.

Desde que ela me deu o bracelete, eu também não o tirei.

— Sou veterano do Vietnã, então fico de olho nesse tipo de coisa. É por isso também que te dei o único quarto que temos que possui uma banheira — disse Bud. — Estive lá em 1963, quando mal tinha 18 anos. Mas agora sou contra a guerra. Todos os tipos de guerra. Cem por cento contra isso. A não ser em certos casos.

Havia um cigarro aceso em um cinzeiro plástico ao lado, que Bud pegou, mas não levou aos lábios.

— Então, imagino que você saiba que este ano tem muita neve no topo da Sierra Nevada.

— Neve? — perguntei.

— Este ano foi recordista. Totalmente encoberto por neve. Existe um escritório do BLM* aqui na cidade se você quiser ligar pra lá e perguntar sobre as condições — ele disse, e deu uma tragada. — Suas roupas vão ficar prontas em uma hora ou duas.

Voltei para o quarto e tomei um banho, depois entrei na banheira. Em seguida, puxei a colcha e me deitei sobre os lençóis. Meu quarto não tinha ar-condicionado, mas me sentia fresca de todo modo. Eu me sentia melhor do que jamais me senti em toda a minha

---

* Bureau of Land Management, o departamento de gestão de terras dos Estados Unidos. (N. da E.)

vida, agora que a trilha me tinha ensinado o quão horrível eu posso me sentir. Levantei, inspecionei a minha mochila; então me reclinei na cama e li *Enquanto agonizo*, com as palavras de Bud sobre a neve ecoando em mim.

Eu conhecia a neve. Afinal de contas, cresci em Minnesota. Havia cavado neve com pá, dirigido na neve e feito bolas de neve com as próprias mãos para jogar. Olhava a neve pela janela por dias enquanto ela formava montes que ficavam congelados por meses no solo. Mas esta neve era diferente. Era a neve que cobria a Sierra Nevada de forma tão indomável que as montanhas foram batizadas por sua causa.

A mim parecia absurdo que eu tivesse caminhado naquela serra nevada desde o início, que as montanhas áridas que atravessei desde o momento em que botei os pés na PCT fossem tecnicamente parte da Sierra Nevada. Mas não eram as High Sierras, a incrível cadeia de montanhas de granito e escarpas depois de Kennedy Meadows que o montanhista e escritor John Muir explorou de maneira excepcional e cultuou há mais de cem anos. Eu não li os livros de Muir sobre a Sierra Nevada antes da caminhada na PCT, mas sabia que ele era o fundador do Sierra Club. Salvar a Sierra Nevada dos pastores de ovelhas, das empresas de mineração, do desenvolvimento turístico e de outras invasões da era moderna foi a paixão de sua vida. Foi graças a ele e àqueles que apoiaram sua causa que a maior parte da Sierra Nevada ainda está intocada hoje em dia. Uma natureza intocada que agora estava aparentemente coberta de neve.

Eu não fui totalmente surpreendida. Os autores do guia me avisaram sobre a neve que poderia encontrar em High Sierras, e vim preparada. Ou pelo menos a versão de preparada que eu acreditava ser suficiente antes de começar a fazer a PCT: comprei uma piqueta e a enviei para mim mesma pelo correio na caixa que pegarei em Kennedy Meadows. Quando comprei a piqueta, imaginei que só precisaria dela eventualmente, nos trechos mais altos da trilha. O guia me garantiu que em um ano normal a maior parte da neve estaria derretida no momento em que eu passasse pelas High Sierras no fim de junho e início de julho. Não me passou pela cabeça investigar se este tinha sido um ano normal.

Encontrei um catálogo telefônico na mesa de cabeceira e o folheei, depois disquei para o escritório local do BLM.

"Ah, sim, tem um bocado de neve lá em cima", respondeu a mulher que atendeu o telefone. Ela não sabia detalhes, mas tinha certeza de que este ano tinha sido excepcional em termos de neve nas Sierras. Quando lhe disse que estava fazendo a caminhada na PCT, ela se ofereceu para me dar uma carona até a trilha. Desliguei o telefone me sentindo mais aliviada por não ter que pedir carona do que preocupada com a neve, que simplesmente parecia ser algo distante, impossível.

A prestativa mulher do BLM, na tarde seguinte, me trouxe de volta para a trilha em um ponto chamado Walker Pass. Enquanto eu a observava indo embora no carro, me senti mais renovada e um pouco mais confiante do que há nove dias, quando comecei a caminhada. Nos dias anteriores, fui atacada por um touro longhorn, me cortei e me machuquei em tombos e acidentes, e percorri uma estrada remota que descia por uma montanha que logo seria explodida. Escolhi caminhar quilômetros pelo deserto, subi e desci incontáveis montanhas e fiquei dias sem ver gente. Machuquei os pés, esfolei o corpo até sangrar e carreguei não apenas a mim mesma ao longo de quilômetros de florestas acidentadas, mas também uma mochila que pesava mais da metade do meu peso. E fiz isso sozinha.

Isso tinha algum valor, certo?, pensei enquanto caminhava pela área de acampar rústica perto de Walker Pass e encontrei um lugar para dormir. Era tarde, mas ainda tinha luz do dia na última semana da primavera, em junho. Montei a barraca e preparei a primeira refeição quente na trilha em meu fogareiro consertado — feijões desidratados e arroz —, e observei a luz do céu desaparecer em um brilhante show de cores sobre as montanhas, me sentindo como a pessoa mais sortuda do mundo. Foram 84 quilômetros até Kennedy Meadows, 26 para a primeira fonte de água na trilha.

De manhã carreguei a mochila com outro suprimento completo de água e cruzei a Highway 178. A próxima estrada que cruzava a Sierra Nevada ficava a 241 quilômetros em linha reta para o norte, perto de Tuolumne Meadows. Segui a PCT ao longo de seu curso pedregoso e ascendente no sol quente da manhã, revelando vistas das montanhas em todas as direções, distantes e próximas: Scodie ao sul, El Paso no extremo leste e Dome Land Wilderness a noroeste, que eu alcançaria em poucos dias. Elas me pareciam iguais, embora cada uma fosse sutilmente diferente. Tinha me acostumado as montanhas constantemente à vista; minha visão havia mudado ao longo da última semana. Eu me adaptei ao panorama infinitamente longo, me familiarizei com a percepção de que estava caminhando no exato ponto em que a terra encontra o céu. O cume.

Mas de maneira geral não erguia os olhos. Passo a passo, meus olhos estavam na trilha arenosa e pedregosa, meus pés às vezes escorregando conforme eu subia e descia em zigue-zague. Minha mochila rangia irritantemente a cada passo, o som ainda emanando daquele ponto a apenas alguns centímetros do meu ouvido.

Enquanto caminhava, tentava me forçar a não pensar nas coisas que doíam, os ombros, as costas, os pés e os quadris, mas consegui apenas durante curtos períodos de tempo. À medida que eu cruzava o flanco leste do monte Jenkins, fiz diversas pausas para desfrutar as amplas vistas do deserto que se espraiavam a leste abaixo de mim até o horizonte. À tarde me deparei com um deslizamento de rochas e parei. Olhei para o alto, para a montanha, e acompanhei o deslizamento com os olhos até embaixo. No lugar da trilha anteriormente plana de 60 centímetros de largura que qualquer pessoa podia percorrer havia um rio largo de rochas metamórficas angulares do tamanho de um punho. E eu não era uma pessoa normal. Eu era uma pessoa com uma carga extremamente desconfortável nas costas e sem um bastão de caminhada para me equilibrar. Por que não trouxe um bastão de caminhada e ao mesmo tempo não deixei de trazer uma serra dobrável, eu não sabia. Encontrar um bastão era impossível, as árvores esparsas, baixas e tortuosas ao meu redor eram inúteis. Não havia nada a fazer a não ser prosseguir.

Minhas pernas tremeram quando pisei no deslizamento meio agachada, temerosa de que a minha habitual posição curvada remotamente ereta desestabilizasse as rochas e as fizesse deslizar em massa na montanha, me carregando junto. Caí uma vez, aterrissando com força de joelho, mas então me levantei e escolhi com mais cuidado ainda onde cruzar, a água no gigantesco reservatório em minhas costas balançando a cada passo. Quando cheguei ao outro lado do deslizamento, fiquei tão aliviada que nem liguei para o joelho que sangrava e latejava de dor. *Consegui passar*, pensei agradecida, mas estava errada.

Tive que atravessar mais três deslizamentos naquela tarde.

Acampei aquela noite em um platô entre os montes Jenkins e Owens, meu corpo traumatizado pelo que teve que aguentar para chegar ali, embora tivesse percorrido apenas 14 quilômetros. Eu me penitenciei silenciosamente por não caminhar mais depressa, mas então, sentada na cadeira de acampar, enfiando de modo catatônico o jantar na boca com a colher direto da panela quente que estava no chão entre os meus pés, só tinha a agradecer por ter chegado tão longe. Estava em uma altura de cerca de 2.100 metros, o céu por todos os lados. Podia ver o sol se pondo a oeste sobre a terra sinuosa, em um espetáculo de dez tons de laranja e rosa; a leste o aparentemente infinito vale desértico se espraiava a perder de vista.

A Sierra Nevada é um bloco único inclinado da crosta terrestre. Sua encosta oeste compreende noventa por cento da cordilheira, os picos gradualmente diminuindo até os vales férteis que no fim dão lugar à costa da Califórnia — que corre em paralelo à PCT por cerca de 320 quilômetros no lado oeste na maior parte do caminho. A encosta leste de Sierra Nevada é completamente diferente: uma escarpa pontiaguda que cai abruptamente em uma grande planície desértica que se estende até o deserto da Grande Bacia, em Nevada. Eu tinha visto a Sierra Nevada somente uma vez antes, quando viajei com Paul pelo oeste poucos meses após termos saído de Nova York. Acampamos no Vale da Morte e no dia seguinte dirigimos horas através de uma paisagem tão desolada que parecia não pertencer a este planeta. No meio do dia, a Sierra Nevada apareceu no horizonte a oeste, uma parede branca, enorme e impenetrável, elevando-se da terra. Para mim, era quase impossível relembrar essa imagem agora, sentada em um platô no alto da montanha. Eu não estava mais me afastando daquela parede. Estava em seu cume. Olhava de cima para aquela paisagem em uma explosão de arrebatamento, cansada demais até para me levantar e andar até a barraca, assistindo ao céu escurecer. Acima de mim, a lua nascia brilhante, abaixo, a distância, as luzes das cidades de Inyokern e Ridgecrest piscavam. O silêncio era extraordinário. A ausência parecia um peso. É isso que vim procurar, pensei. É isso que consegui.

Quando finalmente me levantei e preparei o acampamento para dormir, percebi que pela primeira vez na trilha eu não tinha colocado o agasalho de lã quando o sol se pôs. Não tinha sequer colocado a camiseta de manga comprida. Não havia a menor friagem no ar, mesmo a cerca de 2.100 metros de altitude. Naquela noite fiquei grata pela temperatura agradável em meus braços nus, mas a gratidão acabou às dez horas da manhã do dia seguinte.

Essa gratidão foi retirada de mim pelo cruel e impressionante calor.

À tarde o calor estava tão implacável e a trilha tão exposta ao sol que eu me perguntei honestamente se sobreviveria. Estava tão quente que a única maneira de continuar andando era parar a cada dez minutos para descansar cinco minutos, quando eu sugava a água da garrafa que estava quente como chá. À medida que caminhava, resmungava sem parar, como se isso proporcionasse algum alívio refrescante, mas nada mudava. O sol ainda me abrasava brutalmente, sem dar a mínima se eu sobreviveria ou morreria. As árvores secas, raquíticas e desordenadas ainda se mantinham firmes e indiferentes, como sempre foram e como sempre serão.

Eu era um seixo. Eu era uma folha. Eu era o galho retorcido de uma árvore. Eu era nada para elas e elas eram tudo para mim.

Descansava à sombra que conseguisse encontrar, fantasiando nos mínimos detalhes sobre água gelada. O calor era tão intenso que a memória disso era mais um som do que uma sensação, um resmungo que virou um agudo dissonante bem no centro da minha cabeça. Apesar das coisas que aguentei até então na trilha, nunca cogitei sequer uma vez abandoná-la. Mas agora, somente dez dias depois, estava no meu limite. Queria parar.

Cambaleei para o norte em direção à Kennedy Meadows, furiosa comigo mesma por ter tido essa ideia idiota. Nos outros lugares, as pessoas estavam fazendo churrascos e tendo dias relaxantes, descansando à beira de lagos e tirando cochilos. Tinham acesso a cubos de gelo e limonadas e a quartos cuja temperatura era de 21 graus. Eu conhecia aquelas pessoas. Eu amava aquelas pessoas. Eu também as odiava, por estarem tão distantes de mim, que estava prestes a morrer em uma trilha da qual poucos já ouviram falar. Eu ia desistir. *Desistir, desistir, desistir*, cantei para mim mesma enquanto resmungava, caminhava e descansava (dez, cinco, dez, cinco). Chegaria a Kennedy Meadows, retiraria minha caixa de suprimentos, comeria todas as barras de chocolate que empacotei e depois pegaria uma carona para qualquer cidade a que o motorista que me pegou estivesse indo. Iria até uma rodoviária e de lá para qualquer lugar.

Alasca, decidi instantaneamente. Porque no Alasca havia, com certeza, gelo.

À medida que a noção de desistir ganhava força, inventava outro motivo para reforçar a crença de que essa caminhada na PCT tinha sido uma ideia estúpida e bizarra. Resolvi fazer a trilha para refletir sobre a minha vida, pensar em tudo que me despedaçou e me reencontrar. Mas, pelo menos até agora, a verdade era que eu estava consumida somente pelo sofrimento mais físico e imediato. Desde que comecei a trilha, os problemas da minha vida só passavam pela minha cabeça eventualmente. Por que, ora por que, minha bondosa mãe tinha morrido e como eu poderia viver e prosperar sem ela? Por que a minha família, antes tão próxima e forte, se desintegrou tão rapidamente depois de sua morte? O que eu fiz quando detonei meu casamento com Paul, o marido gentil e sensato que me amava com tanta dedicação? Por que me meti num triste caso com a heroína e Joe, e transei com homens que mal conhecia?

Essas eram as questões que carreguei como pedras ao longo do inverno e da primavera enquanto me preparava para a Pacific Crest Trail. Aquelas que me fizeram chorar e me lamentar, desenterradas em detalhes excruciantes em meu diário. Planejei resolver todas elas durante a caminhada na PCT. Imaginei infindáveis reflexões ao pôr do sol ou enquanto olhava para os lagos cristalinos nas montanhas. Pensei que choraria lágrimas catárticas de arrependimento e de alegria revigorante a cada dia de minha jornada. Em vez disso eu só me queixava, e não porque meu coração sofresse. Era porque meus pés e minhas costas doíam e igualmente por causa dos machucados ainda abertos em volta do quadril. E também porque durante a segunda semana na trilha, quando a primavera estava no exato ponto de se tornar oficialmente verão, estava tão quente que achei que a minha cabeça fosse explodir.

Quando não estava me lamentando internamente sobre minha forma física, minha mente passava e repassava trechos de músicas e jingles em uma infinita e despropositada sequência, como se existisse uma estação de rádio de remixes na minha cabeça. Para enfrentar o silêncio, meu cérebro reagiu com linhas fragmentadas de músicas que ouvi ao longo da vida — trechos de músicas que eu adorava e nítidas versões de jingles de comerciais que quase me levaram à loucura. Passei horas tentando tirar anúncios do chiclete Doublemint e do Burger King da minha cabeça, e uma tarde inteira tentando relembrar a linha seguinte da letra de uma música de Uncle Tupelo que dizia "Falling out the window. Tripping on a wrinkle in the rug...".* Um dia inteiro foi gasto na tentativa de relembrar a letra de "Something About What Happens When We Talk",** de Lucinda Williams.

Meus pés estavam pegando fogo, a pele em carne viva, os músculos e as articulações doloridos, o dedo que perdeu a pele quando o touro me atacou latejava com uma leve infecção, a cabeça confusa e alvoroçada com trechos aleatórios de músicas, e, no fim do décimo e intenso dia de caminhada, praticamente rastejei para uma alameda sombreada de algodoeiros e salgueiros que o guia identificava como córrego Spanish Needle. Ao contrário de muitos lugares listados no guia que tinham nomes falsamente promissores incluindo a palavra *córrego*, o Spanish Needle de fato era um córrego, ou pelo menos era bom o suficiente para mim, alguns centímetros de água cintilando sobre as pedras em seu leito sombreado. Imediatamente, tirei a mochila, as botas e as roupas e me sentei nua na água fresca e rasa, jogando água no rosto e na cabeça. Nos dez dias na trilha eu ainda não tinha visto ninguém, então me reclinei sem me preocupar com alguém chegando, atordoada com a empolgação enquanto diligentemente bombeava a água fria para o purificador e bebia avidamente garrafa após garrafa.

Ao acordar na manhã seguinte com o som suave do córrego Spanish Needle, eu me demorei na barraca, olhando o céu clarear através do forro telado. Comi uma barra de cereal e li o guia, me fortalecendo para a trilha que viria. Por fim, me levantei e fui até o córrego me banhar mais uma vez, aproveitando o privilégio. Eram apenas nove horas da manhã, mas já estava quente e eu temia deixar o trecho sombreado ao longo do córrego. Quando me molhava na água com pouco mais de 10 centímetros de profundidade, decidi que não caminharia até Kenne-

---

* "Caindo da janela. Tropeçando em uma dobra do tapete..." (N. da E.)

** "Alguma coisa sobre o que acontece quando conversamos." (N. da E.)

dy Meadows. Também era longe demais no ritmo em que eu estava indo. O guia indicava uma estrada que a trilha cruzaria em cerca de 20 quilômetros. Nela, eu faria o que fiz antes: caminharia até encontrar uma carona. Só que desta vez eu não voltaria.

Quando me preparava para partir, ouvi um barulho ao sul. Eu me virei e vi um homem barbudo com uma mochila subindo a trilha. Seu bastão de caminhada fazia um som agudo contra o chão compacto a cada passo.

— Olá! — ele falou com um sorriso. — Você deve ser Cheryl Strayed.

— Sim — eu disse com uma voz hesitante, tão surpresa de ver outro ser humano quanto de ouvi-lo dizer o meu nome.

— Vi seu nome no livro de registros da trilha — ele explicou quando viu minha expressão. — Venho seguindo seu rastro há dias.

Logo me acostumei às pessoas me abordando na floresta com tamanha familiaridade; o livro de registro funcionava como uma espécie de boletim social durante todo o verão.

— Meu nome é Greg — ele disse, apertando a minha mão antes de apontar para a minha mochila. — Você está mesmo carregando essa coisa?

Nós nos sentamos à sombra e conversamos sobre para onde íamos e onde estivemos. Ele tinha 40 anos, era contador em Tacoma, Washington, e tinha o jeito austero e metódico de um contador. Ele estava na PCT desde início de maio, tendo iniciado na fronteira mexicana, onde a trilha começa, e planejava caminhar até o Canadá. Ele era a primeira pessoa que encontrei fazendo basicamente o mesmo que eu, embora ele estivesse caminhando havia bem mais tempo. Eu não precisava lhe explicar o que estava fazendo ali. Ele entendeu.

Enquanto conversávamos, me sentia ao mesmo tempo entusiasmada por estar em sua companhia e desanimada pela crescente realização de que ele pertencia a uma raça totalmente diferente: criteriosamente preparado como eu não estava; conhecedor de características da trilha que eu sequer sabia que existiam. Ele passou anos planejando a caminhada, juntando informações por correspondência com outros que tinham feito a PCT nos verões anteriores e frequentando o que chamou de seminários de caminhadas de "longa distância". Repetia de cor distâncias e altitudes, e falava com detalhes sobre os prós e os contras das estruturas internas e externas de uma mochila. Ele mencionou repetidamente um homem que nunca ouvi falar chamado Ray Jardine — um lendário trilheiro de longa distância, Greg me disse com um tom reverente. Jardine era um especialista e um guru indiscutível de tudo que se relacionava à PCT, principalmente de como fazer a trilha sem carregar uma carga pesada. Ele me perguntou sobre o purificador de água, sobre a ingestão diária de proteína e sobre a marca de meias que eu estava usando. Quis saber como cuidei das minhas bolhas e qual era a média de quilômetros que eu percorria por dia. A média de Greg era de 35 quilômetros. Naquela manhã mesmo ele tinha caminhado os 11 quilômetros que tinha me matado para fazer no dia anterior.

— Tem sido mais difícil do que imaginei que seria — confessei, com o coração pesado pelo reconhecimento de que era ainda mais idiota do que estimei inicialmente. — O máximo que consigo fazer são 18 ou 19 quilômetros — menti, como se tivesse conseguido fazer isso.

— Ah, tá — Greg disse, sem surpresa. — Era assim para mim no começo também, Cheryl. Não se preocupe com isso. Eu caminhava 22 ou 24 quilômetros se tivesse sorte e depois ficava morto. E isso foi comigo treinando com antecedência, fazendo viagens de fim de semana com a mochila lotada e assim por diante. Estar aqui é diferente. O corpo precisa de algumas semanas para ficar condicionado a aguentar as longas distâncias.

Concordei, sentindo-me imensamente consolada, menos por sua resposta do que por sua presença. Apesar de sua nítida superioridade, ele era um igual. Eu não tinha certeza se ele se sentia da mesma forma em relação a mim.

— O que você tem feito com a comida à noite? — perguntei com humildade, temerosa de sua resposta.

— Normalmente durmo com ela ao lado.

— Eu também — falei efusivamente, e aliviada. Antes da viagem eu tinha a intenção de cuidadosamente pendurar minha comida nas árvores toda noite, como todo bom mochileiro é aconselhado a fazer. Até agora tenho estado tão exausta que nem consigo pensar nisso. Em vez de fazer isso, guardo a bolsa de comida na barraca comigo, exatamente o lugar que nos avisam para não colocar, usando-a como travesseiro sobre o qual coloco meus pés inchados.

— Coloco a comida direto na barraca — disse Greg, e algo dentro de mim se iluminou. — É o que os guardas florestais fazem. Eles só não contam a ninguém sobre isso porque seriam repreendidos se algum urso surgisse e atacasse alguém por esse motivo. Vou pendurar a comida nas partes mais turísticas da trilha, onde os ursos são frequentes, mas até lá eu não me preocuparia com isso.

Concordei confiante, torcendo para transmitir a falsa ideia de que sabia como pendurar a bolsa de comida corretamente em uma árvore de modo a impedir o urso de pegá-la.

— Mas talvez a gente nem consiga chegar a essas áreas — disse Greg.

— Podemos não conseguir? — perguntei, enrubescendo com o pensamento irracional de que ele de alguma forma adivinhou meu plano de desistir.

— Por causa da neve.

— Verdade. A neve. Ouvi falar que tinha um pouco de neve.

Com o calor, me esqueci totalmente disso. Bud, a mulher do BLM, o sr. Todd e o homem que tentou me dar o saco de pão com mortadela agora pareciam apenas um sonho distante.

— A Sierra está inteiramente coberta de neve — Greg disse, ecoando as palavras de Bud. — Muitos trilheiros desistiram porque houve uma quantidade recorde de neve este ano. Vai ser difícil passar por lá.

— Uau — eu disse, sentindo uma mistura de terror e alívio.

Agora eu tinha tanto a desculpa quanto o discurso para desistir. *Eu queria fazer a PCT, mas não teve como! Estava coberta de neve!*

— Em Kennedy Meadows precisamos nos planejar — Greg disse. — Vou ficar lá uns dias para me reorganizar, então estarei lá quando você chegar e podemos descobrir como fazer isso.

— Ótimo — eu disse baixinho, sem querer contar que quando ele chegasse a Kennedy Meadows eu estaria em um ônibus para Anchorage.

— Vamos encontrar a neve bem ao norte e depois a trilha está soterrada por centenas de quilômetros.

Ele se levantou e pegou a mochila com facilidade. Suas pernas peludas eram como pilares de um cais em um lago de Minnesota.

— Escolhemos o ano errado para fazer a PCT.

— Parece que sim — eu disse, tentando levantar a mochila e passar os braços casualmente pelas alças, como Greg tinha acabado de fazer, como se por puro desejo de evitar a humilhação de repente meus músculos tivessem desenvolvido duas vezes a força que eu tinha, mas a mochila era pesada demais e ainda não conseguia levantá-la um centímetro do chão.

Ele se aproximou para me ajudar a levantá-la.

— Essa mochila está pesada — ele disse enquanto lutávamos para colocá-la nas minhas costas. — Bem mais pesada do que a minha.

— Foi muito bom encontrar com você — eu disse assim que consegui colocar a mochila, tentando não parecer curvada em uma posição remotamente ereta porque precisava ficar, mas curvada para a frente intencionalmente. — Não tinha encontrado ninguém na trilha até agora. Achei que teria mais gente.

— Pouca gente faz a PCT. E certamente não este ano, com a neve recorde. Muitas pessoas souberam disso e adiaram a viagem para o ano que vem.

— Fico pensando se não é o que devemos fazer — comentei, torcendo para ele dizer que achava uma ótima ideia voltar no próximo ano.

— Você é a única mulher sozinha que encontrei até agora e a única que vi no livro de registro também. É uma coisa legal.

Respondi com uma sombra de sorriso no rosto.

— Você está pronta para prosseguir? — ele perguntou.

— Pronta! — disse com mais vigor do que tinha.

Eu o segui pela trilha, andando o mais rápido que podia para acompanhar, sincronizando os passos com o som de seu bastão de caminhada. Quando alcançamos uma série de zigue-zagues 15 minutos depois, parei para tomar um gole de água.

— Greg — eu chamei, enquanto ele continuava a andar. — Foi um prazer conhecê-lo.

Ele parou e se virou.

— Faltam só uns 50 quilômetros até Kennedy Meadows.

— Sim — eu disse, balançando levemente a cabeça.

Ele estaria lá na manhã seguinte. Se eu continuasse, levaria três dias.

— Vai estar mais frio lá em cima — Greg disse. — São 300 metros a mais do que isso.

— Ótimo — respondi desanimada.

— Você está indo bem, Cheryl — ele disse. — Não se preocupe muito com isso. Você é nova, mas é durona. E ser durona é o que mais importa aqui. Não é qualquer um que conseguiria fazer o que você está fazendo.

— Obrigada — eu disse tão animada por suas palavras que minha voz ficou embargada de emoção.

— Nos vemos lá no alto, em Kennedy Meadows — ele disse, e começou a se afastar.

— Kennedy Meadows — gritei com mais clareza do que sentia.

— Vamos fazer um plano sobre a neve — ele disse antes de desaparecer de vista.

Caminhei no calor daquele dia com uma nova determinação. Inspirada pela fé de Greg em mim, não pensei mais em desistir. À medida que caminhava, ponderava sobre a piqueta que estaria em minha caixa de suprimentos. A piqueta que supostamente me pertencia. Era preta e prateada e parecia perigosa, tinha uma lâmina de metal de aproximadamente 60 centímetros com uma lâmina menor e mais afiada que se estendia transversalmente na ponta. Eu a comprei, levei para casa e coloquei na caixa endereçada a *Kennedy Meadows*, considerando que no momento em que chegasse lá eu saberia como usá-la — imaginando que a essa altura eu já teria me transformado surpreendentemente em uma especialista em montanhismo.

Nessa altura, sabia que isso não aconteceria. A trilha tinha me deixado mais humilde. Sem algum tipo de treinamento para usar a piqueta, não havia a menor sombra de dúvida de que era bem mais provável que eu me empalasse com ela do que a usasse para evitar cair pela lateral de uma montanha. Nos intervalos daquele dia, sob o calor de mais de 37 graus, folheei as páginas do guia para ver se dizia alguma coisa sobre como usar uma piqueta. Não dizia. Mas sobre caminhar na neve o guia dizia que tanto os grampos quanto a piqueta eram necessários, da mesma forma que o domínio preciso de como usar a bússola, "respeito consciente por avalanches" e "muito conhecimento sobre montanhismo".

Fechei o livro com brutalidade e caminhei em pleno calor na direção do Dome Land Wilderness, na direção do que eu esperava ser um curso intensivo de piqueta ministrado por Greg em Kennedy Meadows. Eu mal o conhecia e ainda assim ele se tornou uma referência, a minha estrela-guia para o norte. Se ele podia fazer isso, eu podia, pensei furiosamente. Ele não era mais durão do que eu. Ninguém era, disse a mim mesma, sem acreditar no que dizia. Fiz disso o mantra daqueles dias; quando parava antes de encarar outra série de zigue-zagues ou de escorregar de joelhos pelas encostas, quando fragmentos da pele dos meus pés saíam junto com as meias, ou quando me deitava sozinha e solitária na barraca à noite, com frequência me perguntava em voz alta: *Quem é mais durona do que eu?*

A resposta era sempre a mesma, e mesmo quando tinha certeza absoluta de que não havia a possibilidade de ser verdade, eu falava de qualquer forma: *Ninguém*.

Conforme eu caminhava, o terreno ia lentamente mudando de deserto para floresta, as árvores ficavam mais altas e frondosas, aumentavam a probabilidade de os leitos dos riachos rasos terem fontes de água, os campos ficavam cheios de flores do campo. O deserto também tinha flores, mas eram menos abundantes e mais exóticas, enfeitadas de maneira meticulosa e espetacular. As flores silvestres que encontrava agora eram do tipo mais comum, crescendo como costumam fazer em concentrações coloridas ou margeando as bordas sombreadas da trilha. Muitas delas eu conhecia, sendo da mesma espécie ou primas próximas das que floresciam nos verões de Minnesota. Quando passava por elas, sentia tão forte a presença de minha mãe que fiquei com a sensação de que ela estava lá; certa vez cheguei a parar e procurar por ela antes de prosseguir.

Na tarde do dia em que encontrei Greg, vi o primeiro urso na trilha, embora tecnicamente eu tenha ouvido antes o inconfundível e poderoso urro que me paralisou. Quando levantei a cabeça, vi um animal sobre as quatro patas do tamanho de uma geladeira em plena trilha a 6 metros de mim. No momento em que nossos olhos se encontraram, a mesma expressão de surpresa passou pelos nossos rostos.

— URSO! — gritei, e procurei o apito logo após ele se virar e correr, o traseiro compacto ondulando no sol enquanto o apito disparava seu silvo alto e mortífero.

Demorei alguns minutos para reunir coragem e continuar. Além da realidade de que agora eu tinha que andar na mesma direção em que o urso fugira, minha mente estava elaborando o fato de que ele não parecia ser um urso-negro. Já vi muitos ursos-negros antes; as florestas do norte de Minnesota eram lotadas deles. Frequentemente, eu os assustava desta mesma maneira quando caminhava ou corria na estrada de terra onde cresci. Mas aqueles ursos-negros eram diferentes do urso que acabei de ver. Eles eram negros. Negros como o asfalto. Negros como a terra adubada que você compra em sacos grandes na loja de jardinagem. Este urso não era como nenhum deles. Sua pelugem era marrom-claro, quase loura em alguns lugares.

Comecei a caminhar de modo hesitante, tentando acreditar que certamente o urso não era um urso-cinzento ou um urso-pardo — os primos ursos mais predadores dos ursos-negros. É claro que não era. Sabia que não podia ser. Aqueles ursos não habitavam mais a Califórnia; foram todos exterminados anos antes. E, ainda assim, por que o urso que eu vi era tão, tão inequivocamente... *não preto*?

Segurei o apito durante uma hora, preparada para assoprá-lo ao mesmo tempo em que também cantava músicas para não surpreender o urso do tamanho de uma geladeira e de sabe-se lá que espécie, caso o encontrasse novamente. Cantei bem alto as minhas músicas de fuga, aquelas a que recorri quando, na semana anterior, achei que um puma estava me seguindo; cantei "Twinkle, Twinkle, Little Star" e "Country Roads, Take Me Home" em tons artificialmente corajosos, depois deixei que a estação de rádio de remixes da minha cabeça assumisse, e simplesmente cantei trechos das músicas que desejava ouvir. "A mulatto, an albino, a mosquito, my libido. YEAHH!"

Foi exatamente por causa desta cantoria que quase pisei em uma cascavel, sem me dar conta de que o insistente som de chocalho que aumentava de volume era de fato um chocalho. E não se tratava apenas de um velho chocalho, mas de um preso ao rabo de uma cobra tão grossa quanto o meu antebraço.

— AI! — berrei quando dei de cara com a cobra enrolada a alguns metros de mim. Se eu tivesse capacidade de saltar, teria saltado. Eu saltava, mas meus pés não saíam da trilha. Em vez disso, fugi para longe da cabecinha achatada da cobra, gemendo de terror. Levei bons dez minutos para reunir coragem de contornar a cobra em um grande arco, meu corpo inteiro tremendo.

O resto do dia foi em marcha lenta, meus olhos vasculhando tanto o chão quanto o horizonte, aterrorizada com cada som, ao mesmo tempo em que também cantava para mim mesma: *Eu não estou com medo.* Abalada como estava, não podia deixar de agradecer ter visto os dois animais que compartilham este local que começou a parecer um pouquinho como meu. Percebi que, apesar das minhas dificuldades, conforme o fim da primeira etapa da jornada se aproximava, eu começava a sentir um carinho crescente pela PCT. Minha mochila pesada passou a ser quase uma companhia de verdade. Não era mais o absurdo Fusca que eu tinha dolorosamente içado naquele quarto de hotel em Mojave algumas semanas antes. Agora minha mochila tinha um nome: Monstra.

Minha intenção foi a melhor possível. Estava impressionada com o fato de que o que eu precisava para sobreviver pudesse ser carregado nas minhas costas. E, o mais surpreendente de tudo, que eu pudesse carregá-la. Que eu pudesse suportar o insuportável. A compreensão da minha vida física e material, como não poderia deixar de ser, estendeu-se para o âmbito emocional e espiritual. Era surpreendente que a minha vida complicada pudesse ser tão simples. Começou a me vir à mente que talvez fosse bom que eu não passasse os dias na trilha refletindo sobre os sofrimentos da minha vida, que talvez, ao ser forçada a focar no sofrimento físico, algumas de minhas dores emocionais tenham desaparecido. No final da segunda semana, percebi que desde que comecei a caminhada não derramei uma única lágrima.

Caminhei os últimos quilômetros até o estreito platô onde montei acampamento na noite anterior à minha chegada a Kennedy Meadows, com a costumeira agonia que tem sido minha companhia constante.

Estava aliviada de ver que uma enorme árvore caída delimitava meu acampamento. Estava caída havia muito tempo, o tronco cinza e liso, havia anos sem sua casca. Ela formava um banco alto e confortável, onde me sentei e tirei a mochila com facilidade. Logo que tirei a mochila, me deitei na árvore como se ela fosse um sofá, um agradável descanso do chão. A árvore era larga o suficiente para que, se eu ficasse imóvel, pudesse descansar sem cair para nenhum dos lados. A sensação foi maravilhosa. Eu estava com calor, com sede, com fome e cansada, mas todas essas coisas não eram nada em comparação à queimação que emanava dos nós na parte superior das minhas costas. Fechei os olhos, suspirando de alívio.

Alguns minutos depois, senti algo em minha perna. Olhei para baixo e percebi que estava coberta de formigas pretas, um exército completo delas formando uma fila indiana a partir de um buraco na árvore e cobrindo o meu corpo. Pulei do tronco, gritando mais alto do que da vez em que avistei o urso e a cascavel, e batendo nas formigas indefesas, ofegante e com um medo irracional. E não apenas das formigas, mas de tudo. Do fato de que eu não pertencia a esse mundo, mesmo que insistisse em pertencer.

Preparei o jantar e me recolhi na barraca assim que pude, bem antes de escurecer, simplesmente para ter um abrigo, mesmo que isso significasse estar cercada por uma fina camada de náilon. Antes de começar a fazer a PCT, imaginei que dormiria dentro da barraca apenas quando ameaçasse chover, que a maior parte das noites eu me deitaria no saco de dormir sobre lona e dormiria sob as estrelas, mas eu estava errada sobre isso, como sobre tantas outras coisas. Toda noite eu desejava ansiosamente a barraca por conta da mínima sensação de que algo estava me protegendo do resto do mundo e me mantendo segura, não do perigo, mas da própria vastidão. Adorava a leve escuridão e a umidade da minha barraca, a aconchegante familiaridade da maneira como eu arrumava os poucos pertences ao meu redor a cada noite.

Peguei o *Enquanto agonizo*, coloquei a lanterna de cabeça e posicionei a sacola de comida embaixo das minhas panturrilhas rezando uma pequena oração pedindo que o urso que vi mais cedo — o urso-negro, enfatizei — não invadisse a barraca para roubá-la de mim.

Quando acordei às 11 horas com o uivo dos coiotes, a luz da lanterna de cabeça tinha enfraquecido; o romance de Faulkner ainda estava aberto sobre o meu peito.

Pela manhã eu mal pude me levantar. Não era só aquela manhã, 14º dia. Vinha acontecendo ao longo da semana anterior, um crescente conjunto de problemas e dores que tornava impossível ficar de pé ou caminhar como uma pessoa normal quando eu saía da barraca. Era como se tivesse me transformado subitamente em uma velha senhora, mancando ao longo do dia. Havia conseguido carregar a Monstra por mais de 160 quilômetros por um terreno inóspito e às vezes íngreme, mas à medida que um novo dia começava eu mal conseguia aguentar meu próprio peso; os pés inchados e doloridos por causa dos esforços dos dias anteriores; os joelhos rígidos demais para fazer o que o andar normal exigia deles.

Terminei de perambular descalça pelo acampamento, arrumei a mochila e estava pronta para prosseguir quando dois homens apareceram na trilha pelo lado sul. Como Greg, me saudaram pelo nome antes que eu sequer falasse uma palavra. Eram Albert e Matt, a equipe formada por pai e filho da Geórgia, e estavam fazendo a trilha inteira. Albert tinha 52 anos; Matt, 24. Ambos foram escoteiros Eagle* e aparentavam ter sido. Eram de uma sinceridade desconcertante e tinham uma precisão militar que camuflava a barba empoeirada, as panturrilhas sujas e a nuvem de fedor com um metro e meio de diâmetro que acompanhava cada movimento que faziam.

— O Grilo Falante — Albert falou lentamente quando viu a Monstra. — O que você tem aí dentro, garota? Parece que tem tudo, inclusive a pia da cozinha.

— Apenas coisas de acampamento — respondi, vermelha de vergonha.

As suas mochilas tinham cerca de metade do tamanho da minha.

---

* Eagle é o mais alto nível que um escoteiro pode atingir na organização dos escoteiros nos Estados Unidos. (N. da E.)

— Só estou implicando — Albert falou gentilmente. Conversamos um pouco sobre a causticante trilha que ficou para trás e a congelante à frente. Enquanto conversávamos, me senti exatamente como quando encontrei Greg: eufórica por estar com eles, embora estar com eles apenas enfatizasse o quão insuficiente tinha sido a minha preparação para a caminhada. Podia sentir seus olhos sobre mim, percebia quando mudavam de um pensamento para outro enquanto registravam minha ultrajante mochila e meu dúbio entendimento do negócio em questão, ao mesmo tempo em que também reconheciam a coragem necessária para chegar até aqui sozinha. Matt era um cara parrudo, com porte de *linebacker;** o cabelo castanho-avermelhado formava cachos leves sobre as orelhas e os pelos brilhavam, dourados, nas pernas gigantescas. Era apenas poucos anos mais novo do que eu, mas tão tímido que me comoveu como uma criança, deixando que o pai falasse a maior parte do tempo enquanto ele permanecia afastado.

— Perdoe a pergunta — falou Albert —, mas quantas vezes você está urinando por dia neste calor?

— Bem... Não contei. Deveria? — perguntei, sentindo-me exposta mais uma vez pela fraude de aventureira que eu era.

Torci para eles não terem acampado perto o suficiente para me ouvir gritando por causa das formigas na noite anterior.

— Idealmente são sete — disse Albert de maneira sucinta. — Essa é a velha regra dos escoteiros, embora, com este calor e a pouca oferta de água na trilha combinados com o alto nível de esforço, somos sortudos se chegarmos a três.

— Sim, eu também — eu disse, apesar de na realidade ter havido um período de 24 horas, no meio do calor mais abrasador, em que não fui uma única vez. — Vi um urso ao sul daqui — continuei, para mudar o assunto. — Um urso marrom, que era um urso-negro, é claro. Mas ele parecia marrom. Na cor, quero dizer, o urso-negro.

— São marrons nas partes de baixo — disse Albert. — Clareados pelo sol da Califórnia, imagino.

Ele bateu na aba do chapéu.

---

* *Linebacker* é a posição no futebol americano que faz parte da defesa, mas se posiciona atrás da linha defensiva. (N. da T.)

— Nos vemos lá em Kennedy Meadows, senhorita. Foi um prazer conhecê-la.

— Tem outro cara à frente chamado Greg — eu disse. — Encontrei com ele há alguns dias e ele disse que ainda estará lá.

Minhas entranhas se reviraram quando falei o nome de Greg, por nenhuma outra razão além de ele ser a única pessoa que eu conhecia na trilha.

— Faz um bom tempo que o seguimos, então será legal finalmente conhecê-lo — disse Albert. — Tem outra dupla de caras atrás de nós. É provável que apareçam a qualquer momento — ele disse, e se virou para olhar a trilha na direção de onde viemos. — Dois garotos chamados Doug e Tom, mais ou menos com a mesma idade de vocês todos. Eles começaram não muito antes de você, um pouco mais ao sul.

Despedi-me de Albert e Matt e me sentei um pouco, refletindo sobre a existência de Doug e Tom; depois levantei e passei as horas seguintes caminhando mais vigorosamente do que nunca, com o único objetivo de eles não me alcançarem antes que eu chegasse a Kennedy Meadows. Estava louca para conhecê-los, é claro, mas queria conhecê-los como a mulher que os deixou comendo poeira em vez de a mulher que eles ultrapassaram. Como Greg, Albert e Matt que tinham começado a caminhada na fronteira do México e nessa altura estavam adaptados, percorrendo mais de 30 quilômetros todo dia. Mas Doug e Tom eram diferentes. Como eu, tinham acabado de começar a PCT, *não muito antes de você*, Albert tinha dito, e *só um pouco mais ao sul*. Suas palavras se repetiam sozinhas em minha mente, como se repeti-las extraísse mais significado e especificidade delas. Como se através delas eu pudesse entender se estava indo mais rápido ou mais devagar em comparação com Doug e Tom. Como se a resposta a esta questão guardasse a resposta para meu sucesso ou fracasso na trilha — a coisa mais difícil que já fiz na vida.

Parei de repente, surpresa, quando esse pensamento surgiu na minha mente, de que fazer a PCT era a coisa mais difícil que já fiz na vida. Imediatamente, corrigi o pensamento. Ver minha mãe morrer e ter que viver sem ela, isso sim foi a coisa mais difícil que já fiz na vida. Deixar Paul e destruir nosso casamento e a vida como eu a conhecia pela simples e inexplicável razão de que sentia que precisava fazer aquilo — isso foi igualmente difícil. Mas fazer a PCT era difícil de um jeito diferente. De um jeito que fez as outras coisas difíceis um pouco menos difíceis. Era estranho, porém verdadeiro. E, de certa forma, talvez eu tenha percebido isso desde o início. Talvez o impulso para comprar o guia da PCT meses antes tenha sido a primeira abordagem para a cura, para o fio condutor da minha vida que foi interrompido.

Podia senti-lo se desenrolando por trás de mim, o velho fio da meada que perdi e o novo que estava tecendo, enquanto caminhava naquela manhã, os picos nevados das High Sierras ficando à vista de vez em quando. Durante a caminhada, não pensei naqueles picos nevados. E sim no que faria assim que chegasse ao armazém de Kennedy Meadows naquela tarde, imaginando em detalhes incríveis as coisas que compraria para comer e beber: limonada gelada, barra de chocolate e comida pronta que eu raramente comia em minha vida normal. Imaginei o momento em que colocaria as mãos na primeira caixa de suprimentos, o que me parecia ser um marco fenomenal, a prova palpável de que consegui pelo menos chegar até esse ponto. *Olá*, disse para mim mesma em antecipação do que eu diria quando chegasse ao armazém, *eu sou uma mochileira da PCT e estou aqui para pegar a minha caixa. Meu nome é Cheryl Strayed.*

Cheryl Strayed, Cheryl Strayed, Cheryl Strayed, essas duas palavras juntas ainda soaram hesitantes em minha língua. Cheryl sempre foi o meu nome, mas Strayed era um acréscimo, só virou oficialmente meu sobrenome a partir de abril, quando Paul e eu demos entrada no divórcio. Paul e eu incorporamos o sobrenome um do outro quando nos casamos e nossos dois nomes se tornaram um longo nome de quatro sílabas, conectadas por um hífen. Nunca gostei disso. Era muito complicado e desajeitado. Raramente alguém conseguia entendê-lo direito, e mesmo eu me confundia a maior parte do tempo. *Cheryl Hífen-Hífen*, um velho mal-humorado para quem trabalhei brevemente me chamava, aturdido pelo meu nome verdadeiro, e eu não o culpava por isso.

Naquele período incerto em que Paul e eu ficamos separados por vários meses, mas ainda não tínhamos certeza se nos divorciaríamos, nos sentamos para digitalizar um conjunto de documentos de divórcio amigável do tipo faça-você-mesmo que pedimos pelo telefone, como se segurá-los com as nossas mãos nos ajudasse a decidir o que fazer. À medida que folheávamos os documentos, nos deparamos com uma questão que pedia o nome que cada um teria após o divórcio. A linha debaixo da questão estava inteiramente vazia. Nela, para meu espanto, podíamos escrever qualquer coisa. Ser qualquer coisa. Rimos disso na época, inventando novos nomes inconvenientes para nós, nomes de estrelas de cinema e de personagens de desenho animado, e estranhas combinações de palavras que não eram nem um pouco razoáveis.

Mas depois, sozinha em meu apartamento, aquela linha vazia pesou no meu coração. Não tinha dúvida de que, se me divorciasse de Paul, escolheria um novo nome para mim. Não poderia continuar a ser Cheryl Hífen-Hífen, nem poderia voltar a ter o nome que tinha no ensino médio e ser a garota que costumava ser. Portanto, nos meses em que Paul e eu ficamos no limbo marital, sem saber qual direção tomaríamos, refleti sobre a questão de meu sobrenome, digitalizando mentalmente palavras que soavam bem com Cheryl e criando listas de personagens de romances de que eu gostava. Nada combinava até o dia em que a palavra *strayed* me veio à mente. Imediatamente, procurei por ela no dicionário e soube que seria minha. Suas definições sobrepostas se referiam diretamente à minha vida e também soavam como poesia: *desviar-se do caminho certo, afastar-se da rota direta, perder-se, ficar louco, ser sem pai nem mãe, estar sem casa, perambular sem rumo à procura de alguma coisa, divergir ou divagar.*

Divergi, divaguei, perambulei e desviei-me do caminho certo. Não adotei a palavra como meu novo sobrenome porque definia aspectos negativos da minha situação ou da minha vida, mas porque mesmo em meus dias mais sombrios, aqueles em que estava escolhendo um nome, vi o poder da escuridão. Vi que, na realidade, *tinha* me desviado, que *era* uma pessoa isolada e que meu isolamento me trouxe dos lugares mais selvagens, e que eu sabia coisas que não tinha como saber antes.

Cheryl Strayed, escrevi repetidamente numa página inteira do diário, como uma garota apaixonada por um menino com quem espera se casar. O problema é que o garoto não existia. Eu era meu próprio garoto, plantando uma raiz bem no meio de meu desgarramento. Ainda assim eu tinha minhas dúvidas. Escolher uma palavra do dicionário e proclamá-la minha pareceu um pouco fraudulento, um pouco infantil ou idiota, sem contar o toque hipócrita. Durante anos zombei secretamente dos colegas que pertenciam a grupos hippies, artísticos e esquerdistas e que tinham assumido nomes inventados por eles mesmos. Jennifers e Michelles se tornaram Sequoias e Lunas; Mikes e Jasons que viraram Carvalhos e Cardos. Segui em frente de qualquer jeito, confidenciando a poucos amigos sobre a decisão, pedindo-lhes que começassem a me chamar pelo novo nome para me ajudar a testá-lo. Fiz uma viagem de carro e, toda vez que tinha que assinar no livro de hóspedes, eu assinava *Cheryl Strayed*, a mão tremendo levemente, me sentindo vagamente culpada, como se estivesse falsificando um cheque.

Na época em que Paul e eu decidimos dar entrada no divórcio, treinei meu novo nome o suficiente para escrevê-lo sem hesitação na linha vazia. Foram as outras linhas que me fizeram hesitar, as infindáveis linhas exigindo assinaturas que encerrariam nosso casamento. Essas eram as linhas que preenchi com muito mais apreensão. Não queria exatamente me divorciar. Não exatamente não queria. Acreditava que me divorciar de Paul era a coisa certa a fazer tanto quanto que ao me divorciar estava destruindo a melhor coisa que eu tinha. Nessa altura, meu casamento era como a trilha naquele momento em que percebi que havia um touro nas duas direções. Simplesmente dei um salto de fé e prossegui em uma direção onde nunca tinha estado.

Foi em um dia de abril em Mineápolis que assinamos os papéis do divórcio. Nevava e os flocos caíam em numerosos rodamoinhos, encantando a cidade. Nós nos sentamos em uma mesa de frente para uma mulher chamada Val, que era nossa conhecida e também por acaso tabeliã pública licenciada. Olhamos a neve da ampla janela de seu escritório no centro da cidade, fazendo piadas quando era possível. Tinha encontrado Val apenas algumas vezes antes; sabia coisas vagas sobre ela que se misturavam em minha mente. Ela era graciosa, objetiva e incrivelmente pequena; no mínimo uma década mais velha que nós. Seu cabelo era curtinho e tingido de louro, exceto por uma mecha mais longa cor-de-rosa que caía como uma pequena asa sobre os olhos. Brincos prateados enfeitavam suas orelhas e um monte de tatuagens multicoloridas entalhavam seus braços como mangas.

Apesar disso tudo, tinha um trabalho de verdade em um escritório de verdade no centro da cidade com uma janela enorme e uma licença de tabeliã pública. Nós a escolhemos para oficializar nosso divórcio porque queríamos que fosse uma coisa simples. Queríamos que fosse tranquilo. Queríamos acreditar que ainda existem pessoas boas e gentis no mundo. Que tudo o que tínhamos dito um ao outro havia seis anos tinha sido verdade. *O que foi que dissemos?*, nós nos perguntamos algumas semanas antes, meio bêbados em meu apartamento, quando decidimos de uma vez por todas que levaríamos isso a cabo.

— Aqui está — gritei após folhear alguns papéis e encontrar os votos matrimoniais que escrevemos; três páginas esmaecidas e grampeadas juntas. Nós lhes demos um título: *O Dia em que as Margaridas Floresceram*. "O Dia em que as Margaridas Floresceram!", berrei, e rimos muito de nós e das pessoas que éramos. Depois, incapaz de continuar lendo, coloquei os votos de volta no alto da pilha onde os encontrei.

Tínhamos nos casado muito jovens, uma decisão tão atípica que até mesmo nossos pais perguntaram por que não podíamos simplesmente morar juntos. Não podíamos simplesmente morar juntos, apesar de eu ter 19 anos e ele 21. Estávamos tão loucamente apaixonados que acreditávamos que tínhamos que fazer algo extravagante para demonstrar isso e então fizemos a coisa mais extravagante que conseguimos imaginar, e nos casamos. Mas, mesmo casados, não nos víamos como *pessoas casadas*, éramos monógamos, mas não pretendíamos nos acomodar. Colocamos nossas bicicletas em caixas e embarcamos com elas para a Irlanda, onde um mês depois eu fiz 20 anos. Alugamos um apartamento em Galway e depois mudamos de ideia e nos mudamos para Dublin, e arrumamos empregos em restaurantes; ele em uma pizzaria, eu em um café vegetariano. Quatro meses depois, nos mudamos para Londres, onde vagamos pelas ruas tão duros que tivemos que procurar moedas nas calçadas. Acabamos voltando para casa e não muito tempo depois disso minha mãe morreu e fizemos todas as coisas que nos levaram até ali, ao escritório da Val.

Paul e eu nos demos as mãos por baixo da mesa, observando Val examinar metodicamente nossos documentos de divórcio amigável do tipo faça-você-mesmo. Ela conferiu uma página, depois outra, e assim fez ao longo de cinquenta ou sessenta páginas, certificando-se de que fizemos tudo certo. Senti uma espécie de lealdade surgir em mim à medida que ela fazia isso, unida com Paul contra qualquer afirmação contrária que ela pudesse fazer, como se estivéssemos pedindo para ficar juntos pelo resto de nossas vidas e não o contrário.

— Parece que está tudo certo — ela disse por fim, nos dando um sorriso reticente. E então voltou a folhear as páginas novamente, desta vez com um movimento mais rápido, pressionando o enorme carimbo notarial em algumas e deslizando dezenas de outras pela mesa para que assinássemos.

— Eu te amo — deixei escapar quando estávamos quase acabando, meus olhos cheios de lágrimas. Pensei em levantar a minha manga e mostrar a ela o quadrado de gaze que cobria minha tatuagem de cavalo recém-feita como prova, mas apenas balbuciei. — Quer dizer, isso não é por falta de amor, só pra você saber. Eu o amo e ele me ama... — Olhei para Paul, esperando que ele me interrompesse, concordasse e declarasse seu amor também, mas ele permaneceu em silêncio. — Só pra você saber — repeti. — Para que não entenda errado.

— Eu sei — Val disse, e colocou a mecha rosa do cabelo para o lado de modo que pude ver seus olhos se mexendo nervosamente dos papéis para mim e para os papéis novamente.

— E é tudo minha culpa — falei, com a voz inflamando e tremendo. — Ele não fez nada. Eu feri a mim mesma.

Paul estendeu a mão e apertou minha perna, me consolando. Não conseguia olhar para ele. Se olhasse, choraria. Decidimos fazer isso junto, mas sabia que se virasse para ele e propusesse esquecer o divórcio e reatar, ele aceitaria. Eu não me virei. Alguma coisa dentro de mim zuniu como uma máquina que eu havia dado a partida e não podia fazer parar. Coloquei a mão sobre a de Paul, que estava na minha perna.

Às vezes nos perguntávamos se as coisas teriam acontecido de maneira diferente se uma coisa que era verdade não tivesse sido. Se minha mãe não tivesse morrido, por exemplo, ainda assim eu teria sido infiel a ele? Ou, se eu não tivesse sido infiel, ele teria sido infiel a mim? E se nada disso tivesse acontecido, a morte de mamãe e as infidelidades, ainda assim estaríamos nos divorciando por termos simplesmente casado muito cedo? Não tinha como saber, mas estávamos abertos a descobrir. Por mais unidos que fôssemos juntos, estávamos ainda mais unidos na separação, finalmente falando tudo um para o outro com palavras que pareciam nunca ter sido faladas entre dois seres humanos. Então fomos fundo, falando tudo o que era bonito, feio e verdadeiro.

— Agora que passamos por tudo isso devíamos ficar juntos — meio que brinquei na esteira afetuosa de nossa última, angustiada e reveladora discussão, aquela em que tivemos que finalmente decidir se nos divorciaríamos ou não. Estávamos no escuro, no sofá do meu apartamento, depois e conversar toda a tarde e parte da noite, ambos muito abalados para levantar e acender a luz quando o sol se pôs.

— Espero que você consiga fazer isso um dia com outra pessoa — eu disse quando ele não respondeu, embora o simples pensamento de outra pessoa me apertasse o coração.

— Espero que você também consiga — ele disse.

Estava sentada no escuro ao lado dele, querendo acreditar que seria capaz de encontrar novamente o tipo de amor que eu tinha por ele, só que sem destruí-lo da próxima vez. Isso me parecia impossível. Pensava na minha mãe. Pensava em como em seus últimos dias de vida tantas coisas horríveis aconteceram. Pequenas coisas horríveis. Os balbucios delirantes e esquisitos de minha mãe. Os hematomas que enegreceram a parte posterior de seus braços acamados. A maneira que implorava por alguma coisa que não era nem piedade. Por seja lá o que for que é menos do que piedade; pelo que nós nem temos uma palavra para definir. Esses foram os piores dias, eu achava na época, e, no entanto, quando ela morreu eu teria dado qualquer coisa para tê-los de volta. Um dia curto, horrível e glorioso atrás do outro. Talvez seja assim com Paul também, pensei, sentada ao lado dele na noite em que decidimos nos divorciar. Talvez, uma vez que terminem, eu também queria esses dias horríveis de volta.

— No que você está pensando? — ele perguntou, mas não respondi.

Apenas me debrucei e acendi a luz.

Era nossa responsabilidade colocar no correio os documentos do divórcio assinados pela tabeliã. Juntos, Paul e eu saímos do prédio para a rua cheia de neve e andamos pela calçada até encontrar uma caixa de correio. Depois, nos encostamos à parede gelada de um prédio e nos beijamos, chorando e murmurando arrependimentos, as lágrimas se misturando em nossos rostos.

— O que estamos fazendo? — Paul perguntou depois de um tempo.

— Dizendo adeus — eu disse.

Pensei em pedir que ele voltasse para casa comigo, como tínhamos feito algumas vezes ao longo do curso de um ano de nossa separação, indo para a cama juntos por uma noite ou uma tarde, mas não tive coragem.

— Adeus — ele disse.

— Adeus — respondi.

Permanecemos grudados, cara a cara, minhas mãos segurando a frente de seu casaco. Eu podia sentir a crueldade muda do edifício em um dos meus lados; o céu cinza e as ruas brancas como um animal gigante em repouso do outro; e nós no meio deles, juntos e sozinhos em um túnel. Flocos de neve derretiam no cabelo dele; queria estender a mão e tocá-los, mas não o fiz. Ficamos ali parados sem dizer nada, olhando um para o outro como se fosse a última vez.

— Cheryl Strayed — ele disse após um longo intervalo, meu novo nome tão estranho em sua boca.

Eu assenti com a cabeça e soltei seu casaco.

7

A ÚNICA GAROTA NA TRILHA

— Cheryl Strayed? — perguntou a mulher do armazém geral de Kennedy Meadows sem sorrir. Quando fiz que sim com a cabeça de modo entusiasmado, ela se virou e desapareceu nos fundos sem dizer outra palavra.

Olhei em volta, inebriada pela visão da comida enlatada e das bebidas, sentindo uma mistura de expectativa pelas coisas que consumiria nas próximas horas e de alívio pelo fato de a mochila não estar mais presa ao meu corpo, mas recostada na entrada da loja.

Eu estava aqui. Tinha conseguido chegar à primeira parada. Parecia um milagre. Tinha certa expectativa de ver Greg, Matt e Albert no armazém, mas eles não estavam à vista. O guia informava que o local de acampamento ficava a cerca de 5 quilômetros adiante e achei que os encontraria lá, com Doug e Tom. Graças aos meus esforços, eles não conseguiram me alcançar. Kennedy Meadows era uma bonita extensão de florestas de pinheiros, arbustos de sálvia e campinas a 1.900 metros de altitude sobre o rio South Fork Kern. Não era uma cidade, mas um posto avançado da civilização espalhado por alguns quilômetros, que consistia em um armazém, um restaurante chamado Grumpie's e um acampamento primitivo.

— Aqui está — a mulher disse, retornando com a minha caixa e colocando-a sobre o balcão. — É a única que tem um nome feminino escrito nela. Foi assim que descobri.

Ela empurrou-a no balcão para mim:

— Isso chegou também.

Em sua mão havia um cartão-postal. Peguei-o e li: *Espero que tenha chegado até aqui*, dizia em um garrancho familiar. *Quero ser seu namorado sem vícios um dia. Amo você. Joe.* No outro lado tinha uma fotografia do Sylvia Beach Hotel na costa do Oregon, onde ficamos juntos uma vez. Olhei para a fotografia por alguns instantes, uma série de emoções me varreu em ondas: gratidão pela lembrança de alguém conhecido, saudades de Joe, desapontamento por apenas uma pessoa ter escrito e, por mais irracional que pareça, tristeza por essa pessoa não ser Paul.

Comprei duas garrafas de limonada Snapple, uma barra grande de chocolate Butterfinger e um saco de Doritos, depois saí, me sentando nos degraus da frente para devorar o que havia comprado enquanto lia repetidas vezes o cartão-postal. Depois de um tempo, percebi uma caixa no canto da entrada cheia até a boca com basicamente comida enlatada de mochileiro. Em cima dela havia um aviso escrito à mão que dizia:

Caminhante da PCT caixa GRATUITA!!!
Deixe o que você não quiser!
Pegue o que quiser!

Um bastão de esqui estava encostado atrás da caixa, exatamente o que eu precisava. Era um bastão de esqui feito para uma princesa: branco, com uma faixa de náilon rosa-chiclete na empunhadura. Testei-o dando alguns passos. Tinha a altura perfeita. Ele me ajudaria a cruzar não apenas a neve, mas também os muitos córregos e deslizamentos que sem dúvida se encontrariam à frente.

Caminhei com ele uma hora depois pela estrada de terra que dava no camping, procurando por Greg, Matt e Albert. Era uma tarde de domingo de junho, mas o local estava quase vazio. Passei por um homem preparando o equipamento de pesca e por um casal com um cooler de cerveja e um equipamento de som. Por fim cheguei a uma área de acampamento onde um homem grisalho, sem camisa e com uma grande barriga bronzeada estava sentado em uma mesa de piquenique lendo um livro. Ele ergueu os olhos quando me aproximei.

— Você deve ser a famosa Cheryl da mochila gigante — ele me chamou.

Eu ri, concordando.

— Sou Ed. — Ele se dirigiu a mim e me deu um aperto de mão. — Seus amigos estão aqui. Acabaram de pegar uma carona até o armazém. Você deve ter se desencontrado deles ao vir caminhando, mas eles me pediram para ficar de olho à sua espera. Se quiser, pode montar a barraca bem ali. Eles estão todos acampados aqui, Greg, Albert e o filho. — Ele gesticulou apontando para as barracas ao seu redor. — Estávamos apostando quem ia chegar primeiro. Você ou os dois rapazes do leste que estavam depois de você.

— Quem ganhou? — perguntei.

Ed pensou por um momento.

— Ninguém — ele disse e caiu na gargalhada. — Nenhum de nós apostou em você.

Pousei a Monstra na mesa de piquenique, tirei-a e deixei-a ali, para que, quando fosse colocá-la novamente, não tivesse que realizar meu patético agachamento a partir do chão.

— Bem-vinda à minha humilde morada — Ed disse, apontando para um pequeno trailer com um telhado extensível de lona na lateral e uma cozinha improvisada embaixo dele. — Está com fome?

Não havia chuveiros no camping, então, enquanto Ed me preparava um almoço, fui até o rio me lavar da melhor forma possível com a roupa no corpo. O rio foi um impacto depois de todo o árido território que atravessei. E o South Fork Kern não era um rio qualquer. Ele era violento e senhor de si, gelado e furioso, sua força, uma clara evidência da neve densa no alto das montanhas. A correnteza era forte demais para entrar, mesmo à altura do tornozelo, então desci pela margem até encontrar uma enseada próxima e entrei na água. Meus pés doíam na água gelada e por fim ficaram dormentes. Abaixei, molhei meu cabelo imundo e joguei as mãos cheias de água por dentro da roupa para lavar meu corpo. Eu me sentia energizada pelo açúcar e pela vitória da chegada; cheia de expectativa das conversas que eu teria nos próximos dias.

Quando acabei, escalei a margem e depois passei por um campo amplo, úmido e frio. Eu podia ver Ed ao longe e, à medida que me aproximei, o vi levar pratos cheios de comida, frascos de ketchup e de mostarda e latas de Coca-Cola de sua cozinha no acampamento até a mesa de piquenique. Eu o tinha conhecido havia poucos minutos e ainda assim, como os outros homens que conheci, ele me pareceu instantaneamente familiar, como se eu pudesse confiar nele para praticamente qualquer coisa. Sentamos um de frente para o outro e comemos enquanto ele me falava dele. Tinha 50 anos, era poeta amador e vagabundo sazonal, não tinha filhos e era divorciado. Tentei comer no mesmo ritmo prazeroso dele, dando mordidas quando ele dava, do mesmo modo que tinha tentado acompanhar os passos de Greg alguns dias atrás, mas não consegui. Eu estava esfomeada. Devorei dois cachorros-quentes, uma montanha de feijões cozidos e outra montanha de batatas fritas em um segundo e depois fiquei sentada faminta querendo mais. Enquanto isso, Ed comeu o almoço dele tranquilamente, fazendo pausas para abrir seu diário e ler em voz alta os poemas que tinha escrito no dia anterior. Ele morava em San Diego a maior parte do ano, explicou, mas todo verão montava acampamento em Kennedy Meadows para saudar os trilheiros da PCT à medida que passavam. Era conhecido no jargão do trilheiro da PCT como um *anjo da trilha*, mas eu não sabia disso na época. Não sabia nem que havia um jargão do trilheiro da PCT.

— Olha aqui, pessoal, todos nós perdemos a aposta — Ed gritou para os homens quando voltaram do armazém.

— Eu não perdi! — Greg protestou ao se aproximar para me apertar o ombro. — Apostei meu dinheiro em você, Cheryl — ele insistiu, embora os outros contestassem sua declaração.

Sentamos ao redor da mesa de piquenique, conversando sobre a trilha, e depois de um tempo todo mundo se dispersou para tirar um cochilo, Ed em seu trailer, Greg, Albert e Matt em suas barracas. Permaneci na mesa de piquenique, agitada demais para dormir, vasculhando o conteúdo da caixa que eu tinha empacotado semanas antes. As coisas tinham o cheiro de um mundo distante, como aquele que eu habitava no que parecia ser outra vida, que cheirava ao incenso Nag Champa que tinha impregnado no meu apartamento. Os sacos ziplock e a embalagem de comida ainda estavam brilhantes e intocadas. A camiseta nova cheirava ao sabão de lavanda que eu comprava a granel na cooperativa a que era filiada em Mineápolis. A capa floral dos *Contos completos*, de Flannery O'Connor, estava lisinha.

O mesmo não podia ser dito de *Enquanto agonizo*, de Faulkner, ou mais exatamente da pequena parte do livro que ainda resta na minha mochila. Eu havia arrancado a capa e todas as páginas que tinha lido na noite anterior e queimado tudo na pequena forma de alumínio que trouxe para colocar embaixo do fogão como proteção de fagulhas. Vi o nome de Faulkner desaparecer nas chamas me sentindo um pouco cometendo um sacrilégio — nunca tinha imaginado que queimaria livros, mas estava desesperada para diminuir a carga. Fiz o mesmo com a parte do *Pacific Crest Trail, Volume 1: California* que já tinha percorrido.

Foi difícil fazer isso, mas precisava ser feito. Eu adorava livros em minha vida normal pré-PCT, mas na trilha eles assumiram um significado ainda maior. Eram o mundo no qual eu podia me perder quando aquele em que estava de fato se tornava solitário demais, cruel ou difícil de aguentar. Quando eu acampava à noite, me apressava na tarefa de montar a barraca, filtrar água e preparar o jantar de modo que depois pudesse me sentar no abrigo da barraca, na minha cadeira, com minha panela de comida quente presa entre os joelhos. Eu comia com a colher em uma das mãos e o livro na outra, lendo com a luz da lanterna de cabeça quando o céu escurecia. Na primeira semana da caminhada, estava sempre cansada demais para ler mais do que uma página ou duas antes de cair no sono, mas, à medida que ficava mais forte, fui lendo mais, ávida por fugir do tédio dos meus dias. E a cada manhã eu queimava o que quer que tivesse lido na noite anterior.

Enquanto segurava o exemplar intacto dos contos de O'Connor, Albert saiu de sua barraca.

— Me parece que você aguentaria perder algumas coisas — ele disse. — Quer ajuda?

— Na realidade, sim — eu disse, sorrindo melancolicamente para ele.

— Tudo bem, então. Veja o que quero que faça: arrume a mochila como se estivesse para começar uma caminhada daqui para esse próximo trecho da trilha e continuaremos daí. — Ele foi em direção ao rio com um pedaço de escova de dente na mão; o cabo ele achou melhor cortar para economizar peso, é claro.

Comecei a trabalhar, integrando o novo com o velho, me sentindo como se estivesse fazendo uma prova em que estava fadada a fracassar.

Quando terminei, Albert voltou e metodicamente desarrumou a minha mochila. Separou os itens em duas pilhas, uma ia para a mochila, outra para a agora vazia caixa de suprimentos, que eu podia tanto recolocar no correio para casa ou deixar na caixa de doações para o trilheiro da PCT na entrada do armazém de Kennedy Meadows, para os outros pegarem. Para dentro da caixa foi a serra dobrável, os minibinóculos e o flash superpotente para a câmera que eu ainda tinha que usar. Enquanto eu observava, Albert colocou de lado o desodorante cujo poder eu superestimei, a gilete descartável que eu trouxe com a vaga ideia de raspar as pernas e os sovacos e, para meu grande constrangimento, o gordo rolo de camisinhas que eu tinha enfiado no kit de primeiros socorros.

— Você realmente precisa delas? — Albert perguntou, segurando as camisinhas.

Albert, o pai escoteiro da Geórgia, cuja aliança de casamento brilhava ao sol, que cortou o cabo da própria escova de dente, mas que sem dúvida levava uma bíblia de bolso na mochila. Ele me olhou inexpressivo como um soldado, enquanto as embalagens plásticas de uma dúzia de preservativos ultrafinos não lubrificados da Trojan produziam um som de estalo à medida que se desenrolavam como uma serpentina em sua mão.

— Não — respondi, morrendo de vergonha.

A ideia de fazer sexo parecia absurda agora, embora ao preparar os suprimentos tenha me soado como uma perspectiva razoável, antes de eu ter uma noção do caminhar pela Pacific Crest Trail faria com meu corpo. Não tinha me visto desde que estive no hotel em Ridgecrest, mas depois que os homens foram descansar tive a chance de olhar para o meu rosto no retrovisor lateral da caminhonete de Ed. Parecia bronzeada e suja, apesar do recente banho no rio. Tinha me tornado vagamente mais magra e meu cabelo louro-escuro estava um pouco mais claro, alternadamente achatado e arrepiado pela combinação de suor, água de rio e poeira.

Eu não parecia uma mulher que poderia precisar de 12 camisinhas.

Mas Albert não parou para refletir sobre tais coisas, se eu ia fazer sexo ou não, se era bonita. Ele foi em frente saqueando a minha mochila e sempre me questionando com firmeza antes de colocar na pilha se-livrar-disso outro item que eu tinha previamente considerado necessário. Concordei quase todas as vezes que ele apresentou um item, aceitando que deveria sair, embora tenha mantido tanto o *Contos completos* como a minha amada e intacta cópia de *The Dream of a Common Language*. Mantive o diário, no qual registrei tudo o que fiz naquele verão. E quando Albert não estava olhando, destaquei uma camisinha do rolo que ele tinha jogado de lado e enfiei-a discretamente no bolso traseiro do short.

— Então, o que trouxe você até aqui? — Albert perguntou quando seu trabalho terminou. Ele se sentou no banco da mesa de piquenique, as grandes mãos cruzadas na frente.

— Fazer a PCT? — perguntei.

Ele confirmou com a cabeça e me observou enfiar na mochila os diversos itens sobre os quais tínhamos concordado que eu poderia manter.

— Vou te dizer por que estou fazendo isso — ele disse rapidamente, antes que eu pudesse responder. — Tem sido o sonho de uma vida inteira para mim. Quando ouvi sobre a trilha, pensei: "Agora existe algo que eu gostaria de fazer antes de ir me encontrar com o Senhor", ele bateu suavemente com o punho na mesa. — E você, garota? Eu tenho uma teoria de que a maioria das pessoas tem uma razão. Algo que as traz até aqui.

— Não sei — hesitei. Não estava disposta a contar ao cristão da Geórgia de 50 e poucos anos, escoteiro graduado nível Eagle, por que decidi fazer a trilha sozinha por três meses inteiros, não importa quão delicadamente seus olhos cintilassem quando sorria. As coisas que me trouxeram a essa trilha soariam escandalosas para ele e dúbias para mim; para nós dois, elas somente revelariam como esse desafio era questionável.

— Acima de tudo — eu disse —, achei que seria um tanto divertido.

— Você chama isso de diversão? — ele disse, e rimos.

Eu me virei e me recostei na Monstra, enfiando os braços nas alças.

— Vamos ver se isso fez alguma diferença — eu disse, e afivelei a mochila. Quando a levantei da mesa, fiquei surpresa de como parecia leve, mesmo completamente carregada com a nova piqueta e um suprimento novo de comida para 11 dias. Sorri radiante para Albert. — Obrigada.

Ele sorriu em resposta, balançando a cabeça.

Triunfante, me afastei para testar a mochila em uma corrida na estrada de terra que circundava o camping. A minha continuava sendo a maior mochila do grupo. Por caminhar sozinha, tinha que levar coisas que quem caminhava em dupla podia dividir, sem contar que não tinha a confiança de estar superleve nem os conhecimentos que Greg tinha, mas, ao comparar minha mochila antes e depois de Albert me ajudar na limpeza, ela estava tão leve que eu tinha a sensação de que podia dar um salto no ar. No meio do caminho, parei e pulei.

Só consegui sair um centímetro do chão, mas ao menos dava para fazer.

— Cheryl? — uma voz me chamou nesse momento. Levantei os olhos e vi um cara jovem e bonito com uma mochila andando em minha direção.

— Doug? — perguntei, aceitando. Como resposta ele balançou os braços, assoviou de felicidade e veio direto na minha direção para me dar um abraço.

— Lemos seu nome no livro de registro e temos tentado te alcançar.

— Aqui estou — gaguejei surpresa com seu entusiasmo e beleza. — Estamos todos acampados lá — apontei para trás de mim. — Somos um grupo. Onde está seu amigo?

— Logo ele chega — Doug disse, e assoviou novamente de modo casual. Ele me fazia lembrar todos os garotos populares que conheci na vida, donos de uma beleza clássica e encantadoramente confiantes de seu lugar no alto da pirâmide, convencidos de que o mundo lhes pertencia e que estavam seguros nele, sem sequer considerar outra coisa. Enquanto fiquei ao seu lado, tive a sensação de que a qualquer momento ele seguraria minha mão e, juntos, pularíamos de paraquedas de um penhasco, rindo à medida que flutuávamos suavemente até o chão.

— Tom! — Doug berrou quando viu uma silhueta surgir no fim da estrada.

Juntos, caminhamos na direção dele. Podia dizer, mesmo a distância, que Tom era o oposto de Doug em termos físicos e espirituais, ossudo, pálido e de óculos. O sorriso que surgiu em seu rosto quando nos aproximamos era cauteloso e pouco convincente.

— Olá — ele me disse quando nos aproximamos, estendendo a mão para me cumprimentar.

Nos poucos minutos que levamos para chegar ao acampamento de Ed, trocamos um monte de informações sobre quem e de onde éramos. Tom tinha 24 anos; Doug, 21. *Sangue azul da Nova Inglaterra*, minha mãe teria dito, eu sabia quase antes de me falarem algo. Para ela significava apenas que eles eram basicamente ricos e de algum lugar a leste de Ohio e a norte de Washington. Ao longo dos dias seguintes, é claro que saberia tudo sobre deles. Que os pais eram cirurgiões, prefeitos e executivos financeiros. Que os dois frequentaram um colégio interno tão renomado que até eu tinha ouvido falar. Como veraneavam em Nantucket e em ilhas particulares ao largo da costa do Maine e passavam as férias de primavera em Vail. Mas eu ainda não sabia nada disso, como se, de diversas maneiras, suas vidas fossem impenetráveis para mim e a minha para eles. Sabia apenas que de alguma maneira bem específica eram os mais parecidos comigo. Não eram especialistas em equipamentos, mochileiros profissionais ou sabe-tudo da PCT. Não tinham feito todo o caminho desde o México, nem planejaram a viagem durante uma década. E, melhor ainda, os quilômetros que tinham percorrido até agora deixaram os dois quase tão destruídos quanto eu. Eles não ficaram, em virtude de estarem juntos, dias sem ver outro ser humano. Suas mochilas pareciam ter um tamanho razoável e isso me fez duvidar que carregassem uma serra dobrável. Mas eu podia dizer, no instante em que meus olhos bateram em Doug, que, apesar de toda a autoconfiança e tranquilidade, ele *tinha enfrentado alguma coisa*. E quando Tom pegou minha mão para me cumprimentar, pude ler exatamente a expressão que tinha no rosto. Dizia: *PRECISO TIRAR A PORRA DESSA BOTA DO PÉ.*

Momentos depois, ele tirou, sentado no banco da mesa de piquenique de Ed, após chegarmos ao acampamento e os homens se reunirem para cada um se apresentar. Vi quando Tom tirou cuidadosamente as meias imundas e os chumaços de algodão e sua própria pele saiu junto.

Seus pés estavam como os meus: brancos como peixes, cheios de feridas sangrando e revestidas por pedaços de pele esfolada, que agora estavam pendurados e dolorosamente presos à carne, que ainda teriam sua morte lenta, induzida pela PCT. Tirei a mochila e abri um bolso para pegar meu kit de primeiros socorros.

— Já tentou isso? — perguntei a Tom, segurando um curativo de 2nd Skin (ainda bem que tinha colocado mais na minha caixa de suprimentos). — Esses curativos me salvaram — expliquei. — Pra falar a verdade, não sei se conseguiria prosseguir sem eles.

Tom se limitou a me olhar em desespero e concordou, sem aprofundar a questão. Coloquei alguns curativos da 2nd Skin ao lado dele no banco.

— Sinta-se à vontade para usá-los, se quiser — eu disse. Ver os curativos em suas embalagens azuis transparentes me lembrou da camisinha em meu bolso traseiro. Eu me perguntei se Tom tinha trazido alguma, se Doug tinha e se minha ideia de trazê-las tinha sido tão idiota afinal de contas. Estar na companhia de Tom e Doug fez com que isso parecesse um pouco menos.

— Estamos pensando em ir todos juntos ao Grumpie's às seis — Ed disse, olhando para o relógio. — Ainda temos algumas horas. Vou levar todo mundo na minha caminhonete. — Ele olhou para Tom e Doug. — Enquanto isso será um prazer trazer um lanche pra vocês.

Os homens se sentaram à mesa de piquenique, comendo as batatas fritas de Ed e os feijões cozidos frios, conversando sobre por que escolheram a mochila que escolheram e os prós e contras de cada uma. Alguém apresentou um baralho, e um jogo de pôquer começou. Greg folheava seu guia na cabeceira da mesa, onde eu estava ao lado da minha mochila, ainda maravilhada com sua transformação. Bolsos que estavam estourando agora tinham pequenos espaços vagos.

— Você é praticamente uma Jardi-nazi agora — disse Albert, em um tom de gozação ao ver que eu estava olhando para a mochila. — São os discípulos de Ray Jardine, se você não conhece. Eles têm uma visão muito particular sobre o peso da mochila.

— É o cara de quem eu estava te falando — acrescentou Greg.

Concordei com indiferença, tentando esconder a minha ignorância.

— Vou me preparar para o jantar — eu disse, e caminhei lentamente até o limite do nosso acampamento. Montei a barraca e me agachei para entrar, estiquei o saco de dormir e me deitei em cima, olhando para o teto de náilon verde enquanto escutava o murmúrio da conversa dos homens e as gargalhadas ocasionais. Eu estava indo para um restaurante com seis homens e não tinha nada para usar a não ser o que já estava usando, percebi de mau humor: uma camiseta sobre um top e um short sem nada por baixo. Lembrei-me da minha camiseta nova da caixa de suprimentos e me sentei para vesti-la. Toda a parte de trás da camiseta que eu usava desde Mojave estava agora manchada de um amarelo-amarronzado dos infinitos banhos de suor que havia aguentado. Amassei-a como uma bola e a coloquei no canto da barraca. Eu a jogaria fora mais tarde. As únicas outras roupas que eu tinha eram aquelas para os dias frios. Lembrei-me do colar que estava usando até que ficou tão quente que não aguentei mais usá-lo; encontrei-o na bolsa ziplock em que guardava a carteira de motorista e o dinheiro, e o coloquei. Era um pequeno brinco de turquesa e prata que foi da minha mãe. Perdi um deles, então peguei um alicate de bico e o brinco que restou e o transformei no pingente de uma delicada corrente de prata. Eu o trouxe porque pertenceu a minha mãe; tê-lo comigo parecia significativo, mas agora estava feliz de tê-lo simplesmente porque me sentia mais bonita com ele. Passei os dedos no cabelo, tentando ajeitá-lo de uma maneira atraente, auxiliada por meu minipente, mas no fim desisti e o coloquei para trás das orelhas.

Dava no mesmo, eu sabia, se simplesmente me permitisse parecer, sentir e cheirar do jeito que estava. Afinal de contas, como Ed se referiu de maneira imprecisa, eu era *a única garota na trilha*, sozinha com um grupo de homens. Por necessidade, aqui na trilha, senti que precisava neutralizar sexualmente os homens que encontrei e ser um deles até onde era possível.

Nunca agi dessa maneira em toda a minha vida, interagindo com os homens com a equilibrada indiferença de que ser como um deles pressupõe. Não me pareceu ser uma coisa simples de enfrentar, quando sentei na minha barraca enquanto os homens jogavam cartas. Afinal, fui uma garota a vida toda, consciente e dependente dos poderes que a minha feminilidade me concedia. Reprimir esses poderes me deixou com uma melancólica pontada no estômago. Ser um dos caras significava não poder continuar sendo a mulher na qual me especializei em ser entre os homens. Era uma versão de mim mesma que tinha experimentado pela primeira vez havia muito tempo, quando era uma criança de 11 anos, e senti aquela excitante sensação de poder quando homens adultos viravam para me olhar, assoviavam ou diziam alto *Ei, garota linda* para que eu pudesse ouvir. Aquela na qual me apoiei ao longo de todo o ensino médio, morrendo de fome para ficar magra, fingindo ser fofa e burra para que fosse popular e adorada. Aquela que cultivei ao longo de toda a vida adulta enquanto experimentava diferentes personagens: a ecológica, a punk, a vaqueira, a rebelde ou a corajosa. Aquela para a qual por trás de cada par de botas da moda, minissaia sexy ou presilha no cabelo tinha um alçapão que levava a uma versão menos real de mim mesma.

Agora havia apenas uma versão. Na PCT eu não tinha opção a não ser incorporá-la completamente, mostrar meu rosto encardido para o mundo inteiro. Que, pelo menos até então, consistia em apenas seis homens.

— Cheryllllll — a voz de Doug chamava suavemente alguns metros adiante. — Você está aí dentro?

— Sim — respondi.

— Vamos até o rio. Vem com a gente.

— Ok — eu disse, me sentindo lisonjeada, embora não devesse. Quando sentei, a camisinha fez um som de amassado no meu bolso traseiro. Eu a retirei e guardei no kit de primeiros socorros, depois agachei para sair da barraca e caminhei em direção ao rio.

Doug, Tom e Greg estavam atravessando o trecho raso onde me lavei algumas horas antes. Mais à frente, a água se movia com grande violência e intensidade, avançando rapidamente sobre pedras tão grandes quanto a minha barraca. Pensei na neve que logo encontraria se prosseguisse com a piqueta que ainda não sabia usar e o bastão branco de esqui com a empunhadura fofa e cor-de-rosa que me apareceu por sorte. Ainda não havia começado a pensar sobre o que viria a seguir na trilha. Tinha apenas ouvido e acenado com a cabeça quando Ed me disse que a maior parte dos trilheiros da PCT que passaram por Kennedy Meadows nas três semanas em que ele está acampado aqui optaram por deixar a trilha neste ponto por causa do volume de neve recorde que deixou a trilha praticamente intransitável na maior parte dos próximos 600 ou 800 quilômetros. Eles pegaram caronas e ônibus para reencontrar a PCT mais ao norte em altitudes menores, ele me disse. Alguns pretendiam voltar mais tarde no verão para passar pelo trecho que perderam; outros não. Disse que uns poucos interromperam a caminhada, assim como Greg tinha me dito, decidindo fazer a PCT em outro ano menos recordista. E alguns poucos surgiram em frente, determinados a passar pela neve.

Grata por minhas sandálias baratas de acampamento, escolhi um caminho sobre as pedras que acompanhava a margem do rio em direção aos homens, a água tão fria que meus ossos doíam.

— Tenho uma coisa pra você — disse Doug quando o alcancei. Ele estendeu a mão. Nela, havia uma pena brilhante de cerca de 30 centímetros, tão preta que tinha um brilho azulado no sol.

— Serve pra quê? — perguntei, pegando a pena.

— Pra dar sorte — ele disse, e tocou a minha mão.

Quando ele retirou a mão, o lugar que ele tocou parecia estar queimando. Dava para sentir o quanto fui pouco tocada nos últimos 14 dias, o quanto estive solitária.

— Então, estava pensando na neve — eu disse, segurando a pena, minha voz se sobrepondo ao barulho do rio. — E as pessoas que contornaram? Elas estavam todas aqui uma semana ou duas atrás. Nessa altura, uma quantidade bem maior de neve derreteu, então talvez não tenha problemas. — Olhei para Greg e depois para a pena negra, alisando-a.

— A altura da neve em Bighorn Plateau no dia 1º de junho era mais do que o dobro do mesmo dia no ano passado — ele disse, jogando uma pedra. — Uma semana não vai fazer muita diferença nesse sentido.

Concordei, como se soubesse onde era Bighorn Plateau ou o que significava o volume de neve estar o dobro em relação ao ano anterior. Eu me senti uma fraude mesmo tendo essa conversa, como uma mascote entre jogadores, como se eles fossem os verdadeiros trilheiros da PCT e eu estivesse apenas passando por acaso. Como se, de alguma forma, por causa da minha inexperiência, da falha por não ter lido sequer uma página escrita por Ray Jardine, do risível ritmo lento e da crença de que tinha sido lógico incluir uma serra dobrável, eu não tivesse realmente caminhado até Kennedy Meadows a partir de Tehachapi Pass, e em vez disso tivesse sido arrastada.

Mas cheguei aqui e ainda não estava pronta para desistir de ver a High Sierra. Era o trecho da trilha pelo qual tinha maior expectativa, sua beleza intocada exaltada pelos autores do *Pacific Crest Trail, Volume 1: California* e imortalizada pelo naturalista John Muir nos livros que ele escreveu um século antes. Era o trecho das montanhas que chamou de "Serra da Luz". Aparentemente, a High Sierra e seus picos de 3.960 e 4.267 metros de altitude, seus lagos frios e transparentes e cânions profundos eram o melhor trecho da PCT na Califórnia. Além disso, contornar esse trecho seria uma confusão logística. Se tivesse que pular a High Sierra, acabaria chegando a Ashland mais de um mês antes do que pretendia.

— Queria prosseguir, se tiver como — eu disse, agitando a pena com um floreio. Meus pés não estavam mais doendo. Ficaram felizmente dormentes na água gelada.

— Bem, temos uns 64 quilômetros pra percorrer antes de o caminho ficar tremendamente difícil; daqui até o Trail Pass — disse Doug. — Tem uma trilha lá que cruza a PCT e segue até um local de acampamento. Podemos ao menos caminhar até lá para ver como está, verificar a quantidade de neve e então desistir se quisermos.

— O que você acha disso, Greg? — perguntei. O que quer que ele fosse fazer era o que eu faria.

Ele assentiu com a cabeça.

— Acho que é um bom plano.

— Isso é o que vou fazer — eu disse. — Vou ficar bem. Agora tenho a piqueta.

Greg me olhou.

— Você sabe usar?

Na manhã seguinte, ele me deu um treinamento.

— Este é o cabo — ele disse, deslizando a mão por toda a extensão da piqueta. — E isso é o pico — acrescentou, tocando com o dedo a ponta afiada. — E na outra ponta está a cabeça.

O cabo? A cabeça? O pico? Tentei não cair na risada como um aluno da sexta série na aula de educação sexual, mas não consegui me controlar.

— O quê? — perguntou Greg, com a mão no cabo da piqueta, mas apenas balancei a cabeça. — Você tem duas extremidades — ele continuou. — A extremidade cega é a espátula. É ela que você usa para cavar os degraus. E a outra é a lâmina. Que você usa para salvar o seu traseiro quando está deslizando na encosta da montanha. — Ele falou em um tom que pressupunha que eu já sabia disso, como se estivéssemos apenas revisando os fundamentos antes de começarmos.

— É. O cabo, a cabeça, o pico, a lâmina e a espátula — eu disse. Estávamos de pé em um barranco ao longo do rio, a situação mais próxima que podíamos encontrar para simular uma encosta nevada.

— Agora, digamos que você está caindo — disse Greg, se jogando no declive para demonstrar. Ao cair, ele cravou a lâmina no lodo. — Você quer enterrar essa lâmina o mais forte que puder, enquanto segura o cabo com uma das mãos e a cabeça com a outra. Assim. E uma vez que está ancorada, você tenta apoiar os pés.

Eu o olhei.

— E o que acontece se eu não conseguir apoio para os pés?

— Bem, então você segura aqui — ele respondeu, movimentando a mão na piqueta.

— O que acontece se eu não aguentar me segurar tanto tempo? Quer dizer, vou estar com a mochila e todo o resto, e a verdade é que não sou forte o suficiente para fazer nem uma barra fixa.

— Você aguenta — ele disse, calmamente. — A não ser que prefira deslizar pela montanha.

Preciso treinar. Eu me joguei repetidas vezes contra o declive cada vez mais lamacento, fingindo que estava deslizando no gelo, sempre cravando a lâmina da piqueta no solo enquanto Greg observava, me instruindo e comentando minha técnica.

Doug e Tom se sentaram por perto, fingindo que não estavam prestando atenção. Albert e Matt estavam deitados em uma lona que esticamos para eles debaixo da sombra de uma árvore perto da caminhonete de Ed, doentes demais para ir a qualquer lugar que não fosse o banheiro externo diversas vezes por hora. Os dois acordaram no meio da noite passando mal com o que todos nós estávamos começando a achar que era giárdia, um parasita transmitido pela água que provoca vômito e diarreia incapacitantes, que exige medicamento com receita médica para ser curada e que quase sempre significa uma semana ou mais fora da trilha. Era a razão por que os trilheiros da PCT passavam tanto tempo conversando sobre purificadores e fontes de água, por medo de tomarem a decisão errada e terem que arcar com as consequências. Eu não sei onde Matt e Albert pegaram seja lá o que for que pegaram, mas rezo para não ter pegado também. No fim da tarde, os dois pálidos e fracos deitados na lona, fomos todos convencê-los de que estava na hora de irem para o hospital em Ridgecrest. Muito doentes para resistir, eles nos observaram empacotar as suas coisas e colocarmos as mochilas na caçamba da caminhonete de Ed.

— Obrigada por toda a ajuda para diminuir o peso da minha mochila — eu disse a Albert quando ficamos sozinhos um momento antes de ele partir. Ele me olhou enfraquecido da lona. — Eu não teria conseguido fazer isso sozinha — comentei.

Ele me deu um sorriso débil e concordou com a cabeça.

— A propósito — eu disse —, queria te contar sobre por que decidi fazer a caminhada na PCT. Eu me divorciei. Eu era casada e não faz muito tempo me divorciei, e também há cerca de quatro anos minha mãe morreu; ela tinha apenas 45 anos, teve um câncer repentino e morreu. Tem sido uma fase difícil na minha vida e meio que saí do eixo. Portanto, eu... — Ele abriu mais os olhos, me encarando. — Achei que vir aqui poderia me ajudar a encontrar o meu centro. — Balancei as mãos em um gesto resignado, sem palavras, um pouco surpresa por ter deixado escapar tanta coisa.

— Bem, você achou seu rumo agora, não achou? — ele disse ao se sentar, o rosto se iluminando apesar do enjoo. Ele levantou e caminhou lentamente até a caminhonete de Ed e sentou ao lado do filho. Subi na caçamba com suas mochilas e a caixa de coisas que eu não precisava mais e fui com eles até o armazém. Quando chegamos, Ed parou por alguns instantes; eu desci com a minha caixa e me despedi de Albert e Matt, desejando *boa sorte*.

Senti uma súbita pontada de afeição enquanto olhava-os indo embora. Ed voltaria em poucas horas, mas era bem provável que eu nunca mais visse Albert e Matt. Eu estaria caminhando na High Sierra com Doug e Tom no dia seguinte, mas pela manhã teria que me despedir de Ed e de Greg também. Greg ficaria em Kennedy Meadows por mais um dia e, embora ele certamente fosse me alcançar, é provável que fosse uma visita curta e que depois ele também saísse da minha vida.

Fui até a entrada do armazém e coloquei tudo na caixa de doação do trilheiro da PCT, menos a serra dobrável, o flash de alta tecnologia da minha câmera e o minibinóculos. Esses itens eu coloquei em minha velha caixa de suprimentos e a enderecei a Lisa, em Portland. Quando fechei a caixa com o rolo de fita adesiva que Ed tinha me emprestado, continuei com a sensação de que estava faltando alguma coisa.

Mais tarde, enquanto caminhava na estrada para o camping, percebi do que se tratava: o grande rolo de camisinhas.

Nâo tinha ficado uma para contar a história.

PARTE TRÊS

SERRA DA LUZ

Nós estamos agora nas montanhas
e elas estão em nós...

JOHN MUIR,
My First Summer in the Sierra

Se a sua Coragem negar-lhe —
Vá além de sua Coragem —

EMILY DICKINSON

8

CORVIDOLOGIA

Kennedy Meadows é chamada de portão de entrada da High Sierra, e bem cedo na manhã seguinte eu atravessei aquele portão. Doug e Tom me acompanharam nos primeiros 400 metros, mas então eu parei e disse que continuassem porque eu tinha que pegar uma coisa na mochila. Nós nos abraçamos e nos desejamos boa sorte, nos despedindo para sempre ou por 15 minutos, não sabíamos. Eu me encostei a uma pedra para aliviar um pouco o peso da Monstra, vendo-os ir embora.

A partida deles me deixou melancólica, embora também sentisse uma espécie de alívio quando eles desapareceram entre as árvores escuras. Eu não precisava pegar nada na mochila; queria apenas ficar sozinha. A solidão sempre pareceu ser meu verdadeiro lugar, como se não fosse um estado de espírito e sim um quarto onde eu pudesse me refugiar e ser quem eu realmente era. A solidão radical na PCT mudou essa percepção. A solidão não era mais um quarto, mas o mundo inteiro, e agora eu estava sozinha neste mundo, ocupando-o de uma forma que nunca tinha ocupado antes. Viver livremente desse modo, sem um teto sobre a minha cabeça, fez com que o mundo me parecesse ao mesmo tempo maior e menor. Até então não tinha realmente entendido a vastidão do mundo — não tinha sequer entendido como um quilômetro podia ser tão vasto —, até que cada quilômetro fosse observado em velocidade de caminhada. E apesar disso tinha também o oposto, a estranha intimidade que vim a ter com a trilha; o caminho de pinheiros piñon e de flores-de-mico que encontrei naquela manhã e os riachos rasos que cruzei pareciam familiares e conhecidos, embora nunca os tivesse percorrido ou atravessado antes.

Caminhei no frescor da manhã no ritmo de meu novo bastão branco de esqui batendo na trilha, sentindo que o peso menor, porém ainda ridiculamente grande da Monstra, estava mudando e se acomodando. Quando saí naquela manhã, pensei que me sentiria diferente na trilha, que a caminhada seria mais fácil. Afinal de contas, a mochila estava menos pesada, não apenas graças ao expurgo feito por Albert, mas também porque não precisava carregar mais do que duas garrafas de água por vez, agora que tinha chegado a um trecho menos árido da trilha. Mas parei para descansar uma hora e meia depois, sentindo as conhecidas dores e aflições. Ao mesmo tempo, podia muito ligeiramente sentir meu corpo se fortalecendo, exatamente como Greg falou que aconteceria.

Era o primeiro dia da terceira semana, oficialmente verão, a última semana de junho, e eu não estava apenas em uma diferente estação agora, mas também em um território diferente, subindo mais alto na South Sierra Wilderness. Nos 64 quilômetros entre Kennedy Meadows e Trail Pass, subi de uma altitude de cerca de 1.900 metros para quase 3.400 metros. Mesmo no calor dessa primeira semana de volta à trilha, podia sentir a friagem no ar que sem dúvida me envolveria à noite. Não havia dúvida de que agora estava na Sierra, a adorada Serra da Luz de Muir. Caminhei debaixo de grandes árvores escuras que deixavam as plantas menores quase que inteiramente na sombra e passei por vastos prados verdejantes de flores; cruzei com dificuldade riachos de neve derretida, pulando de uma rocha instável para outra com a ajuda do bastão de esqui. Na velocidade de caminhada, a Sierra Nevada parecia praticamente intransponível. Sempre podia dar mais um passo. Só duvidei de minha capacidade quando contornei uma curva e olhei para os picos brancos à frente; só quando pensei no quanto faltava para chegar é que perdi a confiança de que chegaria lá.

Os rastros de Doug e Tom regularmente apareciam na trilha às vezes lamacenta, às vezes empoeirada, e no meio da tarde eu os encontrei sentados à beira de um córrego, as expressões demonstrando surpresa quando apareci. Sentei-me perto deles, bombeei água e conversamos por um tempo.

— Você devia acampar com a gente hoje à noite se nos alcançar — disse Tom antes de prosseguir caminhando.

— Já alcancei vocês — respondi, e rimos.

Nessa noite eu entrei na pequena clareira em que montaram suas barracas. Depois do jantar, eles dividiram as duas cervejas que trouxeram de Kennedy Meadows e me deram uns goles enquanto estávamos sentados no chão, embrulhados em nossas roupas. Conforme bebíamos, pensei em qual deles tinha pegado as 11 camisinhas ultrafinas não lubrificadas da Trojan que tinha comprado em Portland algumas semanas antes. Parecia que tinha que ser um deles.

No dia seguinte, caminhando sozinha, me deparei com uma larga faixa de neve em uma escarpa íngreme, uma gigantesca camada de gelo que fechou a trilha. Era como o deslizamento de pedras, só que mais assustador, um rio de gelo em vez de pedras. Se escorregasse ao tentar cruzá-lo, deslizaria pela lateral da montanha e cairia nas pedras lá embaixo, ou pior, cairia mais longe, em cima de sabe-se lá o quê. Do ar, segundo a minha perspectiva. Se eu não tentasse cruzá-la, teria que voltar a Kennedy Meadows. Isso não parecia de todo uma má ideia. E ainda assim aqui estava eu.

Droga, pensei. Que inferno. Peguei a piqueta e analisei a rota, o que de fato significou apenas que fiquei ali parada por vários minutos criando coragem. Dava para ver que Doug e Tom conseguiram atravessar, pois suas pegadas eram uma série de buracos na neve. Segurei a piqueta da maneira que Greg me ensinou e pisei em um dos buracos. A existência deles tornou a minha mais fácil e ao mesmo tempo mais difícil. Eu não precisava abrir meu próprio caminho, mas os buracos deles eram desajeitados, escorregadios e às vezes tão profundos que minha bota ficava presa e eu perdia o equilíbrio e caía, a piqueta tão incômoda que parecia mais um peso do que uma ajuda. *Firme*, eu pensava, imaginando o que faria com a piqueta se começasse a deslizar encosta abaixo. A neve era diferente da neve em Minnesota. Em alguns lugares tinha mais gelo do que floco, tão densamente compactado que lembrava a crosta dura de gelo de um freezer que precisava ser descongelado. Em outros lugares, ela dava passagem, mais lamacenta do que aparentava.

Não olhei para o maciço de pedras abaixo até ter alcançado o outro lado da neve e estar de pé sobre a trilha lamacenta, tremendo, porém contente. Sabia que aquela pequena incursão era apenas um exemplo da situação à frente. Se não optasse por sair da trilha no Trail Pass para contornar a neve, logo chegaria ao Forester Pass, a 4.011 metros de altitude, o ponto mais alto da PCT. E se não caísse da montanha enquanto cruzava aquele trecho, passaria as próximas semanas cruzando apenas neve. A neve seria bem mais traiçoeira do que o trecho que acabei de cruzar, mas ter chegado até esse ponto deixou a situação à frente mais real. Disse a mim mesma que eu não tinha opção a não ser contornar. Eu não me encontrava adequadamente preparada para estar na PCT em um ano normal, ainda mais em um ano no qual a profundidade das medições da neve era duas ou três vezes maior do que no ano anterior. Não havia um inverno com tanta neve desde o inverno de 1983, e não haveria outro por mais 12 anos.

Além disso, não havia só a neve a considerar. Havia também as coisas relacionadas à neve: os rios e os riachos perigosamente cheios que teria que cruzar sozinha, as temperaturas que me deixariam em risco de hipotermia, a realidade de que teria que depender exclusivamente do mapa e da bússola para os longos trechos em que a trilha estivesse coberta de neve, tudo isso agravado pelo fato de que estava sozinha. Eu não tinha o equipamento de que precisava; não tinha o conhecimento nem a experiência. E, porque estava sozinha, sequer tinha uma margem de erro. Ao desistir, como fizeram outros trilheiros da PCT, perderia a glória da High Sierra. Mas, se ficasse na trilha, arriscaria a vida.

— Vou desistir no Trail Pass — disse a Doug e Tom quando jantávamos naquela noite.

Caminhei sozinha o dia inteiro, registrando meu segundo dia acima de 24 quilômetros, mas os alcancei novamente quando estavam se preparando para acampar.

— Vou subir até a Sierra City e dar a volta de lá.

— Decidimos continuar — disse Doug.

— Conversamos sobre isso e achamos que você devia vir conosco — disse Tom.

— Ir com vocês? — perguntei, surgindo do túnel formado por meu capuz de lã escura.

Eu estava vestindo todas as roupas que trouxe, a temperatura baixa quase congelante. Trechos de neve nos rodeavam debaixo de árvores em pontos protegidos do sol.

— Não é seguro pra você continuar sozinha — Doug disse.

— Nenhum de *nós* deve seguir sozinho — disse Tom.

— Mas não é seguro pra ninguém andar na neve. Juntos ou sozinhos — eu disse.

— Queremos tentar — disse Tom.

— Obrigada — eu disse. — Estou lisonjeada por vocês terem oferecido, mas não posso.

— Por que não? — Doug perguntou.

— Porque o objetivo da minha viagem é estar aqui pra fazê-la sozinha.

Ficamos em silêncio por um tempo, comendo nossos jantares, cada um segurando uma panela quente cheia de arroz ou feijão ou macarrão em nossas mãos com luvas. Fiquei triste por dizer não. Não apenas porque eu sabia que isso significava estar optando por contornar a High Sierra, mas porque, por mais que eu dissesse que queria fazer aquela viagem sozinha, eu estava aliviada pela companhia deles. Estar perto de Tom e Doug à noite evitava que tivesse que dizer a mim mesma *Eu não estou com medo* sempre que ouvia um galho quebrar no escuro ou o vento soprar tão violentamente que parecia que alguma coisa ruim ia acontecer. Mas eu não estava aqui para evitar ter que dizer *Eu não estou com medo*. Eu vim, percebi, para vencer aquele medo, para vencer realmente tudo — tudo o que fiz a mim mesma e tudo o que fizeram a mim. Eu não podia fazer isso grudada em outra pessoa.

Depois do jantar, deitei na barraca com o *Contos completos*, de Flannery O'Connor, no peito, cansada demais para segurar o livro no alto. Não era apenas porque estava cansada e com frio depois de um dia de caminhada; nessa altitude o ar é mais rarefeito. E, apesar disso, não consegui exatamente dormir. No que parecia ser um estado de fuga, pensei sobre o que significava contornar a High Sierra. Isso basicamente arruinava tudo. Todo o planejamento que eu fiz, a maneira como organizei cada caixa e refeição para o verão inteiro. Agora eu pularia 720 quilômetros da trilha que havia pretendido percorrer. E chegaria a Ashland no início de agosto e não no meio de setembro.

— Doug? — chamei na escuridão, sua barraca a um braço de distância da minha.

— Sim?

— Eu estava pensando que, se eu fizer o desvio, posso fazer a trilha por todo o Oregon para compensar.

Virei de lado na direção da barraca dele, meio desejando que ele viesse se deitar ao meu lado na minha — que qualquer um viesse. Era a mesma sensação de vazio, de fome, que tive lá atrás naquele motel em Mojave, quando desejei ter uma companhia. Não alguém para amar. Só alguém para pressionar contra meu corpo.

— Por acaso você sabe qual é a distância da trilha no Oregon?

— Cerca de 800 quilômetros — ele respondeu.

— Perfeito — eu disse, com o coração acelerando diante da ideia, antes de fechar os olhos e cair em um sono profundo.

Na tarde do dia seguinte Greg me alcançou um pouco antes de eu chegar a Trail Pass Trail, minha saída da PCT.

— Vou fazer o desvio — disse a ele, relutante.

— Também vou — ele disse.

— Você vai? — perguntei, com alívio e prazer.

— Tem neve demais aqui em cima — ele disse, e olhamos ao redor para as pontas dos pinheiros, tortas pelo vento entre as pedras na lateral da trilha; as montanhas e os cumes visíveis a quilômetros de distância sob o céu azul cristalino. O ponto mais alto da trilha estava a apenas 56 quilômetros de distância. O cume do monte Whitney, o pico mais alto dos Estados Unidos continental, estava mais perto ainda, um pequeno desvio fora da PCT.

Juntos, descemos o Trail Pass Trail por 3 quilômetros até uma área de piquenique e acampamento em Horseshoe Meadows, onde encontramos com Doug e Tom e pegamos uma carona para Lone Pine. Não havia planejado ir até lá. Alguns trilheiros da PCT enviavam caixas de suprimentos para Lone Pine, mas eu tinha planejado esticar até a cidade de Independence, mais 80 quilômetros ao norte. Ainda tinha comida para alguns dias na mochila, mas, quando chegamos à cidade, fui imediatamente à mercearia me reabastecer. Precisava ter o suficiente para aguentar o trecho de 144 quilômetros que percorreria assim que fizesse o contorno, de Sierra a Belden. Mais tarde, achei um telefone público, liguei para Lisa e deixei uma mensagem em sua secretária eletrônica, explicando meu novo plano o mais rápido que pude e pedindo a ela que enviasse imediatamente a minha caixa endereçada para Belden e segurasse todas as outras até que eu lhe enviasse os detalhes de meu novo itinerário.

Senti-me perturbada e melancólica quando desliguei o telefone, menos animada por estar na cidade do que imaginaria estar. Caminhei ao longo da rua principal até encontrar o pessoal.

— Estamos voltando lá pra cima — disse Doug, seus olhos encontrando os meus. Meu peito ficou apertado quando me despedi dele e de Tom. Passei a sentir uma espécie de amor por eles, mas acima de tudo eu estava preocupada.

— Vocês têm certeza de que querem subir mesmo com a neve? — eu perguntei.

— Você tem certeza de que não quer? — Tom replicou.

— Você ainda tem o amuleto da sorte — disse Doug, apontando para a pena preta que ele me deu lá atrás, em Kennedy Meadows.

Eu tinha prendido a pena na armação da Monstra, acima do meu ombro direito.

— Algo pra me lembrar de você — eu disse, e rimos.

Depois que eles partiram, andei com Greg até a loja de conveniência que imitava uma estação de ônibus da Greyhound. Passamos por bares que se anunciavam como tabernas do Velho Oeste e lojas que tinham chapéus de caubóis e pinturas emolduradas de homens montando touros em suas vitrines.

— Você já assistiu ao *High Sierra* com Humphrey Bogart? — Greg perguntou.

Balancei a cabeça negativamente.

— Ele foi filmado aqui. Além de muitos outros filmes. Faroeste.

Acenei com a cabeça, sem surpresa. A paisagem realmente parecia ter saído de Hollywood, um planalto coberto de sálvias que era mais árido do que o esperado, pedregoso, sem árvores e com uma vista que se estendia por quilômetros. Os cumes brancos da Sierra Nevada a oeste despontavam tão dramaticamente no céu azul que me pareciam quase irreais, uma linda ilusão.

— Eis a nossa carona — Greg disse, apontando para um grande ônibus da Greyhound no estacionamento da loja quando nos aproximamos.

Mas ele estava enganado. Não havia ônibus que fosse direto para Sierra City, nós depois soubemos. Teríamos que pegar um ônibus naquela noite e viajar sete horas até Reno, em Nevada, e então pegar outro durante uma hora para Truckee, na Califórnia. De lá, não teríamos nenhuma opção a não ser pegar uma carona para os últimos 72 quilômetros até Sierra City. Compramos duas passagens de ida e um monte de guloseimas, sentamos na calçada aquecida na beira do estacionamento da loja de conveniência esperando pela chegada do ônibus. Esvaziamos sacos inteiros de batatas fritas e latas de refrigerante enquanto conversávamos. Passamos rapidamente pela Pacific Crest Trail como tema da conversa, depois falamos sobre equipamentos de mochileiro, sobre a quantidade recorde de neve mais uma vez e sobre as teorias de viajar "ultraleve" e as práticas de Ray Jardine e seus seguidores, que podem ter interpretado ou não de modo incorreto o espírito por trás dessas teorias e práticas, e finalmente chegamos a nós mesmos. Perguntei sobre seu trabalho e sua vida em Tacoma. Ele não tinha bichos de estimação nem filhos e tinha uma namorada com quem estava junto havia um ano. Ela também era uma ávida aventureira. Sua vida, isso estava claro, era uma coisa organizada e respeitável. Para mim, parecia tanto chata quanto surpreendente. Não sabia o que a minha lhe parecia.

O ônibus para Reno estava quase vazio quando finalmente embarcamos. Segui Greg até o meio, onde pegamos dois pares de assentos um em frente ao outro, cada um de um lado do corredor.

— Vou dormir um pouco — ele disse assim que o ônibus entrou abruptamente na autoestrada.

— Eu também — eu disse, embora soubesse que não era verdade.

Mesmo quando estou exausta nunca consigo dormir em veículos de qualquer tipo em movimento, e eu não estava exausta. Estava acesa por voltar ao mundo. Fiquei olhando pela janela enquanto Greg dormia. Ninguém que me conhecia por mais do que uma semana tinha a menor ideia de onde eu me encontrava. *Eu estava a caminho de Reno, em Nevada*, pensei com uma espécie de arrependimento. Nunca estive em Reno. Parecia ser o lugar mais absurdo para eu ir, vestida como estava e suja como um cachorro, meu cabelo duro como uma palha. Tirei todo o dinheiro do bolso e contei as notas e as moedas usando a lanterna de cabeça para enxergar. Tinha 44 dólares e 75 centavos. Meu coração ficou apertado com a visão daquela insignificância. Gastei muito mais do que imaginei que gastaria nessa altura. Não previ paradas em Ridgecrest e Lone Pine, nem a passagem de ônibus para Truckee. Eu não ia pegar mais dinheiro até retirar a minha próxima caixa de suprimentos em Belden, mais de uma semana depois, e mesmo assim serão apenas vinte dólares. Greg e eu concordamos em ficar em um hotel em Sierra City para descansar por uma noite após nossas longas viagens, mas tive a sensação repugnante de que precisaria arranjar um lugar para acampar em vez disso.

Não havia nada que eu pudesse fazer a respeito. Eu não tinha cartão de crédito. Simplesmente precisava me virar com o que tinha. Praguejei contra mim mesma por não ter colocado mais dinheiro nas caixas, ao mesmo tempo em que sabia que não poderia fazer isso. Coloquei nas caixas todo o dinheiro que eu tinha. Economizei as gorjetas durante todo o inverno e a primavera, vendi boa parte de meus pertences e com esse dinheiro comprei toda a comida para as caixas e todo o equipamento que estava naquela cama no hotel em Mojave. Assinei um cheque para Lisa poder pagar a postagem das caixas e outro cheque para cobrir quatro meses de pagamento do crédito estudantil para o diploma que eu não tinha e que vou pagar até completar 43 anos. O montante que sobrou era o que eu podia gastar na PCT.

Coloquei o dinheiro de volta no bolso, desliguei a luz e olhei pela janela para o leste, sentindo um triste desconforto. Estava com saudades de casa, mas não sabia se era da vida que costumava ter ou da PCT. Mal conseguia distinguir a escura silhueta da Sierra Nevada contra o céu enluarado. Ela parecia aquele muro impenetrável novamente, como tinha parecido a mim alguns anos atrás, quando a vi pela primeira vez na viagem com Paul, mas eu não a sentia mais como impenetrável. Podia me imaginar nela, dentro dela, sendo parte dela. Sabia qual era a sensação de caminhar nela, um passo por vez. Estaria de volta mais uma vez assim que saísse de Sierra. Estava contornando a High Sierra, perdendo os cânions de Sequoia e de Kings e os parques nacionais de Yosemite, de Tuolumne Meadows, de John Muir e de Desolation e muito mais, mas ainda caminharia por mais 160 quilômetros na Sierra Nevada depois disso, antes de ir para a cordilheira da Cascatas.

Quando o ônibus entrou na estação de Reno, às quatro horas da madrugada, não havia dormido nem um minuto. Greg e eu tínhamos uma hora de intervalo antes de o próximo ônibus sair para Truckee, então perambulamos pelo pequeno cassino que é vizinho da estação, com as mochilas presas nas costas. Eu estava cansada, mas ligada, dando goles no chá quente Lipton em um copo de isopor. Greg jogou Blackjack e ganhou três dólares. Eu pesquei três moedas de 25 centavos do bolso, apostei as três em uma máquina caça-níquel e perdi tudo.

Greg me deu um sorriso sarcástico tipo eu-te-disse, como se soubesse que isso aconteceria.

— Ei, nunca se sabe — eu disse. — Uma vez eu estava de passagem em Las Vegas há alguns anos e coloquei uma moeda de 5 centavos em uma máquina caça-níquel e ganhei 60 pratas.

Ele não pareceu impressionado.

Fui ao banheiro feminino. Enquanto escovava os dentes diante de um espelho iluminado com luz fluorescente colocado acima de uma bancada de pias, uma mulher disse:

— Eu gosto de sua pena — e apontou para a pena em minha mochila.

— Obrigada — respondi, nossos olhos se encontrando no espelho. Ela era pálida, tinha olhos castanhos, um nariz torto e uma trança longa que descia pelas costas; vestia uma camiseta *tie-dyed*, um short jeans remendado com as pontas desfiadas e sandálias Birkenstock.

— Meu amigo me deu — murmurei, com a pasta de dente escorrendo da boca. Parecia que eu não falava com uma mulher havia séculos.

— Deve ser de um corvídeo — ela disse, se aproximando para tocar delicadamente na pena com o dedo. — Ou é de um corvo ou de uma gralha, um símbolo do vazio — ela acrescentou, em um tom místico.

— Do vazio? — perguntei, desanimada.

— É uma coisa boa — ela disse. — É o lugar onde as coisas *nascem*, onde *começam*. Pense em como um buraco negro absorve a energia e depois a libera como algo novo e pulsante. — Ela fez uma pausa e olhou de forma expressiva para meus olhos. — Meu ex-companheiro é ornitologista — ela explicou em um tom menos etéreo. — Corvídeos são a sua área de pesquisa. Sua tese foi sobre corvos e, como sou formada em Língua Inglesa, tive que ler a porra da tese umas dez vezes, então sei mais do que preciso sobre eles.

Ela se virou para o espelho e arrumou o cabelo.

— Você por acaso está indo para o Encontro do Arco-íris?

— Não. Eu...

— Devia ir. É muito legal. O encontro este ano é no lago Toad, na reserva Shasta-Trinity.

— Fui ao Encontro do Arco-íris ano passado, quando foi no Wyoming — eu disse.

— É isso aí — ela disse daquele jeito especial e arrastado que as pessoas falam *é isso aí*. — Boa caminhada — continuou, se aproximou e me apertou o braço. — Corvídeos! — Ela vibrou quando se dirigia para a porta, fazendo um sinal de aprovação com o dedo para mim e para minha pena enquanto saía.

Às oito horas Greg e eu chegamos a Truckee. Às 11 horas ainda estávamos parados no lado quente da estrada tentando pegar uma carona para Sierra.

— EI! — gritei como uma louca para uma kombi que passou zunindo.

Fomos esnobados por pelo menos seis delas nas últimas duas horas. Ser deixada na estrada por aqueles que dirigem kombis me deixou especialmente indignada.

— Malditos hippies — eu disse para Greg.

— Pensei que você fosse hippie — ele respondeu.

— Sou. Tipo isso. Mas só um pouquinho. — Sentei no cascalho do acostamento e refiz o laço da bota, mas, quando terminei, não consegui me levantar. Estava tonta de cansaço. Não dormia havia um dia e meio.

— Você devia andar mais para a frente e ficar sozinha — disse Greg. — Vou entender. Se você estivesse sozinha, já teria pegado uma carona há muito tempo.

— Não — respondi, embora soubesse que ele estava certo. Uma mulher sozinha é menos ameaçadora do que um casal. As pessoas querem ajudar uma mulher sozinha. Ou tentar tirar sua calcinha. Mas por ora estávamos juntos, então juntos permanecemos até que uma hora depois um carro parou, entramos e viajamos até Sierra City. Era uma cidadezinha pitoresca de menos de uma dúzia de construções de madeira localizada a uma altitude de 1.280 metros. A cidade estava encravada entre o rio North Yuba e a imponente Sierra Buttes que, marrom, se elevava contra o céu azul límpido ao norte.

Nossa carona nos deixou no armazém do centro da cidade, um curioso lugar à moda antiga onde os turistas se sentavam para tomar uma casquinha de sorvete na varanda pintada da frente, movimentada pelo vindouro feriado de Quatro de Julho.

— Você vai tomar uma casquinha? — perguntou Greg, pegando alguns dólares.

— Não. Talvez mais tarde — eu disse, mantendo minha voz baixa para esconder o desespero.

Queria uma casquinha, é claro. Mas não ousava comprar uma, por medo de não poder pagar por um quarto. Quando entramos na pequena loja lotada, tentei não olhar para a comida. Fiquei perto da caixa registradora, olhando folhetos turísticos enquanto Greg fazia compras.

— Essa cidade inteira foi varrida por uma avalanche em 1852 — contei a ele quando retornou, me abanando com um folheto lustroso. — A neve a partir de Buttes cedeu. — Ele acenou com a cabeça, como se já soubesse disso, lambendo a casquinha de chocolate. Virei para o outro lado, a visão daquilo era uma pequena tortura. — Espero que não se importe, mas preciso encontrar um lugar barato. Para hoje à noite, quero dizer. — A verdade era que eu precisava encontrar um lugar gratuito, mas estava cansada demais para pensar em acampar. A última vez em que dormi eu estava na High Sierra, na PCT.

— Que tal isso — disse Greg, apontando para uma velha construção de madeira do outro lado da rua.

O andar térreo era um bar e restaurante; a sobreloja tinha quartos para alugar com banheiros coletivos. Era apenas 13h30, mas a mulher do bar nos permitiu fazer o check in mais cedo. Depois de pagar pelo quarto, me restaram 13 dólares.

— Você quer jantar comigo lá embaixo hoje à noite? — Greg perguntou quando chegamos aos nossos quartos, em frente às nossas portas contíguas.

— Claro — eu disse, ruborizando levemente.

Eu não me sentia atraída por ele, e ainda assim não podia evitar ter esperança de que ele estivesse atraído por mim, o que eu sabia ser absurdo. Talvez ele que tivesse pegado as minhas camisinhas. O pensamento provocou um arrepio que percorreu meu corpo.

— Você pode ir primeiro, se preferir — ele disse, indicando o banheiro no final do corredor que dividiríamos com todos os habitantes de nosso andar. Aparentemente, éramos os dois únicos ocupantes até o momento.

— Obrigada — eu disse, e destranquei a porta do meu quarto e entrei.

Havia um armário surrado de madeira antiga com um espelho redondo em uma parede e uma cama de casal na outra, com uma mesinha de cabeceira minúscula e uma cadeira ao lado. Uma lâmpada pendurada balançava no teto no meio do quarto. Coloquei a Monstra no chão e me sentei na cama. Ela rangeu, afundou e balançou precariamente com o meu peso, mas a sensação era maravilhosa de qualquer forma. Meu corpo quase doeu de prazer pelo simples ato de sentar na cama, como se eu estivesse sendo o contrário de queimada. A cadeira de acampamento que fazia o papel de colchão não era muito acolchoada. Dormi profundamente na maioria das noites na PCT, mas não porque estava confortável: simplesmente estava exausta demais para ligar.

Queria dormir, mas minhas pernas e meus braços estavam sujos; meu fedor era extraordinário. Deitar na cama em tal estado parecia quase criminoso. Não tomava um bom banho desde que estive naquele hotel em Ridgecrest havia quase duas semanas. Andei até o fim do corredor. Não tinha chuveiro, apenas uma grande banheira de porcelana com pés em formato de garras e uma prateleira com uma pilha de toalhas dobradas. Peguei uma das toalhas e senti o esplendoroso cheiro de sabão, depois tirei as roupas e me olhei em um espelho que dava para ver o corpo inteiro.

Eu estava com uma aparência assustadora.

Estava mais parecida com uma vítima de um crime violento e bizarro do que com uma mulher que tinha passado as últimas três semanas caminhando com uma mochila em meio à natureza. Machucados que variavam de cor, do amarelo ao preto, marcavam meus braços, minhas pernas, costas e nádegas, como se eu tivesse levado uma surra de vara. Meus quadris e ombros estavam cobertos de bolhas e assaduras, hematomas inflamados e cascas escuras onde minha pele rachou e abriu como consequência da fricção com a mochila. Por baixo dos machucados, dos ferimentos e da sujeira eu podia ver novos feixes de músculos, minha carne rígida em lugares que havia pouco tempo eram macios.

Enchi a banheira com água, entrei e me esfreguei com uma esponja de banho e sabão. Em poucos minutos a água ficou tão escura com a sujeira e o sangue que saiu do meu corpo que eu esvaziei a banheira e a enchi novamente.

Na segunda banheira de água eu me reclinei, sentindo-me mais agradecida do que talvez eu tenha me sentido por qualquer outra coisa na vida. Depois de um tempo, passei a examinar meus pés. Estavam maltratados e cheios de bolhas, e duas unhas, inteiramente pretas nessa altura. Toquei uma e vi que estava quase completamente solta do dedo. Esse dedo doía terrivelmente havia dias, ficando cada vez mais inchado, como se a unha fosse simplesmente cair de repente, mas agora ela só doía um pouco. Quando puxei a unha, ela saiu em minha mão com uma fisgada de dor. Em seu lugar tinha uma camada de alguma coisa sobre o meu dedo que não era bem pele ou unha. Era transparente, levemente brilhante, como um pequeno pedaço de papel filme.

— Perdi uma unha do pé — disse a Greg no jantar.

— Você está perdendo unhas dos pés? — ele perguntou.

— Só uma — respondi mal-humorada, consciente de que na realidade eu provavelmente perderia mais e que isso era outra evidência da minha grande idiotice.

— Isso significa que suas botas são provavelmente pequenas demais — ele disse quando a garçonete se aproximava com dois pratos de espaguete e uma cesta de pão de alho.

Tinha planejado fazer um pedido comedido, até porque naquela tarde tinha gastado outros 50 centavos na lavanderia, onde fui com Greg.

Mas, uma vez que nos sentamos, não consegui evitar acompanhar cada lance feito por Greg, pedindo uma Coca-Cola com rum junto com o jantar, dizendo sim ao pão de alho. Tentei não deixar transparecer que estava fazendo a conta na minha cabeça enquanto comíamos. Greg já sabia como eu estava despreparada para fazer a caminhada na PCT. Ele não precisava saber que havia ainda outra frente na qual eu era uma idiota absoluta.

Mas uma idiota eu era. Depois que chegou a conta, acrescida da gorjeta e dividida ao meio, fiquei com 65 centavos.

De volta ao meu quarto após o jantar, abri o *Pacific Crest Trail, Volume 1: California* para ler sobre o próximo trecho da trilha. Minha próxima parada era um lugar chamado Belden Town, onde minha caixa de suprimentos com uma nota de vinte dólares estaria me esperando. Eu poderia aguentar até Belden com 65 centavos, não poderia? Estaria no meio do nada, afinal de contas, e não teria onde gastar o dinheiro de qualquer forma, racionalizei, embora ainda me sentisse ansiosa. Escrevi uma carta para Lisa, pedindo que comprasse e me enviasse um guia da PCT para o trecho da trilha no Oregon, usando o pouco de dinheiro que deixei com ela, e reordenei as caixas que ela me enviaria para o restante da Califórnia. Revi a lista novamente, me certificando de que estava tudo certo, alinhando a distância com as datas e os lugares.

Quando desliguei a luz e deitei na cama barulhenta, pude ouvir Greg do outro lado da parede também, se mexendo em sua cama barulhenta, sua proximidade tão palpável quanto sua distância. Ouvi-lo ali me fez sentir tão solitária que eu teria uivado de dor se não tivesse me controlado. Não sabia exatamente por quê. Não queria nada dele e ainda assim queria tudo. O que ele faria se eu batesse em sua porta? O que eu faria se ele me deixasse entrar?

Eu sabia o que faria. Tinha feito isso tantas vezes.

— Sexualmente, sou como um homem — disse a um terapeuta com quem tive algumas sessões no ano anterior, um homem chamado Vince, que atendia como voluntário em uma clínica comunitária no centro de Mineápolis, onde pessoas como eu podiam ir conversar com pessoas como ele por dez paus por sessão.

— Como age um homem? — ele perguntou.

— Com desapego — respondi. — Ou muitos são assim, de qualquer forma. Eu também sou. Quando se trata de sexo, sou desapegada.

Olhei para Vince. Era um quarentão de cabelos pretos partidos ao meio e penteados como duas asas pretas acompanhando as laterais de seu rosto. Eu não sentia nada por ele, mas se ele se levantasse, cruzasse a sala e me beijasse, eu corresponderia. Eu teria feito qualquer coisa.

Mas ele não se levantou. Apenas balançou a cabeça sem dizer nada, seu silêncio transmitindo tanto ceticismo quanto confiança.

— Quem desprezou você? — ele finalmente perguntou.

— Não sei — disse, sorrindo da maneira que eu fazia quando me sentia desconfortável.

Não estava exatamente olhando para ele, e sim para o pôster emoldurado que ficava pendurado atrás dele, um retângulo preto com uma espiral branca que representava a Via Láctea. Uma seta apontada para seu centro, acima do qual estavam escritas as palavras VOCÊ ESTÁ AQUI. Essa imagem se tornou onipresente em camisetas e também em pôsteres, e sempre fiquei levemente irritada com ela, sem saber como entendê-la, se pretendia ser engraçada ou séria, se indicava a grandeza de nossas vidas ou sua insignificância.

— Ninguém jamais terminou um relacionamento comigo, se é isso que está perguntando — eu disse. — Sempre fui aquela que terminou os relacionamentos. — Meu rosto de repente ficou quente. Percebi que estava sentada com os braços entrelaçados e as pernas também estavam cruzadas na postura da águia da ioga, inacreditavelmente torta. Tentei relaxar e sentar normalmente, mas foi impossível. Relutantemente, olhei para os olhos dele. — Essa é a parte em que te conto sobre meu pai? — falei, rindo de maneira falsa.

Minha mãe sempre foi o meu centro, mas naquela sala com Vince de repente senti que meu pai era uma estaca em meu coração. *Eu o odeio*, dizia na adolescência. Não sabia o que sentia por ele agora. Era como um filme caseiro passando na minha cabeça, cuja narrativa era interrompida e inacabada e que tinha grandes cenas dramáticas e inexplicáveis momentos soltos sem ordem cronológica, talvez porque grande parte do que me lembro sobre ele aconteceu nos meus primeiros seis anos de vida. Tinha meu pai enfurecido jogando nossos pratos cheios de comida na parede. Tinha meu pai estrangulando minha mãe enquanto montava sobre o seu peito e batia sua cabeça na parede. Tinha meu pai arrancando a mim e minha irmã da cama no meio da noite quando eu tinha 5 anos para perguntar se iríamos embora para sempre com ele, enquanto minha mãe olhava ensanguentada e segurando meu irmão menor adormecido contra o peito, implorando que ele parasse com aquilo. Quando choramos em vez de responder, ele caiu de joelhos, pressionou a testa contra o chão e gritou tão desesperadamente que tive certeza de que nós todos morreríamos ali, naquele instante.

Uma vez, no meio de uma de suas explosões, ele ameaçou jogar minha mãe e os filhos nus na rua, como se não fôssemos seus filhos também. Morávamos em Minnesota na época. Era inverno quando ele fez a ameaça. Eu estava em uma idade em que tudo era literal. Aquilo parecia exatamente algo que ele faria. Tinha uma imagem de nós quatro, nus, tremendo e correndo pela neve gelada. Ele trancou Leif, Karen e eu fora de casa algumas vezes quando morávamos na Pensilvânia, e minha mãe estava no trabalho. Ele estava encarregado de cuidar de nós e queria um descanso. Mandou que fôssemos para o quintal e trancou as portas, minha irmã e eu segurando nosso irmão menor, que mal andava, pelas mãos grudentas. Andamos pela grama chorando, depois esquecemos que estávamos chateados e brincamos de casinha e de rainha do rodeio. Mais tarde, irritados e entediados, fomos até a porta de trás, batemos e gritamos. Lembro perfeitamente da porta e também dos três degraus de concreto que levavam a ela, do jeito que eu tinha que ficar na ponta dos pés para olhar através do vidro na metade de cima.

As coisas boas não são um filme. Não há coisas suficientes para encher um rolo de filme. As coisas boas são um poema, pouco maior do que um haicai. Havia sua paixão por Johnny Cash e pelos Everly Brothers. As barras de chocolate que trazia para casa quando trabalhava em uma mercearia. Todas as coisas grandiosas que queria fazer, desejo tão puro e simples que eu sentia e sofria mesmo quando era uma criança pequena. Ele cantando aquela música do Charlie Rich que diz "Hey, did you happen to see the most beautiful girl in the world?"* e dizendo que era sobre mim, minha irmã e nossa mãe, que éramos as garotas mais lindas do mundo. Mas até isso é distorcido. Dizia isso apenas quando estava tentando convencer minha mãe a voltar, quando garantia que agora as coisas seriam diferentes ou quando prometia que nunca mais repetiria o que tinha feito antes.

---

* Em português: Oi, por acaso você viu a garota mais linda do mundo? (N. da E.)

Sempre fazia novamente. Era um mentiroso, um manipulador, um canalha e um bruto.

Minha mãe fez nossas malas e o deixou, mas voltou, depois o deixou de novo e voltou. Nunca fomos muito longe. Não tínhamos para onde ir. Não tínhamos família por perto e minha mãe era orgulhosa demais para envolver as amigas. O primeiro abrigo para mulheres vítimas de violência doméstica nos Estados Unidos só abriu em 1974, o ano em que minha mãe finalmente deixou meu pai de verdade. Na verdade, andávamos de carro a noite toda, minha irmã e eu no banco de trás, dormindo e acordando com as luzes verdes do painel, Leif na frente com mamãe.

A manhã nos encontraria em casa novamente, nosso pai sóbrio e fazendo ovos mexidos, um pouco tempo cantando aquela música de Charlie Rich.

Quando minha mãe finalmente terminou a relação com ele, eu estava com 6 anos, um ano após termos nos mudado da Pensilvânia para Minnesota; chorei e implorei que não o fizesse. Para mim o divórcio parecia a pior coisa que podia acontecer. Apesar de tudo, eu amava meu pai e sabia que, se minha mãe se divorciasse dele, eu o perderia, e estava certa. Depois que eles se separaram definitivamente, ficamos em Minnesota e ele voltou para a Pensilvânia, e só de vez em quando entrava em contato. Uma vez ou duas por ano uma carta chegava, endereçada a Karen, Leif e a mim, e nós a abríamos, cheios de alegria. Mas dentro haveria uma crítica sobre nossa mãe, sobre a vaca que ela era, uma puta aproveitadora, vagabunda e estúpida. Algum dia ele nos pegaria a todos, prometia. Algum dia pagaríamos.

— Mas não pagamos — disse a Vince em nossa segunda e última sessão juntos. A vez seguinte em que o vi, ele me explicou que estava deixando o trabalho; que me daria o nome e o telefone de outro terapeuta. — Depois que meus pais se divorciaram, percebi que a ausência de meu pai na minha vida era tristemente uma coisa *boa*. Não ocorriam mais cenas violentas — eu disse. — Quer dizer, imagine a minha vida se eu tivesse sido criada por meu pai.

— Imagine a sua vida se você tivesse tido um pai que a amasse como um pai deveria — Vince contrapôs.

Tentei imaginar tal coisa, mas minha mente não aceitou ser forçada a fazer isso. Não conseguia fazer uma lista. Não fui bem-sucedida em amor ou segurança, confiança ou senso de pertencimento. Um pai que amasse como um pai deveria ser maior do que a soma das partes. Ele era como a espiral branca do pôster VOCÊ ESTÁ AQUI atrás da cabeça de Vince. Ele era uma coisa gigantesca e inexplicável que continha um milhão de outras coisas, e como nunca tive pai, temia nunca me encontrar dentro da grande espiral branca.

— E seu padrasto? — Vince perguntou.

Ele olhou para o computador em seu colo, lendo as palavras que anotou, presumivelmente a meu respeito.

— Eddie. Ele é desapegado também — eu disse de modo inconsequente, como se isso não significasse nada para mim, como se fosse quase divertido. — É uma longa história — falei, olhando na direção do relógio que ficava pendurado perto do pôster VOCÊ ESTÁ AQUI. — E o tempo está quase acabando.

— Salva pelo gongo — Vince disse, e rimos.

Eu podia ver a silhueta da Monstra graças à tremeluzente luminosidade da rua que entrava em meu quarto em Sierra City, a pena que Doug me deu se destacando no lugar onde eu a prendi na armação da mochila. Pensei nos corvídeos. Fiquei curiosa se a pena era de fato um símbolo ou se era simplesmente algo que transportei ao longo do caminho. Eu tinha muita dificuldade em acreditar nas coisas, mas também tinha a maior dificuldade em não acreditar. Era tão curiosa quanto cética. Não sabia onde colocar a fé, se é que havia tal lugar, ou mesmo qual era o significado preciso da palavra *fé* em toda a sua complexidade. Tudo parecia ser possivelmente poderoso e possivelmente falso. "Você está sempre em busca de alguma coisa, como eu", minha mãe me disse em sua última semana, deitada na cama do hospital. Mas não sabia com certeza o que minha mãe buscava. Buscava alguma coisa? Essa foi a pergunta que não fiz, mas ainda que ela tivesse me dito eu a teria questionado, insistindo que explicasse seu universo espiritual, perguntando como isso poderia ser comprovado. Duvidava até mesmo de coisas cuja veracidade era verificável. *Você devia fazer análise*, todo mundo me dizia após a morte de minha mãe, quando eu estava nos momentos mais sombrios no ano anterior à caminhada, e por fim eu fiz. Mas não mantive a fé. Nunca liguei para o outro terapeuta que Vince recomendou. Eu tinha problemas que um terapeuta não podia resolver; sofrimentos que ninguém em uma sala podia atenuar.

Eu me levantei da cama, enrolei uma toalha no corpo nu e, andando descalça pelo corredor, passei pela porta de Greg. No banheiro, fechei a porta, abri a torneira da banheira e entrei nela. A água quente foi como mágica, o barulho dela enchendo o espaço até eu fechar a torneira e um silêncio que pareceu mais silencioso do que antes. Eu me recostei na porcelana perfeitamente angulosa e olhei fixamente para a parede até que ouvi uma batida na porta.

— Sim? — disse, mas não houve resposta, apenas o som de passos recuando no corredor. — Tem gente — gritei, embora fosse óbvio. Tinha gente. Era eu. Eu estava aqui. Senti isso de uma forma que não sentia havia anos: o eu dentro de mim, ocupando meu espaço na insondável Via Láctea.

Peguei uma esponja na prateleira perto da banheira e me esfreguei com ela, embora já estivesse limpa. Esfreguei o rosto, o pescoço, a nuca, o peito, a barriga, as costas, as nádegas, os braços e os pés.

— A primeira coisa que fiz quando cada um de vocês nasceu foi beijar cada parte de vocês — minha mãe costumava dizer para meus irmãos e para mim. — Contava cada dedinho do pé e da mão e cada cílio — dizia. — Eu traçava as linhas de suas mãos.

Eu não me lembrava disso, e ainda assim nunca esqueci. Fazia parte de mim tanto quanto meu pai dizendo que me jogaria fora pela janela.

Recostei-me e fechei os olhos, deixando a cabeça afundar na água até cobrir o rosto. Tive a sensação que costumava ter quando era criança e fazia a mesma coisa: como se o mundo desconhecido do banheiro tivesse desaparecido e se tornado, através do mero ato de submergir, um lugar misterioso e estrangeiro. Os sons e as sensações rotineiras ficavam silenciosas, distantes, abstratas, enquanto outros sons e sensações não comumente ouvidas ou registradas emergiam.

Eu tinha apenas começado. Só estava há três semanas caminhando, mas tudo em mim parecia alterado. Fiquei imersa na água o máximo que pude sem respirar, sozinha em um estranho e novo território, enquanto o mundo real ao meu redor continuava em plena atividade.

9

ORIENTANDO-ME

Tinha feito o contorno. Dei a volta. Estava fora de perigo agora. Ultrapassei a neve. Agora era seguir adiante pelo resto da Califórnia, imaginei. Depois pelo Oregon até Washington. Meu novo destino era uma ponte que cruzava o rio Columbia, na fronteira entre dois estados. A Ponte dos Deuses. Ela ficava a 1.622 quilômetros de distância na trilha; tinha caminhado apenas 270 até agora, mas meu ritmo estava melhorando.

De manhã, Greg e eu nos afastamos de Sierra City por 2.400 metros ao longo do acostamento da estrada até chegarmos ao lugar em que a PCT a cruzava, depois andamos juntos por alguns minutos na trilha antes de parar para dizer adeus.

— Isso se chama *mountain misery** — eu disse, apontando para os pequenos arbustos verdes que ladeavam a trilha. — Ou pelo menos é o que o guia diz. Vamos torcer para que não seja literal.

— Acho que deve ser — Greg disse, e estava certo. A trilha subiria quase 914 metros ao longo dos próximos 13 quilômetros. Eu estava preparada para o dia, a Monstra carregada com comida suficiente para uma semana. — Boa sorte — ele falou, seus olhos castanhos encontrando os meus.

— Boa sorte pra você também. — Eu o puxei para um forte abraço.

— Vá em frente, Cheryl — ele disse enquanto se virava para ir embora.

---

* Sofrimento da montanha, em português.

— Você também — gritei para ele, como se ele não fosse.

Dentro de dez minutos ele estava fora de vista.

Eu estava animada por estar de volta à trilha, a 724 quilômetros ao norte de onde a tinha deixado. Os picos nevados e as altas escarpas de granito da High Sierra não estavam mais à vista, mas a trilha parecia igual; de várias maneiras parecia igual. Em relação às infindáveis vistas panorâmicas de montanhas e desertos que tinha visto, a visão da faixa de 60 centímetros de largura era a mais familiar, a coisa sobre a qual meus olhos estavam quase sempre treinados, procurando raízes e galhos, cobras e pedras. Às vezes a trilha ficava arenosa, outras vezes pedregosa, lamacenta, coberta de cascalho ou forrada de camadas e camadas de agulhas de pinheiros. Ela podia estar preta, marrom, cinza ou amarelada como manteiga, mas era sempre a PCT. A base.

Caminhei sob uma floresta de pinheiros, carvalhos e cedros-do--incenso, depois passei por um bosque de pinheiros-do-oregon à medida que a trilha ziguezagueava para o alto, não vendo ninguém durante toda a manhã ensolarada ao longo da subida, embora pudesse sentir a presença invisível de Greg. A cada quilômetro essa sensação diminuía, conforme eu o imaginava se distanciando cada vez mais de mim, caminhando em seu habitual ritmo intenso. A trilha mudou de floresta sombreada para cume exposto, de onde pude ver o cânion se estendendo por quilômetros, os picos rochosos acima de mim. Ao meio-dia eu estava a mais de 2.100 metros de altitude e a trilha ficou lamacenta, embora não chovesse havia dias, e por fim, quando fiz uma curva, entrei em um campo coberto de neve. Ou melhor, o que achei ser um campo, o que sugeria que ele tinha um fim. Eu me mantive à margem e procurei por pegadas de Greg, mas não vi nenhuma. A neve não estava em um declive, era apenas uma superfície plana no meio de uma floresta esparsa, o que era uma coisa boa, já que eu não tinha mais a minha piqueta. Tinha deixado na caixa do trilheiro da PCT em Sierra City quando saí da cidade com Greg. Eu lamentei não ter tido dinheiro para enviá-la de volta para Lisa, pois tinha sido cara, mas também não estava disposta a carregá-la, por acreditar que não teria uso dali em diante.

Eu fincava meu bastão de esqui na neve, escorregava em sua superfície gelada e começava a caminhar, façanha que realizava apenas de forma intermitente. Em alguns lugares eu deslizava na superfície; em outros, meus pés furavam o gelo, às vezes formando buracos profundos até a altura dos joelhos. Em pouco tempo, a neve estava acumulada nos tornozelos das botas, a parte de baixo das minhas pernas tão queimadas pela neve que parecia que a carne tinha sido arrancada com uma faca cega.

Isso me preocupava menos do que o fato de que eu não podia ver a trilha porque ela estava soterrada pela neve. A rota parecia suficientemente visível, afirmava para mim mesma, segurando as páginas do guia enquanto caminhava, parando para analisar cada palavra do texto enquanto prosseguia. Depois de uma hora, parei subitamente, assustada. Será que estava na PCT? Procurava pelos pequenos marcos de metal em formato de diamante que eram ocasionalmente pregados em árvores, mas não vi nenhum. Isso não era necessariamente razão para alarme. Aprendi que não podia contar com os marcos da PCT. Em alguns trechos eles apareciam com frequência; em outros eu caminhava dias sem ver nenhum.

Tirei o mapa topográfico dessa área do bolso do short. Quando fiz isso, a moeda de 5 centavos que estava no bolso veio junto e caiu na neve. Abaixei para pegar, me curvando de forma instável embaixo da mochila, mas assim que meus dedos tocaram nela, a moeda afundou ainda mais e desapareceu. Enfiei os dedos na neve procurando por ela, mas ela sumiu.

Agora me restavam apenas 60 centavos.

Lembrei-me da moeda em Las Vegas, aquela que coloquei na máquina caça-níquel e ganhei 60 dólares. Ri alto pensando naquilo, com a sensação de que aquelas duas moedas eram conectadas, embora eu não pudesse explicar o porquê a não ser dizer que esse pensamento idiota surgiu enquanto eu estava ali parada na neve naquele dia. Perder a moeda talvez fosse boa sorte da mesma forma que a pena preta que simbolizava o vazio na realidade significava algo positivo. Talvez eu não estivesse realmente no meio daquilo que tinha me esforçado tanto para evitar. Talvez depois da próxima curva eu estivesse segura.

A essa altura estava tremendo, de pé na neve, de short e com uma camiseta empapada de suor, mas não ousava seguir em frente até verificar a minha posição. Abri as páginas do guia e li o que os autores do *Pacific Crest Trail, Volume 1: California* tinham a dizer sobre esse trecho da trilha. "Na lateral da trilha, você encontra uma subida constante e demarcada por vegetação", o guia descrevia o lugar em que eu achava que poderia ter estado. "Finalmente a trilha fica plana e pouco densa..." Girei lentamente em um círculo, dando uma olhada de 360 graus. Era isso a área plana e pouco densa? Parecia que a resposta seria clara, mas não foi. Só estava claro que tudo estava enterrado na neve.

Peguei a bússola que ficava pendurada por uma corda na lateral da mochila, perto do apito mais barulhento do mundo. Eu não a usava desde o dia em que estava caminhando naquela estrada após a primeira difícil semana na trilha. Eu a analisei junto com o mapa e cheguei à melhor hipótese sobre onde eu poderia estar e por onde caminhei, avançando de modo incerto na neve, alternadamente deslizando na superfície ou quebrando a superfície, minhas pernas e panturrilhas cada vez mais esfoladas a cada passo. Uma hora depois eu vi uma placa de metal em forma de diamante que dizia PACIFIC CREST TRAIL preso em uma árvore coberta de neve, e meu corpo se inundou de alívio. Ainda não sabia exatamente onde estava, mas pelo menos sabia que estava na PCT.

No fim da tarde cheguei à crista de uma montanha de onde podia ver uma depressão profunda coberta de neve.

— Greg! — chamei para testar se ele estava por perto. Não o vi o dia inteiro, mas continuava esperando que aparecesse, torcendo para que a neve o atrasasse o suficiente para que eu pudesse alcançá-lo e pudéssemos atravessá-la juntos. Ouvi gritos distantes e vi um trio de esquiadores em uma crista próxima do outro lado da encosta coberta de neve, perto o suficiente para ouvir, mas impossível de alcançar. Eles balançaram os braços em grandes movimentos para mim e acenei de volta. Estavam tão longe e vestidos com tantos equipamentos de neve que eu não conseguia saber se eram homens ou mulheres.

— Onde estamos? — gritei através da vastidão gelada.

— O quê? — Mal os ouvi gritarem de volta.

Repeti as palavras várias vezes — *onde estamos, onde estamos* — até que a minha voz ficou rouca. Sabia mais ou menos onde devia estar, mas queria ouvir o que diriam, só para confirmar. Perguntei novamente, mas não consegui me fazer entender, então tentei uma última vez, me esforçando ao máximo, praticamente me atirando pela lateral da montanha com o esforço:

— ONDE ESTAMOS?

Houve uma pausa, revelando que eles finalmente entenderam a questão, e então, em uníssono, gritaram de volta:

— CALIFÓRNIA!

Pela maneira que se jogaram uns contra os outros, sabia que estavam rindo.

— Obrigada — gritei sarcasticamente, embora meu tom se perdesse no vento.

Eles gritaram algo de volta que não consegui entender. Repetiram várias vezes, mas sempre ficava confuso, até que finalmente gritaram as palavras separadamente e eu entendi.

— VOCÊ... ESTÁ... PERDIDA?

Refleti sobre isso por um momento. Se eu dissesse sim, eles me resgatariam e eu teria de deixar essa trilha erma.

— NÃO — urrei. Não estava perdida.

Estava ferrada.

Percorri com os olhos as árvores, a luz menos intensa passando por elas. Logo seria noite e eu precisava achar um lugar para acampar. Armaria a barraca na neve e acordaria na neve e continuaria na neve. Isso, apesar de tudo o que fiz para evitar a neve.

Continuei andando, e no fim encontrei o que podia ser considerado um local razoavelmente aconchegante para armar uma barraca quando você não tem escolha a não ser que considere um monte de neve embaixo de uma árvore como aconchegante. Quando entrei no saco de dormir, usando minha capa de chuva sobre todas as minhas roupas, estava com frio, mas estava bem, as garrafas de água bem junto de mim para que não congelassem.

De manhã, a barraca estava com uma camada de gelo, produto da condensação de minha respiração que congelou durante a noite. Fiquei deitada quieta, mas acordada por um tempo, ouvindo o canto de pássaros que não conhecia, ainda não estava pronta para enfrentar a neve. Sabia apenas que o som deles se tornara familiar. Quando sentei, abri o zíper da porta e olhei para fora, vi os pássaros pulando de árvore em árvore, elegantes, naturais e indiferentes a mim.

Peguei a panela, coloquei água e leite de soja em pó e mexi, depois acrescentei um pouco de granola e me sentei para comer perto da porta aberta da barraca, esperando ainda estar na PCT. Levantei e lavei a panela com um punhado de neve e examinei a paisagem. Estava cercada de pedras e árvores que se projetavam da neve gelada. Eu me sentia desconfortável com a situação e ao mesmo tempo maravilhada com a imensa e desoladora beleza. Devo continuar ou devo voltar?, pensei, embora soubesse a resposta. Podia senti-la alojada dentro de mim: é claro que continuaria. Eu me esforcei muito para chegar até aqui para fazer diferente. Voltar era uma coisa lógica. Eu podia refazer meus passos até Sierra City e pegar outra carona ainda mais para o norte, sem neve. Era seguro. Era sensato. Era provavelmente a coisa certa a fazer. Mas nada em mim faria isso.

Caminhei o dia inteiro, caindo, escorregando e andando com dificuldade, me apoiando com tanta força no bastão de esqui que minha mão ficou cheia de bolhas. Troquei para a outra mão e ela se encheu de bolhas também. Depois de cada curva e sobre cada cume e do outro lado de cada campo eu torcia para que não tivesse mais neve. Mas sempre havia mais neve entre os eventuais trechos onde o chão era visível. *Será isso a PCT?*, pensava quando via realmente o chão. Nunca tinha certeza. Só o tempo diria.

Eu suava enquanto caminhava, ficava com as costas totalmente molhadas, onde a mochila cobria meu corpo, independentemente da temperatura ou da roupa que estivesse usando. Quando parava, começava a tremer em minutos, as roupas úmidas subitamente geladas. Meus músculos tinham finalmente começado a se adaptar às exigências da caminhada de longa distância, mas agora novas exigências lhes eram impostas, e não apenas para me apoiar no constante esforço de me manter ereta. Se o chão sobre o qual eu estava andando fosse uma ladeira, tinha que firmar bem cada passo para ganhar estabilidade e não deslizar montanha abaixo e bater nas pedras, arbustos e árvores, ou pior, sair escorregando pela encosta. Metodicamente, dava chutinhos na crosta de gelo, criando pontos de apoio a cada passo. Lembro-me de Greg me ensinando como fazer isso com a piqueta, lá em Kennedy Meadows. Agora eu sonhava com aquela piqueta com um fervor quase patológico, imaginando-a parada sem uso na caixa para o trilheiro da PCT, em Sierra City. Por causa dos chutes e da criação de pontos de apoio, meus pés ganharam bolhas em lugares novos, bem como em todos os velhos lugares que tinham bolhas desde os primeiros dias de caminhada, a pele dos quadris e dos ombros ainda esfoladas pelas alças da Monstra.

Fui em frente, arrependida por estar na trilha, meu progresso aflitivamente lento. Geralmente fazia 3,2 quilômetros por hora de caminhada na maior parte dos dias, mas tudo era diferente na neve: mais lento, menos seguro. Achei que levaria seis dias para chegar a Belden, mas, quando arrumei a sacola de comida para seis dias, não tinha a menor ideia do que encontraria. Seis dias nessas condições estava fora de questão, e não apenas por causa do desafio físico de me movimentar na neve. Cada passo era também um esforço calculado para me manter no que eu imaginava ser a PCT. Com o mapa e a bússola em mãos, tentei lembrar tudo o que podia do *Staying Found*, que queimei havia muito tempo. Muitas técnicas — triangulação, marcação cruzada e enquadramento — me deixaram confusa mesmo quando estava com o livro em mãos. Agora, eram impossíveis de serem realizadas com confiança. Nunca tive cabeça para matemática. Simplesmente não conseguia memorizar fórmulas e números. Era uma lógica que fazia pouco sentido para mim. No meu entendimento, o mundo não era um gráfico, uma fórmula ou uma equação. Era uma história. Portanto, na maior parte das vezes eu dependia das descrições narrativas de meu guia, lendo-as repetidamente, comparando-as com meus mapas, tentando adivinhar a intenção e a nuance de cada palavra e frase. Era como estar dentro de um gigantesco teste padronizado: *Se Cheryl subir para o norte ao longo da crista por uma hora e mantiver a média de 2,4 quilômetros por hora e depois seguir para oeste até um platô de onde ela poderá ver dois lagos de formato oblongo a leste, ela estará no flanco sul do pico 7503?*

Fiz estimativas diversas vezes, medi, li, refleti, calculei e contei antes de, enfim, apostar no que quer que seja que eu acreditasse ser verdade. Por sorte, esse trecho da trilha oferecia muitas pistas, cheias de picos e penhascos, lagos e lagoas que muitas vezes eram visíveis da trilha. Ainda tinha a mesma sensação que tive desde o início, quando iniciei a caminhada na Sierra Nevada a partir de sua base sul, como se estivesse empoleirada acima do mundo inteiro, olhando para muita coisa. Prossegui de crista em crista, me sentindo aliviada quando avistava a terra nua onde o sol derreteu a neve, fazendo com que ela desaparecesse; tremendo de alegria quando identificava uma massa de água ou uma formação rochosa em especial que combinava com o que o mapa mostrava ou com o que o guia descrevia. Nesses momentos eu me sentia forte e tranquila, mas então, um minuto depois, quando parava mais uma vez para fazer uma avaliação, tinha certeza de que tinha tomado uma decisão muito, muito estúpida ao decidir continuar. Passei por árvores que pareciam desconcertantemente familiares, como se tivesse passado por elas uma hora atrás. Contemplei vastos trechos de montanhas que não me impressionaram de forma tão diferente do vasto trecho que vi antes. Analisei o chão à procura de pegadas, na esperança de ser tranquilizada nem que fosse pelo menor sinal de outro ser humano, mas não identifiquei nenhuma. Vi apenas rastros de animais — o suave zigue-zague dos coelhos ou as marcas triangulares da correria do que supus serem porcos-espinhos e guaxinins. O ar se enchia de vida com o som do vento às vezes batendo nas árvores; em outros momentos ficava profundamente silencioso como a neve eterna. Tudo, menos eu, parecia absolutamente seguro de si mesmo. O céu não desejava saber onde estava.

— OLÁ! — eu berrava periodicamente, sabendo que ninguém responderia, mas de qualquer forma eu precisava escutar uma voz, mesmo que fosse apenas a minha. Minha voz me protegeria, eu acreditava, da possibilidade de estar perdida nessa imensidão nevada para sempre.

Conforme caminhava, trechos de músicas surgiam na estação de rádio de músicas favoritas que tocava na minha cabeça, interrompida eventualmente pela voz de Paul me dizendo o quanto tinha sido idiota ao fazer uma caminhada como essa na neve sozinha. Ele seria aquele que faria o que quer que fosse necessário se eu realmente não voltasse. Apesar de nosso divórcio, ele ainda era meu parente mais próximo, ou pelo menos aquele organizado o suficiente para assumir tal responsabilidade. Eu me lembrei dele me criticando na estrada de Portland até Mineápolis, quando ele me arrancou das garras da heroína e de Joe no outono anterior.

— Você sabe que pode morrer? — disse com desgosto, meio como se desejasse isso para poder provar sua opinião. — Toda vez que você usar heroína é como se estivesse jogando roleta-russa. Você está colocando uma arma na cabeça e puxando o gatilho. Você não sabe quando a bala vai estar no tambor.

Não tinha nada a dizer em minha defesa. Ele estava certo, embora não parecesse dessa maneira na época.

Mas percorrer uma trilha que eu mesma traçava, e que esperava ser a PCT, era o oposto de usar heroína. O gatilho que puxei ao entrar na neve aguçou meus sentidos como nunca. Insegura como estava enquanto continuava, sentia-me bem em prosseguir, como se o próprio esforço significasse alguma coisa. Que talvez estar em meio à beleza intocada da natureza significasse que eu também poderia me manter intocada, independentemente do que perdi ou do que foi tirado de mim, independentemente das coisas lamentáveis que fiz aos outros e a mim mesma ou das coisas lamentáveis que fizeram a mim. De todas as coisas das quais duvidei, de uma não tive dúvida: a natureza tinha uma clareza que me incluía.

Melancólica e exultante, caminhava no ar frio, a luz do sol refletindo através das árvores, brilhando na neve, embora eu estivesse usando óculos escuros. Por mais onipresente que a neve fosse, eu também sentia seu declínio, o derretimento imperceptível a cada minuto ao meu redor. Ela parecia tão ativa em seu desaparecimento quanto uma colmeia de abelhas em atividade. Às vezes eu passava por lugares onde ouvia um gorgolejar, como se um riacho corresse por baixo da neve, impossível de ser visto. Outras vezes ela caía em grandes pilhas úmidas dos galhos das árvores.

Em meu terceiro dia depois de Sierra City, quando estava sentada encurvada perto da porta aberta da barraca cuidando dos meus pés cheios de bolhas, percebi que o dia anterior tinha sido o Quatro de Julho. O fato de que eu podia tão nitidamente imaginar não apenas o que meus amigos fizeram, assim como também boa parte do que os moradores dos Estados Unidos fizeram sem a minha presença fez com que eu me sentisse ainda mais distante. Sem dúvida eles organizaram festas e desfiles, ficaram queimados do sol e acenderam fogos de artifícios enquanto eu estava aqui sozinha no frio. Em um instante podia me ver de longe e do alto, um ponto na grande massa verde e branca, nem mais nem menos significante do que um dos pássaros desconhecidos nas árvores. Aqui podia ser 4 de julho ou 10 de dezembro. Essas montanhas não contavam os dias.

Na manhã seguinte caminhei na neve durante horas até chegar a uma clareira onde havia uma grande árvore caída, seu tronco liso, sem neve ou galhos. Tirei a mochila e subi nela, a casca áspera embaixo de mim. Peguei algumas tiras de carne desidratada da mochila e me sentei para comer e beber uns goles de água. Logo vi uma mancha vermelha à minha direita: uma raposa entrou na clareira, as patas pisando sem fazer barulho na neve. Ela olhou fixo para a frente, sem me olhar, parecendo não ter percebido que eu estava lá, embora isso parecesse impossível. Quando a raposa estava exatamente na minha frente, talvez a 3 metros de distância, parou, virou a cabeça e olhou tranquilamente na minha direção, seus olhos não exatamente encontrando os meus enquanto farejava. Parecia meio felina, meio canina, os traços faciais marcantes e graciosos, o corpo alerta.

Meu coração disparou, mas fiquei totalmente imóvel, controlando a vontade de fugir e me esconder atrás de uma árvore em busca de proteção. Não sabia o que a raposa faria em seguida. Não achei que ela me machucaria, mas não podia evitar o medo de que o fizesse. Ela mal chegava à altura dos meus joelhos, embora sua força fosse irrefutável, sua beleza deslumbrante, sua superioridade visível em cada pelo imaculado. Ela podia me alcançar em um segundo. Esse era o seu mundo. Ela estava tão segura quanto o céu.

— Raposa — sussurrei com a voz mais suave que podia, como se ao nomeá-la eu pudesse tanto me defender quanto atraí-la. Ela levantou a cabeça vermelha de ossos delicados, mas permaneceu parada como estava e me analisou por alguns segundos antes de se virar e sem nenhum sobressalto continuar cruzando a clareira e se embrenhar entre as árvores.

— Volte — chamei baixinho, e então subitamente gritei: — MÃE! MÃE! MÃE! MÃE! — Não sabia que a palavra sairia da minha boca até que ela saiu.

E então, da mesma forma inusitada, fiquei em silêncio, exausta.

Na manhã seguinte, encontrei uma estrada. Nos dias anteriores tinha cruzado estradas de terra menores e mais rústicas que estavam cobertas de neve, mas nenhuma tão larga e bem construída como essa. Quase me ajoelhei ao vê-la. A beleza das montanhas nevadas era inegável, mas a estrada era meu mundo. Se fosse a estrada que eu achava que era, simplesmente chegar até ela era uma vitória. Isso significava que segui a rota da PCT. Isso também significava que havia uma cidade distante alguns quilômetros em qualquer direção. Podia dobrar à direita ou à esquerda e seguir a estrada, e seria devolvida a uma versão do começo de julho que fazia sentido para mim. Tirei a mochila e sentei em um monte de neve granulada, refletindo sobre o que fazer. Se estava onde achava que estava, tinha percorrido 69 quilômetros da PCT nos quatro dias desde que saí de Sierra City, apesar de provavelmente ter caminhado mais do que isso, dadas as minhas duvidosas habilidades com o mapa e a bússola. A distância para Belden Town era de mais 88 quilômetros, grande parte da trilha coberta de neve. Era improvável pensar nisso. Tinha comida apenas para alguns dias na mochila, e acabaria se eu tentasse continuar. Comecei a descer a estrada na direção de uma cidade chamada Quincy.

A estrada era como a vastidão que caminhei nos últimos dias, silenciosa e coberta de neve, só que agora eu não precisava parar toda hora a fim de calcular para onde estava indo. Apenas segui a estrada, à medida que a neve dava lugar à lama. O guia não dizia a que distância Quincy estava, apenas que era "uma longa caminhada de um dia". Acelerei o ritmo, na esperança de chegar à tarde, embora o que ia fazer lá com 60 centavos fosse outra questão.

Por volta das 11 horas, depois de uma curva, vi uma caminhonete verde modelo SUV estacionada na beira da estrada.

— Olá — gritei, totalmente mais cautelosa do que nos momentos em que urrava essa mesma palavra no deserto branco. Ninguém respondeu. Aproximei-me da SUV e olhei seu interior. Havia um agasalho com capuz no banco da frente e um copo de café de papel no painel, entre outros excitantes objetos que remetiam à minha antiga vida. Continuei descendo a estrada por meia hora até que ouvi um carro se aproximando por trás de mim e me virei.

Era a SUV verde. Alguns instantes depois, ela parou ao meu lado, um homem no volante e uma mulher no carona.

— Estamos indo para Packer Lake Lodge, se você quiser uma carona — a mulher disse depois de abrir a janela. Meu coração ficou apertado, embora tenha agradecido e sentado no banco de trás. Tinha lido sobre o Packer Lake Lodge no guia havia alguns dias. Podia ter pegado uma trilha secundária para lá um dia depois de ter saído de Sierra City, mas decidi ignorar quando optei por permanecer na PCT. À medida que o carro andava, podia sentir meu progresso em direção ao norte se revertendo, todos os quilômetros que me esforcei para conquistar perdidos em menos de uma hora, e apesar disso estar naquele carro era uma espécie de paraíso. Limpei um pedaço da janela embaçada e observei as árvores passando rápido. Nossa velocidade máxima era talvez 30 quilômetros por hora conforme nos arrastávamos pelas curvas da estrada, mas isso ainda soava para mim como se estivéssemos nos movendo inacreditavelmente rápido, a terra ficando indefinida em vez de específica, não mais me incluindo, mas quieta do lado de fora.

Pensei na raposa. Desejei saber se ela tinha voltado à árvore caída e pensado em mim. Lembrei-me do momento depois que ela desapareceu na floresta e que gritei por minha mãe. Ficou um silêncio tão grande na sequência daquela comoção, uma espécie de silêncio poderoso que parecia conter tudo. Os cantos dos pássaros e os estalidos das árvores. A neve derretendo e a invisível água gorgolejando. O sol reluzente. O céu claro. A arma que não tinha uma bala no tambor. E a mãe. Sempre a mãe. Aquela que nunca voltará para mim.

10

SERRA DA LUZ

A mera visão do Packer Lake Lodge foi como um soco. Era um restaurante. Com comida. E eu poderia muito bem ter sido um pastor-alemão. Podia senti-la assim que desci do carro. Agradeci ao casal que me deu a carona e andei em direção à construção, deixando a Monstra na varanda antes de entrar. O lugar estava cheio de turistas, a maioria hospedada nas cabanas rústicas que rodeavam o restaurante. Pareciam não perceber a maneira como eu encarava seus pratos quando me dirigi ao balcão, onde havia pilhas de panquecas acompanhadas de bacon, ovos mexidos em primorosos montes ou, o mais doloroso de tudo, cheeseburgers soterrados por montes irregulares de batatas fritas. Fiquei devastada com a visão delas.

— O que você ouviu sobre o nível de neve ao norte daqui? — perguntei à mulher que trabalhava no caixa. Eu poderia dizer que era a dona pela maneira como seus olhos seguiram a garçonete enquanto ela caminhava pelo salão com um bule de café na mão. Não conhecia essa mulher, mas tinha trabalhado para ela mil vezes. Passou pela minha cabeça que eu podia pedir um emprego a ela para o verão e abandonar a PCT.

— A quantidade de neve lá em cima está bem grande — ela respondeu. — Todos os trilheiros de longa distância saíram da trilha este ano. Estão todos caminhando ao longo da Gold Lake Highway em vez disso.

— A Gold Lake Highway? — perguntei perplexa. — Apareceu um homem aqui nos últimos dias? O nome dele é Greg. Ele é quarentão, tem cabelo castanho e barba.

Ela fez que não com a cabeça, mas a garçonete interrompeu e disse que falou com um trilheiro da PCT que batia com essa descrição, embora não soubesse seu nome.

— Você pode se sentar, se quiser comer — a mulher disse.

Havia um cardápio no balcão e eu o peguei só para dar uma olhada.

— Você tem algo que custe 60 centavos ou menos? — perguntei a ela de forma espirituosa, tão baixo que minha voz quase não dava para ouvir.

— Setenta e cinco centavos paga uma xícara de café. O refil é grátis — ela respondeu.

— Na realidade, tenho comida na minha mochila — eu disse, e me dirigi à porta, passando por pratos sujos e empilhados com restos de comida perfeitamente comestíveis que ninguém a não ser eu, os ursos e guaxinins estariam dispostos a comer. Continuei até a varanda e sentei ao lado da Monstra. Tirei os 60 centavos do bolso e olhei fixamente para as moedas prateadas na palma da minha mão como se fossem se multiplicar se as olhasse muito intensamente. Pensei na caixa à minha espera em Belden com a nota de 20 dólares dentro. Estava faminta e era verdade que eu tinha comida na mochila, mas estava desanimada demais para comer. Folheei o guia em vez disso, tentando elaborar um novo plano.

— Ouvi você lá dentro conversando sobre a Pacific Crest Trail — uma mulher disse. Ela era magra e de meia-idade, o cabelo louro com mechas em um corte curto e estiloso. Em cada orelha ela usava um brinco solitário de diamante.

— Estou fazendo a caminhada há algumas semanas — falei.

— Acho isso tão legal. — Ela sorriu. — Sempre pensei nas pessoas que faziam isso. Eu sei que a trilha é logo aqui — disse, apontando para a direção oeste. — Mas nunca estive nela. — Ela se aproximou, e por um momento achei que tentaria me dar um abraço, mas apenas bateu de leve no meu braço. — Você está sozinha, não está? — Quando fiz que sim, ela riu e colocou a mão no peito. — E o que em nome de Deus sua mãe tem a dizer sobre isso?

— Ela está morta — respondi, desencorajada e faminta demais para suavizar isso com um tom de justificativa, como geralmente fazia.

— Meu Deus. Isso é terrível. — Seus óculos de sol caíram sobre o peito, pendurados em um fio de contas reluzentes. Ela segurou os óculos e os recolocou no rosto. Seu nome era Christine, ela me disse, e estava hospedada em uma cabana ali perto com o marido e as duas filhas adolescentes.

— Você gostaria de ir lá comigo e tomar um banho? — ela perguntou.

O marido de Christine, Jeff, preparou um sanduíche enquanto eu tomava banho. Quando saí do banheiro, o sanduíche estava no prato, cortado na diagonal e guarnecido com chips de tortilha de milho e um pepino em conserva.

— Se quiser colocar mais carne nele, sinta-se à vontade — Jeff disse, empurrando de seu lugar no outro lado da mesa uma travessa de frios na minha direção. Ele era bonito e gordinho, o cabelo escuro ondulado e grisalho nas têmporas. Era advogado, Christine me disse na curta caminhada entre o restaurante e a cabana. Eles moravam em São Francisco, mas todo ano passavam a primeira semana de julho aqui.

— Talvez algumas fatias a mais, obrigada — falei, pegando o peru com falsa indiferença.

— É orgânico, caso isso seja importante pra você — disse Christine. — E criado com humanidade. Seguimos essa direção o máximo que conseguimos. Você se esqueceu do queijo — ela censurou Jeff, e foi até a geladeira para pegá-lo. — Você quer um pouco de queijo Havarti de aneto no sanduíche, Cheryl?

— Está ótimo. Obrigada — disse para ser educada, mas cortei um pouco de qualquer forma e peguei; comi tão rápido que ela voltou para o balcão e cortou mais sem comentar nada a respeito.

Ela pegou o saco de chips e colocou outro punhado em meu prato, depois abriu uma lata de cerveja preta e colocou na minha frente. Se tivesse esvaziado todo o conteúdo da geladeira, eu teria comido até o último pedaço.

— Obrigada — dizia sempre que ela colocava outro item na mesa.

Do outro lado da cozinha eu podia ver Jeff e as duas filhas de Christine através da porta de vidro. Estavam sentadas no deque em cadeiras Adirondack de dois lugares, folheando números da *Seventeen* e da *People* com fones de ouvido nas orelhas.

— Que idade elas têm? — perguntei, acenando na direção delas.

— Dezesseis e quase 18 — disse Christine. — Estão indo para o segundo e o último ano do ensino médio.

Elas perceberam que as observávamos e deram uma olhada. Acenei e elas acenaram de volta antes de retornar às revistas.

— Adoraria se elas fizessem alguma coisa como a que você está fazendo. Se pudessem ser tão corajosas e fortes quanto você — disse Christine. — Mas talvez não tão corajosas, na verdade. Acho que eu ficaria assustada de ter uma delas na trilha como você. Você não tem medo de enfrentar tudo sozinha?

— Às vezes — respondi. — Mas não tanto quanto você imaginaria. — Meu cabelo molhado pingou em minha camiseta suja na altura do ombro. Tinha consciência de que minha roupa fedia, embora por baixo delas me sentisse mais limpa do que nunca. O chuveiro foi uma experiência quase sagrada após dias no frio suando por baixo das roupas, a água quente e o sabão me esfregando até limpar. Notei alguns livros espalhados no final da mesa: *Mating* (Acasalando), de Norman Rush, *A Thousand Acres* (Mil acres), de Jane Smiley, e *The Shipping News* (Notícias de navegação), de E. Annie Proulx. Eram livros que tinha lido e adorado, as capas eram como rostos familiares e a mera visão delas me fazia sentir como se estivesse em algum lugar parecido com minha casa. Talvez Jeff e Christine me deixem ficar aqui com eles, pensei ilogicamente. Eu podia ser como uma de suas filhas, ficar lendo revistas enquanto me bronzeava no deque. Se tivessem oferecido, eu teria dito sim.

— Você gosta de ler? — Christine perguntou. — É o que fazemos quando chegamos aqui. Essa é a nossa ideia de relaxamento.

— Ler é a minha recompensa no final do dia — eu disse. — O livro que eu tenho agora é *Contos completos*, de Flannery O'Connor.

Ainda tinha o livro intacto na mochila. Não queimei página por página conforme ia lendo, consciente de que, por causa da neve e das mudanças de itinerário, eu não sabia quanto tempo levaria até chegar à minha próxima caixa de suprimentos. Já tinha lido tudo e recomeçado na página um na noite passada.

— Bem, você pode pegar um desses — disse Jeff, levantando para apanhar o *Mating*. — Já lemos todos. Ou se esse não é o seu gosto, pode provavelmente pegar esse aqui — falou e desapareceu no quarto ao lado da cozinha. Ele voltou um momento depois com um volumoso livro de James Michener, que colocou perto de meu prato, agora vazio.

Olhei para o livro. O nome era *O romance*. Nunca tinha lido ou ouvido falar dele, embora James Michener fosse o autor favorito de minha mãe. Só quando fui para a faculdade é que aprendi que tinha alguma coisa errada nisso. *Uma pessoa que diverte as massas*, um de meus professores ridicularizou depois de perguntar quais livros eu tinha lido. Michener, ele me aconselhou, não era o tipo de escritor que eu devia perder tempo lendo se realmente quisesse ser uma escritora. Eu me senti uma idiota. Todos aqueles anos como adolescente eu me achava sofisticada quando me entusiasmei com *Polônia*, *Os rebeldes*, *Espaço* e *Sayonara*. No primeiro ano na faculdade, rapidamente aprendi que não sabia nada a respeito de quem era importante e quem não era.

— Você sabe que não é um livro *de verdade*? — disse desdenhosamente para minha mãe quando alguém lhe deu *Texas*, de Michener, como presente de Natal naquele ano.

— De verdade? — minha mãe me encarou, perplexa e bem-humorada.

— Quero dizer, sério. Como a literatura de verdade que merece seu tempo — respondi.

— Bem, meu tempo nunca valeu tanto assim, você pode querer gostar de saber, já que nunca ganhei mais do que o salário mínimo e na maior parte das vezes me matei de trabalhar de graça. — Ela riu baixinho e bateu no meu braço com a mão, livrando-se de minha recriminação da maneira que sempre fez.

Quando minha mãe morreu e a mulher com quem Eddie acabou se casando se mudou para a casa, peguei todos os livros que quis da estante da minha mãe. Tirei aqueles que ela comprou no início dos anos 1980, assim que nos mudamos para a propriedade: *The Encyclopedia of Organic Gardening* (Enciclopédia de jardinagem orgânica), *Double Yoga* (Yoga dupla), *Northland Wildflowers* (Flores do campo da região Norte) e *Quilts to Wear* (Quilts para vestir), *Songs for the Dulcimer* (Músicas para Dulcimer), *Bread Baking Basics* (Fundamentos da produção de pão), *Using Plants for Healing* (Usando plantas para curar) e *I Always Look Up the Word Egregious* (Eu sempre procuro a palavra egrégio). Peguei os livros que leu para mim, capítulo por capítulo, antes de conseguir ler sozinha: *Bambi*, *Beleza negra* e *Casinha na floresta*. Peguei os livros que comprou quando estudante universitária nos anos anteriores à sua morte: *The Sacred Hoop* (O arco sagrado), de Paula Gunn Allen, *The Woman Warrior* (A mulher guerreira), de Maxine Hong Kingston, e *This Bridge Called My Back* (Esta ponte me convidou a voltar), de Cherríe Moraga e Gloria Anzaldúa. *Moby-Dick*, de Herman Melville, *As Aventuras de Huckleberry Finn*, de Mark Twain, e *Flores de Relva*, de Walt Whitman. Mas não peguei os livros de James Michener, dos quais minha mãe mais gostava.

— Obrigada — disse agora para Jeff enquanto segurava *O romance*. — Vou trocar este pelo Flannery O'Connor se você quiser. É um livro maravilhoso. — Parei antes de mencionar que teria que queimá-lo esta noite na floresta se dissesse não.

— Com certeza — ele respondeu, rindo. — Mas acho que estou saindo ganhando.

Depois do almoço, Christine me levou até o posto de guarda florestal em Quincy, mas, quando chegamos lá, o guarda com quem conversei parecia ter informações vagas sobre a PCT. Ele me disse que não foi lá este ano porque ainda estava coberta de neve. Ficou surpreso de saber que eu havia estado. Voltei ao carro de Christine e estudei o guia para entender a minha localização. A melhor opção para voltar à PCT era onde ela cruzava a estrada, a cerca de 20 quilômetros a oeste de onde estávamos.

— Aquelas garotas parecem saber de alguma coisa — disse Christine. Ela apontou para o outro lado do estacionamento, para um posto de gasolina onde havia duas jovens ao lado de uma van com o nome de um acampamento pintado na lateral.

Eu me apresentei a elas; minutos depois estava abraçando e me despedindo de Christine e subindo no banco de trás da van. As garotas eram estudantes universitárias que trabalhavam em um acampamento de verão; passariam exatamente pelo lugar onde a PCT cruzava a estrada. Disseram que seria um prazer me dar uma carona, desde que eu aceitasse esperar que elas terminassem o serviço. Sentei à sombra da van do acampamento, lendo *O romance* no estacionamento de uma mercearia enquanto elas faziam compras. Estava quente e úmido, um verão de um jeito diferente do que estava havia pouco lá em cima na neve. Enquanto lia, senti a presença de minha mãe tão forte, sua ausência tão profunda, que foi difícil focar nas palavras. Por que ridicularizei sua paixão por Michener? O fato é que eu também gostava de Michener; quando tinha 15 anos, li *Os rebeldes* quatro vezes. Uma das piores coisas sobre perder minha mãe na idade em que perdi era quanta coisa havia para me arrepender. Pequenas coisas que incomodam agora: todas as vezes que desprezei sua gentileza revirando os olhos ou fisicamente recuei como reação ao seu toque; a vez em que disse: "Você não está surpresa de ver como eu sou mais sofisticada do que você era aos 21 anos?" A lembrança da minha falta de humildade juvenil me deixava enjoada. Fui uma cretina arrogante e no meio disso minha mãe morreu. Sim, fui uma filha dedicada e, sim, estava lá para ela quando isso era importante, mas podia ter sido melhor. Podia ter sido o que pedi que ela dissesse que eu era: a melhor filha do mundo.

Fechei *O romance* e sentei quase paralisada de arrependimento até que as garotas reapareceram, empurrando um carrinho. Juntas, colocamos as sacolas na van. As garotas eram quatro ou cinco anos mais jovens do que eu, seus cabelos e rostos radiantes e harmoniosos. Ambas usavam shorts esportivos e camisetas de alcinha, com pulseirinhas coloridas de lã trançada ao redor dos tornozelos e pulsos.

— Então, como estávamos falando, caminhar sozinha é bastante corajoso — disse uma delas após acabar de colocar as sacolas.

— O que seus pais pensam de você fazer isso? — perguntou a outra.

— Eles não pensam, quer dizer... não tenho pai nem mãe. Minha mãe está morta e não tenho pai, ou tenho, tecnicamente, mas ele não faz parte da minha vida.

Entrei na van e guardei *O romance* dentro da Monstra de modo que eu não tivesse que ver a inquietação surgir em seus rostos radiantes.

— Uau — disse uma delas.

— É — disse a outra.

— A parte boa é que sou livre. Posso fazer qualquer coisa que queira fazer.

Aquela que tinha dito "uau" então disse "é", e a que tinha dito "é" agora disse "uau".

Elas entraram na frente e seguimos. Olhei pela janela para as altíssimas árvores que passavam rapidamente, pensando em Eddie. Eu me sentia um pouco culpada por não tê-lo mencionado quando as garotas perguntaram sobre meus pais. Ele tinha ser tornado alguém que eu deixei de conhecer. Ainda o amava e o amei instantaneamente, desde a primeira noite que o conheci quando tinha 10 anos. Ele não era parecido com nenhum dos homens que minha mãe namorou nos anos após o divórcio de meu pai. A maior parte durou somente algumas semanas, todos assustados, rapidamente entendi, pelo fato de que se juntar a minha mãe também significava se juntar a mim, a Karen e a Leif. Mas Eddie amou a nós quatro desde o início. Ele trabalhava em uma fábrica de autopeças na época, embora fosse carpinteiro de profissão. Tinha olhos azuis suaves, nariz reto e cabelo castanho, que mantinha preso em um rabo de cavalo que caía até a metade das costas.

Na primeira noite, quando o conheci, ele foi jantar no Tree Loft, o conjunto habitacional onde morávamos. Era o terceiro conjunto habitacional do gênero em que morávamos desde o divórcio de meus pais. Todos os prédios de apartamentos eram localizados em um raio de 800 metros um do outro, em Chaska, uma cidade a cerca de uma hora de Mineápolis. Nós nos mudávamos sempre que minha mãe conseguia encontrar um lugar mais barato. Quando Eddie chegou, minha mãe ainda estava preparando o jantar, então ele ficou brincando comigo, com Karen e com Leif no pequeno espaço gramado em frente ao nosso prédio. Ele correu atrás da gente, nos pegou e nos segurou de cabeça para baixo e nos balançou para ver se caía alguma moeda de nossos bolsos; se caísse, ele pegava a moeda na grama e corria e nós corríamos atrás dele gritando com uma alegria especial que foi negada a todos nós em nossas vidas, porque nunca fomos amados da maneira correta por um homem. Ele nos fez cócegas e observou quando realizamos nossos passos de dança e brincamos de virar estrela. Ele nos ensinou músicas divertidas e danças complicadas. Ele roubou nossos narizes e nossas orelhas e depois nos mostrou o produto do roubo com o dedão enfiado entre os dedos e no fim nos devolveu enquanto ríamos. Quando mamãe nos chamou para jantar, eu estava tão apaixonada por ele que tinha perdido a fome.

Não tínhamos uma sala de jantar em nosso apartamento. Havia dois quartos, um banheiro e uma sala de estar com uma pequena alcova em um canto onde tinha um balcão, um fogão, uma geladeira e alguns armários. No meio da sala havia uma grande mesa redonda de madeira cujas pernas tinham sido cortadas de modo que sua altura batia no joelho. Minha mãe a comprou por dez dólares das pessoas que moravam no apartamento antes de nós. Nós nos sentamos no chão ao redor dessa mesa para comer. Dizíamos que éramos chineses, sem saber que na realidade eram os japoneses que faziam as refeições sentados no chão diante de mesas baixas. Não tínhamos autorização para ter bichos de estimação no Tree Loft, mas tínhamos mesmo assim um cachorro chamado Kizzy e um canário chamado Canário, que ficava solto no apartamento.

Era um pássaro educado. Fazia cocô em um pedaço de jornal dentro de uma caixa de areia de gato em um canto. Não sei se ele foi treinado por mamãe para fazer isso ou se foi por sua própria escolha. Poucos minutos depois que todo mundo sentou no chão ao redor da mesa, Canário pousou na cabeça de Eddie. Quando pousava em nós, em geral ficava só um pouquinho e logo voava, mas no alto da cabeça de Eddie ele demorou. Nós rimos. Ele se virou para nós e, fingindo não estar entendendo, perguntou do que estávamos rindo.

— Tem um canário na sua cabeça — nós lhe dissemos.

— O quê? — ele disse, olhando ao redor da sala e fingindo surpresa.

— Tem um canário na sua cabeça! — gritamos.

— Onde? — ele perguntou.

— Tem um canário na sua cabeça! — gritamos então, em prazerosa histeria.

Tinha um canário na cabeça dele e milagrosamente o canário ficou lá durante todo o jantar, e depois disso adormeceu, se acomodando.

Assim como Eddie.

Pelo menos até minha mãe morrer. A doença dela inicialmente nos aproximou ainda mais do que antes. Nós nos tornamos companheiros durante as semanas em que ela esteve doente — lutando em equipe no hospital, consultando um ao outro sobre decisões médicas, chorando juntos quando soubemos que o fim estava próximo, procurando a funerária juntos após sua morte. Mas, logo depois, Eddie se afastou de meus irmãos e de mim. Agiu como se fosse nosso amigo e não nosso pai. Rapidamente se apaixonou por outra mulher e logo ela se mudou para nossa casa com os filhos. Na época do primeiro aniversário da morte de minha mãe, Karen, Leif e eu estávamos basicamente por nossa conta; a maior parte das coisas de nossa mãe estava em caixas que organizei e guardei. Ele nos amava, Eddie dizia, mas a vida continuava. Ele ainda era nosso pai, alegava, mas não fazia nada para demonstrar isso. Eu me revoltei, mas no fim não tinha nada a fazer a não ser aceitar o que minha família se tornou: nem de longe uma família.

"Não se pode tirar leite de pedra", minha mãe costumava dizer.

Quando as garotas pararam a van no acostamento da estreita autoestrada, as árvores altas que a margeavam bloqueavam quase inteiramente o pôr do sol. Eu agradeci pela carona e olhei ao redor enquanto iam embora. Estava parada ao lado de uma placa do serviço florestal que dizia WHITEHORSE CAMPGROUND. A PCT estava bem atrás dela, a garota me disse quando desci da van. Eu não me preocupei em olhar o mapa enquanto estava na van. Depois de dias de constante vigilância, estava cansada de voltar a verificar o guia. Simplesmente aproveitei a carona, tranquilizada pela confiança das garotas de que sabiam o que estavam fazendo. Da área de acampamento elas disseram que eu poderia fazer uma trilha rápida que me levaria à PCT. Li as páginas recém-arrancadas do guia enquanto andava pelos caminhos pavimentados da área de acampamento, me esforçando para enxergar as letras à luz do fim de tarde. Meu coração saltou de alívio quando encontrei as palavras Whitehorse Campground, depois ele parou quando continuei lendo e percebi que estava a quase 3 quilômetros da PCT. As palavras "logo depois" tinham um significado diferente para as garotas da van do que tinham para mim.

Olhei ao redor, para a torneira de água, para os conjuntos de banheiros marrons e para a grande placa que explicava como a pessoa devia fazer para pagar pelo pernoite deixando o dinheiro em um envelope que devia então ser depositado na fenda de uma caixa de madeira. Exceto por alguns trailers e um pequeno número de barracas, o camping estava sinistramente vazio. Andei por outro caminho pavimentado, pensando no que fazer. Não tinha dinheiro para pagar o pernoite, mas estava muito escuro para caminhar na floresta. Cheguei a uma área de acampamento bem na fronteira do camping, a mais afastada da placa que ensinava como pagar. Quem me veria?

Montei a barraca, cozinhei e comi o jantar em uma luxuosa mesa de piquenique apenas com a lanterna de cabeça para iluminar o caminho, fiz xixi em um banheiro perfeitamente confortável; depois entrei na barraca e abri *O romance*. Eu tinha lido talvez três páginas quando minha barraca foi inundada por luzes. Abri o zíper da porta e saí para saudar o casal de idosos que estava na caminhonete com os faróis dianteiros ofuscantes.

— Oi — disse hesitante.

— Você precisa pagar por esse lugar — a mulher vociferou em resposta.

— Preciso *pagar*? — disse, com falsa inocência e surpresa. — Pensei que apenas pessoas que tinham carro precisavam pagar a taxa. Estou a pé. Tenho apenas a mochila. — O casal ouviu em silêncio, os rostos enrugados indignados.

— Vou sair assim que amanhecer. No máximo às seis.

— Se você vai ficar aqui, precisa pagar — a mulher repetiu.

— São 12 dólares pela noite — o homem acrescentou em uma voz ofegante.

— É o seguinte — eu disse —, na verdade, não tenho dinheiro comigo. Estou fazendo uma viagem grande. Estou fazendo a Pacific Crest Trail, a PCT?, e tem toda essa neve no alto das montanhas, é um ano recorde; de qualquer forma, eu saí da trilha e não planejei estar aqui, mas umas garotas que me deram uma carona acidentalmente me deixaram no lugar errado e eu...

— Nada disso muda o fato de que você precisa pagar, senhorita — o homem berrou com surpreendente força, sua voz me calando como uma grande corneta vindo do nevoeiro.

— Se você não pode pagar, tem que desarmar e sair — disse a mulher. Ela usava um agasalho que trazia no peito um par de filhotes de guaxinins olhando timidamente de um buraco em uma árvore.

— Não tem ninguém aqui! Estamos no meio da noite! Que mal faria se eu simplesmente...

— Existem regras — irritou-se o homem. Ele se virou e voltou para a caminhonete, encerrando a conversa.

— Sentimos muito, mas somos os recepcionistas do camping e estamos aqui para fazer com que todos sigam as regras — disse a mulher. Seu rosto se suavizou por um momento ao se justificar, mas logo ela apertou os lábios e acrescentou: — Odiaríamos ter que chamar a polícia.

Abaixei os olhos e me dirigi aos guaxinins dela:

— Não acredito que esteja causando algum prejuízo. Quero dizer, ninguém estaria usando este local se eu não estivesse aqui — disse com tranquilidade, tentando um último apelo, de mulher para mulher.

— Não estamos dizendo que você tem que *ir embora* — ela gritou, como se estivesse repreendendo um cachorro para que parasse de latir. — Estamos dizendo que tem que *pagar*.

— Bem, não *tenho como*.

— Tem uma trilha para a PCT que começa logo depois dos banheiros — a mulher disse, apontando para trás dela. — Ou você pode caminhar no acostamento da estrada por cerca de 2 quilômetros. Acho que a estrada é mais direta que a trilha. Vamos manter as luzes acesas enquanto você arruma as coisas — ela disse, e voltou para a caminhonete ao lado do marido, os rostos agora invisíveis atrás dos faróis.

Voltei para a barraca, perplexa. Ainda não tinha encontrado em minha viagem um estranho que não fosse gentil. Eu fervilhava por dentro, mas coloquei a lanterna de cabeça com as mãos trêmulas e joguei dentro da mochila tudo o que tirei, sem o cuidadoso método habitual de o que vai onde. Não sabia o que devia fazer. Estava totalmente escuro a essa altura, uma meia-lua no céu. A única coisa mais assustadora do que a ideia de caminhar em uma trilha desconhecida no escuro era caminhar ao longo de uma estrada desconhecida no escuro. Coloquei a Monstra e acenei para o casal na caminhonete, sem conseguir ver se acenaram de volta.

Andei com a lanterna de cabeça na mão. Ela mal iluminava cada passo do caminho; as pilhas estavam fracas. Acompanhei o calçamento até os banheiros e vi a trilha que a mulher mencionou saindo de trás deles. Dei alguns passos hesitantes. Tinha me acostumado a me sentir segura na trilha, mesmo durante a noite, mas andar no escuro era uma sensação completamente diferente porque eu não podia enxergar. Podia encontrar animais noturnos ou tropeçar em uma raiz. Podia perder uma bifurcação e continuar para onde não pretendia ir. Caminhei lentamente, tensa, como fiz no primeiro dia, quando encontrei uma cascavel pronta para me dar o bote a qualquer momento.

Depois de um tempo, as silhuetas da paisagem se revelavam vagamente. Estava em uma floresta de pinheiros grandes e abetos, os troncos lisos, sem galhos, culminando em núcleos de galhos densos acima de mim. Podia ouvir o murmúrio de um riacho à esquerda e sentir o suave manto das agulhas secas de pinheiro estalando debaixo das botas. Caminhei com um tipo de concentração que nunca tive antes e, por causa disso, podia sentir a trilha e meu corpo mais atentamente, como se estivesse andando descalça e nua. Isso me lembrou de quando eu era criança e estava aprendendo a montar. Minha mãe me ensinou em sua égua, Lady, deixando-me sentar na sela enquanto ela segurava a rédea presa ao cabresto. Agarrei na crina de Lady com as mãos, no início temerosa até mesmo quando ela andava, mas acabei relaxando e minha mãe pediu que eu fechasse os olhos para poder sentir a maneira que a égua se movimentava sob mim e a maneira que o meu corpo se movimentava junto com ela. Mais tarde, fiz a mesma coisa com os braços estendidos para cada lado, formando círculos, meu corpo se rendendo ao de Lady à medida que ela se movimentava.

Abri caminho ao longo da trilha por vinte minutos até chegar a um lugar onde as árvores se espaçaram. Tirei a mochila e fiquei de quatro com a lanterna de cabeça para explorar um lugar que parecesse razoável para dormir. Montei a barraca, me agachei para entrar e me fechei no saco de dormir, embora agora não estivesse nem remotamente cansada, energizada pela expulsão e pela caminhada noturna.

Abri *O romance*, mas a lanterna de cabeça estava piscando e apagando, então eu a desliguei e fiquei deitada no escuro. Esfreguei os braços com as mãos, me abraçando. Podia sentir minha tatuagem sob os dedos da mão direita; ainda podia percorrer o contorno do cavalo. A mulher que fez a tatuagem me disse que ela se destacaria em meu corpo por algumas semanas, mas ela ficou assim mesmo depois de alguns meses, como se o cavalo estivesse gravado em relevo em vez de tatuado na pele. Aquela tatuagem não era simplesmente um cavalo. Era Lady — a égua que minha mãe perguntou ao médico da Clínica Mayo se poderia montar quando ele lhe disse que ela morreria. Lady não era seu nome verdadeiro — era apenas como nós a chamávamos. Era uma Saddlebred Americano registrado, o nome oficial escrito em grandiosa honra no certificado da associação de produtores que veio com ela: Stonewall's Highland Nancy, filha de Stonewall Sensation e cria de Mack's Golden Queen. Minha mãe tinha conseguido, contra todas as evidências, comprar Lady no terrível inverno em que ela e meu pai estavam final e definitivamente se separando. Minha mãe conheceu um casal no restaurante onde trabalhava como garçonete. Queriam vender barato sua égua puro-sangue de 12 anos de idade, e apesar de minha mãe não ter condições de pagar nem mesmo o preço barato, foi ver o cavalo e fez um acordo com o casal para pagar trezentos dólares ao longo de seis meses, e depois fez outro acordo com outro casal que tinha um estábulo nos arredores de trabalhar em troca da hospedagem de Lady.

"Ela é de tirar o fôlego", minha mãe dizia cada vez que descrevia Lady, e ela era. Tinha mais de 1,60 metro de altura, era magra, com pernas longas e um trote amplo e extenso, elegante como uma rainha. Tinha uma estrela branca na testa, mas o restante do pelo era o mesmo castanho-avermelhado da raposa que vi na neve.

Eu tinha 6 anos quando minha mãe a comprou. Morávamos no subsolo de um conjunto habitacional chamado Barbary Knoll. Minha mãe tinha acabado de deixar meu pai pela última vez. Mal tínhamos dinheiro suficiente para viver, mas minha mãe tinha que ter aquela égua. Mesmo sendo criança, sabia instintivamente que foi Lady que salvou a vida da minha mãe. Lady permitiu que ela não apenas se afastasse de meu pai, como também que seguisse em frente. Os cavalos eram a religião dela. Era com eles que ela queria estar em todos aqueles domingos de sua infância, quando era obrigada a usar vestidos para ir à missa. As histórias que me contou sobre cavalos eram um contraponto para as outras histórias que me contou sobre sua criação católica. Ela fazia tudo o que podia para montar. Limpava estábulos, polia acessórios de montaria, transportava feno e espalhava serragem, enfim, todo tipo de trabalho estranho que aparecia e que lhe permitia frequentar o estábulo que estivesse mais próximo e montar o cavalo de alguém.

Surgiam, de tempos em tempos, imagens de sua vida passada como vaqueira capturadas em retratos tão nítidos e concisos, como se tivesse lido sobre elas em um livro. As cavalgadas noturnas que ela fez no Novo México com o pai. Os audaciosos truques de rodeio que treinou e realizou com as amigas. Aos 16 anos ela ganhou o próprio cavalo, um palomino chamado Pal, que ela montou em shows e rodeios no Colorado. Ainda tinha as fitas quando morreu. Eu as coloquei em uma caixa que agora estava no porão de Lisa em Portland. Uma amarela pelo terceiro lugar em uma corrida de obstáculo com barril; uma rosa pelo quinto lugar para marcha, trote e meio-galope; uma verde por perícia e participação; e uma única azul por montar o cavalo com facilidade em todos os tipos de marchas ao longo de um percurso demarcado com fossos de lama, curvas estreitas, palhaços sorridentes e cornetas estridentes, enquanto equilibrava um ovo em uma colher prateada em sua mão estendida por mais tempo do que qualquer outra pessoa podia aguentar ou aguentou.

Na primeira estrebaria onde Lady viveu quando se tornou nossa, mamãe fez o mesmo trabalho que fazia quando era criança, limpando baias e espalhando feno, transportando coisas para lá e para cá em um carrinho de mão. Com frequência levava Karen, Leif e a mim junto com ela. Brincávamos no celeiro enquanto ela fazia as tarefas. Depois, nós a observávamos montar Lady ao redor do picadeiro, cada um de nós ganhando uma volta quando ela acabava. Na época em que nos mudamos para nossa propriedade no norte de Minnesota, tivemos um segundo cavalo, um capão mestiço chamado Roger, que minha mãe comprou porque me apaixonei por ele e seu dono estava disposto a se livrar dele por quase nada. Transportamos os dois para o norte em um trailer emprestado. O pasto deles ocupava um quarto de nossos 16 hectares.

Quando voltei para casa um dia para visitar Eddie, no início de dezembro, quase três anos depois de minha mãe morrer, fiquei chocada ao ver como Lady estava magra e fraca. Ela tinha quase 31 anos, era idosa para um cavalo e, mesmo que restituir sua saúde fosse possível, ninguém estava disponível o bastante para fazê-lo. Eddie e a namorada começaram a se dividir entre a casa onde crescemos e um trailer em uma pequena cidade nos arredores de Twin Cities. Os dois cachorros, dois gatos e quatro galinhas que tínhamos quando minha mãe morreu tinham morrido ou sido enviados para novas casas. Só restaram os dois cavalos, Roger e Lady. Com frequência eram tratados de forma apressada por um vizinho que Eddie contratou para alimentá-los.

Quando fiz uma visita no começo de dezembro, falei com Eddie sobre a situação de Lady. Inicialmente ele estava beligerante, me dizendo que não entendia por que os cavalos eram seu problema. Não tive coragem de discutir com ele sobre a razão, já que como viúvo de minha mãe era responsável pelos cavalos dela. Falei apenas sobre Lady, insistindo em fazer um plano, e depois de um tempo ele suavizou seu tom e concordamos que Lady devia ser sacrificada. Ela estava velha e doente, perdeu peso de maneira assustadora e o brilho em seus olhos sumiu. Consultei um veterinário, disse a ele. O veterinário podia vir à nossa casa e fazer uma eutanásia em Lady com uma injeção. Isso, ou podíamos dar um tiro nela nós mesmos.

Eddie achou que devíamos fazer nós mesmos. Estávamos ambos sem um tostão. Era como os cavalos eram sacrificados há gerações. Parecia-nos estranhamente mais humano que ela morresse pelas mãos de alguém que conhecia e confiava, em vez de pelas mãos de um estranho. Eddie disse que faria isso antes que Paul e eu voltássemos para o Natal, em poucas semanas. Não estávamos indo para um encontro familiar: Paul e eu ficaríamos na casa sozinhos. Eddie planejava passar o Natal na casa da namorada, com ela e os filhos. Karen e Leif também tinham seus próprios planos. Leif passaria em St. Paul com a namorada e a família dela, e Karen com o marido, que tinha conhecido no início do ano e com quem se casou em poucas semanas.

Eu me senti mal quando Paul e eu paramos na entrada da casa algumas semanas depois, na tarde da véspera de Natal. Tinha imaginado repetidas vezes como me sentiria quando olhasse para o pasto e visse apenas Roger. Mas quando saí do carro, Lady ainda estava lá, tremendo em sua baia, a carne pendurada no esqueleto. Doía até mesmo olhar para ela. O tempo estava brutalmente frio, quebrando recordes com baixas que giravam em torno de 3 graus abaixo de zero, o vento frio tornando a temperatura ainda mais gelada.

Não liguei para Eddie para perguntar por que não tinha cumprido o que tínhamos combinado. Em vez disso, liguei para o pai de minha mãe, no Alabama. Ele lidou com cavalos a vida inteira. Conversamos por uma hora sobre Lady. Ele me fez uma pergunta atrás da outra e no fim de nossa conversa estava convencido de que era hora de sacrificá-la. Eu lhe disse que pensaria sobre isso. Na manhã seguinte o telefone tocou logo após o dia amanhecer.

Não era meu avô ligando para me desejar um feliz Natal. Era meu avô ligando para implorar que eu agisse imediatamente. Deixar Lady morrer naturalmente era cruel e desumano, insistiu, e eu sabia que ele estava certo. Também sabia que era minha responsabilidade garantir que fosse feito. Não tinha dinheiro para pagar o veterinário para vir e dar a injeção nela, e, mesmo que tivesse, era Natal, e eu duvidava que ele viesse. Meu avô descreveu em detalhes específicos como atirar em um cavalo. Quando demonstrei apreensão, ele me garantiu que essa era a maneira que se fazia havia anos. Eu também me preocupava sobre o que fazer com o corpo de Lady. A terra estava tão congelada que um enterro era impossível.

— Não faça nada — ele instruiu. — Os coiotes vão sumir com ela.

— O que devo fazer? — chorei com Paul depois de desligar o telefone. Não sabíamos, mas era nosso último Natal juntos. Dois meses antes, eu tinha lhe contado sobre minhas infidelidades e ele saiu de casa. Na época do Natal, estávamos novamente discutindo o divórcio.

— Faça o que achar certo — ele disse naquela manhã de Natal. Estávamos sentados à mesa da cozinha; cada rachadura e ranhura me eram familiares, e ainda assim parecia que eu estava o mais longe possível de casa, sozinha em um campo de gelo.

— Não sei o que é certo — eu disse, embora soubesse. Sabia exatamente o que tinha que fazer. Era o que já tinha tido que fazer tantas vezes: escolher a coisa menos horrível. Mas não podia fazer isso sem meu irmão. Paul e eu já tínhamos atirado com uma espingarda antes, Leif nos ensinou no inverno anterior, mas nenhum de nós podia fazer isso de maneira confiante. Leif não era um ávido caçador, mas ao menos fez isso com frequência suficiente para saber o que estava fazendo. Quando liguei, ele concordou em ir para casa naquela noite.

De manhã, conversamos detalhadamente sobre o que faríamos. Contei a ele tudo o que nosso avô tinha me dito.

— Ok — ele disse. — Deixe ela pronta.

No lado de fora o sol estava brilhando, o céu azul cristalino. Às 11 horas a temperatura chegou a 27 graus abaixo de zero. Nós nos agasalhamos em camadas de roupas. O frio era tão intenso que as árvores estavam rachando, congelando e explodindo em grandes estouros. Isso eu tinha escutado da cama durante a noite insone anterior.

Falei carinhosamente com Lady enquanto colocava o cabresto, dizendo-lhe o quanto a amava enquanto a tirava da baia. Paul fechou o portão, prendendo Roger para que não pudesse nos seguir. Levei-a pela neve gelada, me virando para vê-la andar uma última vez. Ela ainda se movia com inacreditável graça e superioridade, andando com aquela marcha majestosa, longa e de passada alta, que sempre foi a paixão de minha mãe. Levei-a até uma bétula que Paul e eu tínhamos escolhido na tarde anterior e a amarrei à árvore com a trela. A árvore ficava bem no limite do pasto, depois do qual a mata se tornava mais densa, longe o suficiente da casa para que os coiotes se aproximassem e levassem seu corpo naquela noite. Conversei com ela e passei as mãos por sua pelugem castanha, murmurando meu amor e sofrimento, implorando por seu perdão e sua compreensão.

Quando levantei os olhos, meu irmão estava parado com o rifle.

Paul puxou meu braço e juntos cambaleamos pela neve até ficarmos atrás de Leif. Estávamos a apenas 2 metros de Lady. O calor de sua respiração era como uma nuvem de seda. A crosta congelada da neve nos aguentou por um instante, depois quebrou e afundamos até os joelhos.

— Bem entre os olhos — disse a Leif, repetindo mais uma vez as palavras que nosso avô me disse. Se fizéssemos isso, ele prometeu, nós a mataríamos com um tiro certeiro.

Leif se agachou, apoiado em um joelho. Lady empinou e arranhou os cascos dianteiros no gelo; depois abaixou a cabeça e olhou para nós. Respirei fundo e Leif atirou. A bala atingiu Lady bem entre os olhos, no meio da estrela branca, exatamente onde esperávamos que atingisse. O disparo foi tão forte que o cabresto de couro se despedaçou e caiu de sua cara; depois ela ficou de pé, parada, nos olhando com uma expressão atônita.

— Atire nela novamente — disse, ofegante, e imediatamente Leif atirou, colocando mais três balas em sua cabeça em uma rápida sequência. Ela tropeçou e se sacudiu, mas não caiu ou fugiu, embora não estivesse mais presa à árvore. Seus olhos estavam ferozes sobre nós, surpresos pelo que tínhamos feito, sua cara uma constelação de buracos sem sangue. Naquele instante eu soube que tínhamos feito a coisa errada, não por matá-la, mas por achar que devíamos fazer aquilo nós mesmos. Eu devia ter insistido para que Eddie o fizesse, ou pagado para o veterinário vir. Eu tinha a ideia errada do que é preciso para matar um animal. Não existe essa história de tiro certeiro.

— Atire nela! *Atire nela!* — eu implorava em um gemido gutural que não sabia que era meu.

— Estou sem balas — Leif gritou.

— Lady! — eu gritava. Paul agarrou meus ombros para me puxar para ele e eu o empurrei, ofegante e choramingando, como se alguém estivesse me batendo até a morte.

Lady deu um passo vacilante e então caiu, dobrando os joelhos dianteiros, o corpo inclinando terrivelmente para a frente como se fosse um grande navio lentamente afundando no mar. A cabeça balançou e ela soltou um gemido profundo. O sangue jorrou de suas narinas macias em um grande e repentino jorro que caiu na neve tão quente que chiou. Ela tossia, tossia, enormes baldes de sangue jorrando a cada vez, as pernas traseiras entortando em excruciante câmera lenta embaixo dela. Ela ficou ali, esforçando-se para permanecer grotescamente de pé até finalmente cair de lado, quando deu coices e se debateu, torceu o pescoço e lutou para se levantar mais uma vez.

— Lady! — berrei. — Lady!

Leif me segurou.

— Não olhe! — gritou, e juntos nós nos viramos.

— NÃO OLHE! — gritou para Paul, e Paul obedeceu.

— Por favor, venha levá-la — Leif recitava, enquanto as lágrimas corriam pelo seu rosto. — Venha levá-la. Venha levá-la. Venha levá-la.

Quando me virei, Lady por fim deixou a cabeça cair no chão, embora os flancos ainda se agitassem e as pernas se contorcessem. Nós três nos aproximamos cambaleantes, abrindo caminho pela camada de gelo para afundar miseravelmente até os joelhos novamente. Nós a observamos dar enormes resfolegadas pausadas e então finalmente suspirou e seu corpo ficou imóvel.

A égua de nossa mãe. Lady. Stonewall's Highland Nancy estava morta.

Não sabia se tinha durado cinco minutos ou uma hora. Minhas luvas e meu chapéu tinham caído, mas não consegui ter força para pegá-los. Meus cílios congelaram em blocos. Fios de cabelo que voaram na minha cara molhada-de-lágrimas-e-coriza formaram pingentes de gelo que ressoavam quando eu me mexia. Afastei-os de maneira entorpecida, incapaz até mesmo de perceber o frio. Ajoelhei ao lado da barriga de Lady e passei as mãos ao longo de seu corpo manchado de sangue uma última vez. Ela ainda estava quente, assim como minha mãe quando entrei no quarto do hospital e vi que ela tinha morrido sem mim. Olhei para Leif e me perguntei se ele estava se lembrando da mesma coisa. Engatinhei até sua cabeça e toquei as orelhas geladas, macias como veludo. Coloquei as mãos sobre os buracos escuros das balas em sua estrela branca. Os profundos túneis de sangue que derreteram a neve ao redor dela já estavam começando a congelar.

Paul e eu observamos Leif pegar sua faca e cortar tufos do pelo castanho-avermelhado da crina e do rabo de Lady. Ele me deu um.

— Mamãe pode ir para o outro lado agora — ele disse, olhando em meus olhos como se houvesse apenas nós dois no mundo inteiro. — É nisso que os índios acreditam, que, quando um grande guerreiro morre, você tem que matar seu cavalo para que ele possa atravessar para o outro lado do rio. É uma maneira de demonstrar respeito. Talvez mamãe possa partir agora.

Imaginei nossa mãe cruzando um grande rio no lombo forte de Lady, finalmente nos deixando quase três anos após ter morrido. Queria que fosse verdade. Era o que eu desejava quando tinha um pedido a fazer. Não que minha mãe voltasse para mim — embora, é claro, quisesse isso —, mas que ela e Lady pudessem partir juntas. Que a pior coisa que eu já tinha feito na vida tivesse sido uma cura em vez de um massacre.

Dormi finalmente aquela noite na floresta em algum lugar afastado do Whitehorse Campground. E quando o fiz, sonhei com neve. Não a neve na qual meu irmão e eu matamos Lady, mas a neve que tinha acabado de atravessar no alto das montanhas, a lembrança disso mais assustadora do que a experiência propriamente dita. Sonhei a noite inteira com as coisas que podiam ter acontecido, mas não aconteceram. Escorregar e deslizar por uma encosta traiçoeira, na lateral de um penhasco ou me despedaçar nas pedras lá embaixo. Caminhar e nunca chegar àquela estrada, e sim perambular perdida e faminta.

Analisei o guia enquanto tomava o café da manhã no dia seguinte. Se subisse até a PCT como tinha planejado, encontraria mais neve. A ideia me assustava e, quando analisei o mapa, percebi que não precisava fazer isso. Podia voltar para o acampamento Whitehorse e ir mais para oeste até Bucks Lake. De lá eu podia seguir uma estrada de terra na direção norte e entrar na PCT em um lugar chamado Three Lakes. A rota alternativa tinha quase a mesma distância da PCT, aproximadamente 24 quilômetros, mas era em uma altitude baixa o suficiente para haver a chance de estar sem neve. Levantei acampamento, caminhei de volta na trilha pela qual cheguei na noite anterior e passei desafiadoramente pelo Whitehorse Campground.

Durante toda a manhã, enquanto caminhava na direção oeste para Bucks Lake, depois para o norte e para o oeste novamente ao longo da margem antes de chegar à acidentada estrada de terra que me levaria de volta à PCT, pensava na caixa de suprimentos que me esperava em Belden. Não tanto pela caixa, mas pela nota de vinte dólares que estaria dentro dela. E não tanto pela nota de vinte dólares, mas pela comida e bebida que poderia comprar com ela. Passei horas em um devaneio meio arrebatador, meio torturante, fantasiando bolos e cheeseburgers, chocolates e bananas, maçãs e saladas de folhas variadas e, mais do que tudo, a limonada Snapple. Isso não fazia sentido. Tomei apenas algumas limonadas Snapple em minha vida pré-PCT e gostei bastante, mas não se destacaram de nenhuma maneira especial. Não era a *minha bebida*. Mas agora me assombrava. Rosa ou amarela, não importava. Não passava um dia em que não imaginasse em detalhes minuciosos como seria segurar uma e levá-la à boca. Em alguns dias me proibia de pensar nisso, senão ficaria completamente louca.

Era possível ver que a estrada para Three Lakes tinha ficado livre da neve apenas recentemente. Grandes fendas surgiam de lado a lado em alguns lugares, e riachos de neve derretida fluíam em grandes canais abertos ao longo das laterais. Segui sob um compacto dossel de árvores sem encontrar ninguém. No meio da tarde, senti uma fisgada familiar dentro de mim. Percebi que estava ficando menstruada. A primeira na trilha. Quase esqueci que viria. A nova consciência corporal que desenvolvi desde que comecei a caminhada tinha se sobreposto a velhos hábitos. Não estava mais preocupada com as delicadas complicações sobre se eu me sentia infinitesimalmente mais gorda ou mais magra do que no dia anterior. Não havia algo como dia de cabelo ruim. As menores reflexões interiores ficavam suprimidas pela verdadeira dor que sempre sentia na forma de pés doloridos ou músculos tensos nos ombros e na parte superior das costas, a ponto de ter que descansar diversas vezes por hora e fazer uma série de movimentos para ter algum momento de alívio. Tirei a mochila, revirei o kit de primeiros socorros e encontrei o pedaço irregular de esponja natural que coloquei em um pequeno saco ziplock antes de a viagem começar. Tinha usado a esponja apenas algumas vezes experimentalmente antes de levá-la para a PCT. Em Mineápolis, a esponja pareceu ser uma maneira sensata de lidar com a menstruação, dadas as circunstâncias da trilha, mas agora que a segurava eu tinha minhas dúvidas. Tentei lavar as mãos com água da garrafa, embebendo a esponja conforme fazia isso e depois a espremi, abaixei o short, me agachei na estrada e empurrei a esponja para dentro da vagina o máximo que pude, pressionando-a contra o colo do útero.

Quando subi meu short, ouvi o som de um motor se aproximando e um minuto depois uma caminhonete vermelha com cabine estendida e pneus maiores do que o padrão apareceu na curva. O motorista pisou no freio quando me viu, surpreso com a visão. Eu também estava surpresa, e profundamente agradecida por não estar mais agachada e meio nua com a mão enfiada entre as pernas. Acenei de modo tenso quando a caminhonete parou ao meu lado.

— Oi — o homem disse, e esticou o braço pela janela aberta.

Apertei sua mão, ciente de onde a minha estava há pouco. Havia outros dois homens com ele na caminhonete, um na frente e outro no banco de trás com duas crianças. Os homens pareciam estar na faixa dos 30 anos, as crianças com mais ou menos 8 anos.

— Está indo para Three Lakes? — o homem perguntou.

— Sim.

Ele era bonito e bem-apessoado, como o homem ao lado dele e os meninos atrás. O outro homem tinha descendência latina, cabelos longos e uma barriga grande e redonda que chegava antes dele.

— Estamos indo para lá pescar. Nós lhe daríamos uma carona, mas estou lotado — disse, apontando para a caçamba da caminhonete, que estava coberta por uma lona flexível.

— Não tem problema. Gosto de caminhar.

— Bem, vamos fazer Screwdriver havaiano hoje à noite, então dá uma passada lá.

— Obrigada — eu disse, e observei o carro se afastando.

Caminhei o resto da tarde pensando nos drinques havaianos. Não sabia exatamente o que eram, mas para mim não soavam muito diferente da limonada Snapple. Quando alcancei o fim da estrada, a caminhonete vermelha e o acampamento dos homens ficaram à vista, assentados acima do extremo oeste de Three Lakes. A PCT se situava exatamente do outro lado. Segui por uma trilha estreita a leste ao longo da beira do lago e encontrei um lugar isolado entre as pedras que se espalhavam ao seu redor. Montei a barraca e entrei no meio das árvores para espremer a esponja e depois recolocá-la. Desci até o lago para filtrar água e lavar as mãos e o rosto. Pensei em mergulhar para me lavar, mas a água estava gélida e eu já estava com frio com o ar da montanha. Antes de chegar à PCT, imaginei incontáveis banhos nos lagos, rios e riachos, mas na realidade mergulhava raramente. No fim do dia, normalmente estava dolorida por causa da fadiga e tremia com o que parecia ser uma febre, mas era apenas a exaustão e a friagem de meu suor secando. O melhor que eu podia fazer na maior parte dos dias era lavar o rosto, tirar o short e a camiseta encharcada de suor antes de me enfiar na calça e no casaco de lã para a noite.

Tirei as botas, arranquei a fita crepe e o curativo 2nd Skin dos pés e os enfiei na água gelada. Quando os esfreguei, outra unha preta saiu na minha mão, a segunda que perdi até agora. O lago estava calmo e limpo, rodeado por árvores altas e arbustos frondosos em meio às pedras. Vi um lagarto verde fluorescente na lama; ele ficou imóvel por um momento, antes de fugir na velocidade de um raio. O acampamento dos homens não estava muito longe de onde eu estava na margem do lago, mas eles ainda não tinham percebido a minha presença. Antes de ir vê-los, escovei os dentes, passei hidratante labial e penteei os cabelos.

— Aí está ela — exclamou o homem que estava no banco do carona enquanto eu subia lentamente. — E bem a tempo também.

Ele me passou um copo plástico vermelho cheio de um líquido amarelo que eu podia apenas imaginar que era o Screwdriver havaiano. Tinha cubos de gelo. Tinha vodca. Tinha suco de abacaxi. Quando provei, pensei que fosse desmaiar. Não pelo efeito do álcool, mas simplesmente pela fabulosa combinação de açúcar e bebida alcoólica.

Os dois homens claros eram bombeiros. O outro era pintor por paixão, mas carpinteiro por profissão. Seu nome era Francisco, embora todo mundo o chamasse de Paco. Era primo de um dos caras brancos, morava na Cidade do México e estava de passagem, embora os três tenham crescido juntos no mesmo quarteirão em Sacramento, onde os bombeiros ainda viviam. Paco tinha ido visitar a bisavó no México dez anos antes, se apaixonou por uma mexicana quando estava lá e decidiu ficar. Os filhos dos bombeiros corriam entre nós brincando de guerra e nós sentávamos ao redor da fogueira cheia de lenha que os homens ainda precisavam acender, davam gritos de vez em quando, respiravam de maneira ofegante e faziam sons de explosões à medida que atiravam um no outro com armas de plástico por trás das pedras.

— Você só pode estar brincando! *Você só pode estar brincando!* — Os bombeiros se revezavam exclamando quando expliquei a eles o que estava fazendo e mostrei os pés maltratados com as oito unhas remanescentes.

Eles faziam pergunta atrás de pergunta enquanto se maravilhavam, balançavam as cabeças e me ofereciam outro drinque e tortilha.

— As mulheres é que têm *cojones* — disse Paco enquanto enchia uma vasilha com guacamole. — Nós, homens, gostamos de pensar que temos, mas estamos enganados. — Seu cabelo era como uma cobra descendo pelas costas, um rabo de cavalo comprido e grosso preso em partes até o final com elásticos. Depois que o fogo foi aceso e que comemos a truta que um deles pescou no lago e o ensopado de carne de veado que um deles caçou no último inverno, ficamos apenas eu e Paco sentados ao redor da fogueira, enquanto os outros homens liam para seus filhos na barraca.

— Você quer fumar um baseado comigo? — ele perguntou enquanto tirava um do bolso do short. — Ele acendeu, deu uma tragada e me passou. — Então, isso é a Sierra? — disse, olhando para o lago escuro. — Durante todo o tempo em que cresci nunca vim aqui antes.

— É a Serra da Luz — falei, lhe devolvendo o baseado. — É assim que John Muir a chamou. Posso entender por quê. Nunca vi uma luz como vi aqui em cima. O pôr do sol e o amanhecer na montanha.

— Você está em uma caminhada espiritual, não está? — Paco disse, olhando fixamente para o fogo.

— Não sei — respondi. — Talvez seja possível chamar assim.

— Isso é o que é — ele disse, me olhando de forma intensa. Ele se levantou. — Tem uma coisa que quero te dar. — Foi até a caçamba da caminhonete e voltou com uma camiseta. Ele a entregou para mim e eu a segurei. Na frente tinha uma foto enorme de Bob Marley, os *dreadlocks* rodeados de imagens de guitarras elétricas e perfis de esfinges pré-colombianas. Nas costas, uma foto de Hailé Selassié, o homem que os rastafáris achavam ser o Deus encarnado, contornado por uma espiral vermelha, verde e dourada. — Essa é uma camiseta sagrada — Paco disse enquanto eu analisava a camiseta à luz do fogo. — Quero que você a tenha porque posso ver que caminha com os espíritos dos animais, com os espíritos da terra e do céu.

Fiz que sim com a cabeça, silenciada pela emoção e pela convicção meio bêbada e completamente chapada de que a camiseta era realmente sagrada.

— Obrigada — eu disse.

Quando voltei caminhando para meu acampamento, fiquei parada olhando para as estrelas com a camiseta na mão antes de entrar na barraca. Longe de Paco, sóbria por causa do ar gelado, fiquei curiosa com a ideia de caminhar com os espíritos. O que isso significava? Que eu andava com espíritos? Será que mamãe andava? Para onde ela foi após a morte? Onde estava Lady? Elas realmente cavalgaram juntas e cruzaram o rio para o outro lado? A razão me disse que tudo o que fizeram foi morrer, embora ambas voltassem para mim repetidamente nos sonhos. Os sonhos com Lady eram opostos àqueles que tive com minha mãe — aqueles nos quais ela me mandava matá-la repetidas vezes. Nos sonhos com Lady, não precisava matar ninguém. Tinha apenas que aceitar um gigantesco e fantasticamente colorido buquê de flores que ela levava para mim em sua boca macia. Ela me empurrava com seu nariz até que eu pegasse o buquê, e nesse oferecimento eu sabia que estava sendo perdoada. Mas estava realmente? Era seu espírito ou apenas meu subconsciente resolvendo isso?

Vesti a camiseta de Paco na manhã seguinte para voltar à PCT e na direção de Belden Town, olhando de relance o pico Lassen no caminho. Ficava a cerca de 80 quilômetros ao norte, uma montanha vulcânica nevada se elevando a quase 3.200 metros, um marco para mim não por seu tamanho e sua grandiosidade, mas porque foi o primeiro dos picos que eu cruzaria na cordilheira das Cascatas, na qual entrei exatamente ao norte de Belden. De Lassen, na direção norte, as montanhas da cordilheira se alinhavam em uma fila irregular entre centenas de outras montanhas menos conhecidas, cada uma marcando o progresso de minha jornada nas próximas semanas. Na minha imaginação, cada um desses picos parecia com o trepa-trepa em que me pendurava quando criança. Toda vez que segurava uma barra, a seguinte estaria quase ao alcance. Do pico Lassen para o monte Shasta, para o monte McLoughlin, depois para o Thielsen, para o Three Sisters (Sul, Meio e Norte), para o monte Washington, para o Three Fingered Jack, para o monte Jefferson e finalmente para o monte Hood, que atravessaria pouco mais de 80 quilômetros antes de alcançar a Ponte dos Deuses. Todos eram vulcões e variavam na altura de um pouco menos de 2.400 metros a mais de 4.250 metros. Eram uma pequena parte do Anel de Fogo do Pacífico, uma longa série de 40 mil quilômetros de vulcões e fossas oceânicas que rodeia o oceano Pacífico em formato de ferradura desde o Chile, subindo ao longo da fronteira oeste das Américas Central e do Norte, atravessando a Rússia e o Japão e descendo através da Indonésia e da Nova Zelândia antes de chegar à Antártica.

No meu último dia de caminhada em Sierra Nevada a trilha desceu, desceu e desceu. Foram apenas 11 quilômetros até Belden a partir de Three Lakes, mas a trilha desceu impiedosos 1.220 metros no espaço de 5 quilômetros. Quando cheguei a Belden, meus pés estavam machucados de uma forma totalmente nova: as pontas dos dedos estavam cheias de bolhas. Elas deslizavam para a frente a cada passo, pressionadas incessantemente contra a frente das botas. Esse deveria ter sido um dia fácil, mas me arrastei até Belden mancando em agonia, percebendo que, na realidade, não era uma cidade. Era uma construção descuidada que ficava próxima à linha de trem. A construção tinha um bar e uma pequena loja que também funcionava como agência do correio, minilavanderia e chuveiro público. Tirei as botas na varanda da loja, coloquei a sandália de acampamento e entrei mancando para pegar a minha caixa. Logo peguei o envelope com os vinte dólares; a visão dele, um alívio tão grande que me esqueci dos dedos por um instante. Comprei duas garrafas de limonada Snapple e voltei para a varanda para bebê-las, uma atrás da outra.

— Camiseta legal — uma mulher disse. Ela tinha o cabelo grisalho curto e encaracolado e um grande cachorro branco na guia. — Este é Odin. — Ela se curvou para acariciar o pescoço dele, depois levantou e ajeitou os pequenos óculos redondos no nariz e me encarou com um olhar curioso. — Você está por acaso caminhando na PCT?

Seu nome era Trina. Tinha 50 anos, era professora de inglês no ensino médio do Colorado e tinha iniciado a caminhada havia apenas dois dias. Saiu de Belden rumo ao norte na PCT, mas encontrou tanta neve na trilha que teve que retornar. Seu relato me encheu de tristeza. Será que em algum momento eu escaparia da neve? Enquanto conversávamos, outra trilheira apareceu, uma mulher chamada Stacy que tinha começado a trilha, um dia antes, subindo pela mesma estrada que passei para chegar a Three Lakes.

Finalmente encontrei algumas mulheres na trilha! Fiquei surpresa e aliviada quando compartilhamos animadas os principais detalhes de nossas vidas. Trina era uma entusiasmada mochileira de fim de semana, Stacy era uma trilheira experiente que tinha feito a PCT com uma amiga desde o México até Belden no verão anterior. Stacy e eu conversamos sobre locais da trilha que ambas tínhamos visto, sobre Ed em Kennedy Meadows, que ela tinha encontrado no verão anterior, e sobre sua vida em uma cidade do deserto no sul da Califórnia, onde trabalhava como contadora da empresa do pai e aproveitava os verões para fazer caminhadas. Tinha 30 anos e era de uma grande família irlandesa. Era bonita, tinha pele clara e cabelo preto.

— Vamos acampar juntas hoje e fazer um plano — disse Trina. — Tem um lugar além daquele campo. — Ela apontou para um lugar visível da loja. Andamos até lá e montamos nossas barracas. Desempacotei minha caixa enquanto Trina e Stacy conversavam na grama. Ondas de prazer tomavam conta de mim à medida que pegava cada item e o levava instintivamente ao nariz. Os pacotes intactos de macarrão Lipton ou de feijão e arroz desidratados que comia no jantar, as barras Clif ainda brilhantes e os imaculados sacos ziplock de frutas secas e nozes. Não aguentava mais ver essas coisas, mas vê-las novinhas e imaculadas reabilitou algo em mim. Havia a camiseta nova que eu não estava precisando, agora que tinha a camiseta do Bob Marley, dois pares de meias de lã novas em folha e um exemplar de *A Summer Bird-Cage* (Gaiola de verão), de Margaret Drabble, que ainda não estava exatamente preparada para ler. Cheguei apenas à metade das páginas de *O romance*, jogando-as de manhã na fogueira de Paco. E, o mais importante, um suprimento novo de 2nd Skin.

Tirei as botas e sentei para cuidar dos meus pés castigados. Quando o cachorro de Trina começou a latir, ergui os olhos e vi um rapaz louro, de olhos azuis e magricela. Soube no mesmo instante que era um mochileiro da PCT pela maneira de andar. Seu nome era Brent e, uma vez que se apresentou, o cumprimentei como um velho amigo, embora não o conhecesse. Tinha ouvido histórias sobre ele lá em Kennedy Meadows. Ele cresceu em uma cidadezinha em Montana, Greg, Albert e Matt me contaram. Uma vez ele entrou em uma delicatéssen em uma cidade perto da trilha no sul da Califórnia, pediu um sanduíche com 900 gramas de rosbife e o comeu em seis mordidas. Ele riu quando o lembrei disso, então tirou a mochila e se agachou para olhar com mais atenção para meus pés.

— Suas botas são muito pequenas — falou, ecoando o que Greg tinha me dito em Sierra City. Olhei para ele de maneira inexpressiva. Minhas botas *não podiam* ser muito pequenas. Elas eram as únicas botas que eu tinha.

— Acho que foi toda aquela descida de Three Lakes — eu disse.

— Mas essa é a questão — replicou Brent. — Com o tamanho certo de botas você poderia descer sem massacrar os pés. É para isso que servem as botas, para que você *possa descer*.

Pensei nas pessoas bacanas da REI. Lembrei-me do homem que me fez subir e descer uma rampa de madeira na loja exatamente para isso, para garantir que meus dedos não batessem contra o bico da bota quando eu descesse e que meus calcanhares não raspassem contra a parte de trás quando eu subisse. Na loja, não parecia que ela me machucaria. Não havia dúvida agora de que me enganei ou de que meus pés cresceram ou de que era inegável que enquanto eu usasse essas botas estaria em um inferno.

Mas não havia nada a fazer. Não tinha dinheiro para comprar um novo par ou lugar para fazer isso se eu tivesse. Coloquei as sandálias esportivas e voltei caminhando para a loja, onde paguei um dólar para tomar banho e vestir a roupa de chuva enquanto as roupas lavavam e secavam nas duas máquinas de lavar automáticas. Liguei para Lisa enquanto esperava e fiquei exultante quando ela atendeu o telefone. Conversamos sobre a vida dela e eu lhe disse o que convinha da minha. Juntas, repassamos meu novo itinerário. Depois de desligar, assinei o livro de registro do trilheiro da PCT e o examinei para ver quando Greg tinha passado por ali. Seu nome não estava lá. Parecia impossível que estivesse atrás de mim.

— Você ouviu alguma coisa do Greg? — perguntei a Brent quando voltei usando as roupas limpas.

— Ele desistiu por causa da neve.

Olhei-o, perplexa.

— Você tem certeza?

— Foi isso que os australianos me disseram. Você os conheceu?

Balancei a cabeça negativamente.

— Eles são um casal em lua de mel. E também decidiram abandonar a PCT. Foram caminhar na AT em vez disso.

Só quando decidi fazer a caminhada na PCT é que soube da AT, a Appalachian Trail, a prima bem mais popular e aperfeiçoada da PCT. Ambas foram batizadas em 1968 de trilhas panorâmicas nacionais. A AT tem 3.500 quilômetros, cerca de 800 quilômetros a menos que a PCT, e acompanha a crista das montanhas Apalaches desde a Geórgia até o Maine.

— Greg também foi para a AT? — perguntei, em um tom agudo.

— Não. Ele não queria continuar perdendo tanta coisa da trilha, fazendo todos esses contornos e rotas alternativas, então vai voltar no ano que vem. Bem, pelo menos foi isso que os australianos me disseram.

— Uau — eu disse, me sentindo aborrecida com a notícia. Greg era um talismã para mim desde o dia em que o encontrei na hora exata em que tinha decidido ir embora. Ele acreditava que se ele podia fazer isso eu também podia, e agora ele desistiu. A mesma coisa em relação aos australianos, um casal que nunca encontrei, mas do qual formei imediatamente uma imagem em minha mente. Sabia sem pensar que eram o musculoso e a amazona e que estavam incrivelmente preparados para as dificuldades da trilha por conta de seu sangue australiano de uma maneira que eu nunca estaria.

— Por que *você* não faz a AT em vez dessa? — perguntei, preocupada que ele dissesse que de fato estava indo.

Ele refletiu um pouco sobre isso.

— Trânsito demais — respondeu, e continuou a olhar para mim e para a enorme cara de Bob Marley em meu peito, como se tivesse mais alguma coisa a dizer. — A propósito, essa é uma camiseta realmente incrível.

Nunca tinha colocado os pés na AT, mas ouvi muito falar dela pelos caras em Kennedy Meadows. Ela era o parente mais próximo da PCT e ainda assim seu oposto em muitos quesitos. Cerca de 2 mil pessoas saem para fazer a AT todo verão e, embora somente algumas centenas cheguem ao final, isso era bem mais do que os cem ou mais que percorrem a PCT todo ano. Os trilheiros da AT passam a maior parte das noites acampados perto de abrigos para grupos que existem ao longo da trilha, ou hospedados neles. Na AT, as paradas de abastecimento eram mais próximas uma das outras e a maior parte ficava em cidades de verdade, ao contrário daquelas ao longo da PCT, que quase sempre consistiam em nada além de uma agência do correio, um bar ou uma pequena loja. Imaginei os recém-casados australianos agora na AT, comendo cheeseburgers, entornando cerveja em um pub distante alguns quilômetros da trilha e dormindo à noite sob um teto de madeira. Provavelmente receberam apelidos por parte de seus companheiros trilheiros, outra prática que era bem mais comum na AT do que na PCT, embora também tivéssemos nossa maneira de batizar as pessoas. Metade do tempo que Greg, Matt e Albert falaram de Brent, eles se referiram a ele como O Garoto, apesar de ele ser apenas alguns anos mais novo do que eu. Greg acabou sendo chamado de Estatístico porque sabia muitos fatos e números sobre a trilha e também porque era contador. Matt e Albert eram os Escoteiros Eagle, Doug e Tom os Mauricinhos. Acho que não recebi nenhum apelido, mas fiquei com a desconfortável sensação de que se tivesse recebido não ia querer saber.

Trina, Stacy, Brent e eu jantamos no bar que ficava ao lado da loja em Belden naquela noite. Depois de pagar o banho, a lavanderia, as Snapples, algumas poucas guloseimas e coisas sem importância, fiquei com cerca de 14 dólares. Pedi uma salada verde e um prato de batatas fritas, os dois itens do cardápio que eram tanto baratos quanto satisfatórios para meus desejos mais profundos, que tinham direções opostas: natural e frito. Juntos, eles me custaram cinco dólares, então agora eu tinha nove dólares para aguentar até a próxima caixa. Ela estava a 215 quilômetros de distância do Parque Estadual de McArthur-Burney Falls Memorial. Lá havia uma loja por concessão que permitia aos trilheiros da PCT usarem-na como posto de reabastecimento. Bebi desanimadoramente minha água gelada enquanto os outros bebiam cervejas. Durante a refeição, conversamos sobre o trecho à frente. De acordo com todos os relatos, longos trechos da trilha estavam cobertos de neve. O charmoso atendente do bar escutou nossa conversa e se aproximou para nos dizer que ouviu falar que o Parque Nacional de Lassen Volcanic ainda estava encoberto com 5 metros de neve. Estavam dinamitando as estradas para que pudessem abri-la pelo menos para a curta estação turística deste ano.

— Aceita uma bebida? — ele me perguntou, atraindo meu olhar.
— É por conta da casa — acrescentou quando viu minha hesitação.

Ele trouxe uma taça de *pinot gris*, cheia até a boca. Quando dei um gole, me senti instantaneamente tonta de prazer, exatamente como fiquei quando bebi o drinque havaiano na noite anterior. Quando pagamos a conta, decidimos que ao sair de Belden pela manhã seguiríamos uma combinação de estradas de terra de baixa altitude e a PCT por cerca de 80 quilômetros antes de pegarmos carona para contornar o trecho com neve da trilha no Parque Nacional de Lassen Volcanic, entrando na PCT novamente em um lugar chamado Old Station.

Depois de voltarmos ao acampamento, sentei na minha cadeira para escrever uma carta para Joe em um pedaço de papel que rasguei do diário. Seu aniversário estava se aproximando e o vinho me deixou com saudade. Lembrei quando saí com ele uma noite, um ano antes, com uma minissaia e nada por baixo e fizemos sexo encostados na parede de pedra de uma caverna isolada de um parque público. Lembrei da vertiginosa explosão de emoções que sentia cada vez que injetávamos outra dose de heroína e como a tinta do cabelo dele manchou minha fronha de azul. Não me permiti escrever essas coisas na carta. Fiquei sentada segurando a caneta, só pensando nelas, e também nas coisas que poderia lhe contar sobre minha experiência na PCT. Parecia impossível fazê-lo entender tudo o que aconteceu naquele mês depois que o vi em Portland. Minhas lembranças do último verão me pareciam tão estranhas quanto a descrição deste verão pareceria a ele, então, em vez disso, fiz principalmente uma longa lista de perguntas, desejando saber como ele estava, o que estava fazendo, com quem estava ficando e se já tinha escapado, como se referiu no cartão-postal que me enviou em Kennedy Meadows, e se livrado do vício. Eu torcia para que sim. Não por mim, mas por ele. Dobrei a carta e a coloquei dentro de um envelope que Trina me deu. Colhi algumas flores no campo e as pressionei dentro do envelope antes de fechá-lo.

— Vou colocar isso no correio — disse às outras pessoas, e segui a luz de minha lanterna de cabeça pela grama e ao longo do caminho de terra até a caixa de correio do lado de fora da loja fechada.

— Oi, bonitona — uma voz de homem me chamou depois que coloquei a carta na caixa de correio. Vi apenas a brasa da ponta do cigarro na varanda escura.

— Oi — respondi, insegura.

— Sou eu, o atendente do bar — o homem disse, dando um passo em direção à luz suave para que eu pudesse ver seu rosto. — Gostou do vinho? — perguntou.

— Ah. Oi. Sim. Foi realmente muita gentileza sua. Obrigada.

— Ainda estou trabalhando — falou, batendo a cinza do cigarro em um vaso. — Mas vou estar liberado daqui a pouco. Meu trailer é logo do outro lado, se você quiser aparecer e se divertir. Posso conseguir uma garrafa inteira daquele *pinot gris* se quiser.

— Obrigada — eu disse. — Mas preciso acordar cedo e pegar a trilha pela manhã.

Ele deu outra tragada no cigarro, a ponta acendendo ardentemente. Eu fiquei olhando um pouco para ele depois que ele me trouxe o vinho. Imaginei que tivesse 30 anos. Ficava bem de jeans. Por que eu não ir com ele?

— Bem, você tem tempo para pensar a respeito, se mudar de ideia — disse.

— Tenho que caminhar 30 quilômetros amanhã — respondi, como se isso significasse alguma coisa para ele.

— Pode dormir na minha casa — ele disse. — Eu te daria a minha cama. Posso dormir no sofá, se você quiser. Aposto que uma cama te faria se sentir bem depois de dormir no chão.

— Estou com tudo montado lá. — Apontei em direção ao campo.

Voltei ao acampamento me sentindo desconfortável, igualmente confusa e lisonjeada por seu interesse, uma injeção de puro desejo pulsando em mim. As mulheres tinham se fechado em suas barracas para dormir quando voltei, mas Brent ainda estava acordado, de pé no escuro, olhando para as estrelas.

— Bonito, não? — sussurrei, voltando os olhos para ele.

Quando fiz isso, lembrei que não tinha chorado nenhuma vez desde que coloquei o pé na trilha. Como isso era possível? Depois de toda a choradeira, parecia impossível que isso fosse verdade, mas era. Quase chorei com essa realização, mas em vez disso dei risada.

— O que é tão engraçado? — Brent perguntou.

— Nada — disse, e olhei para o relógio. Eram 10h15. — Em geral estou dormindo pesado a essa hora.

— Eu também — disse Brent.

— Mas estou completamente acordada esta noite.

— É porque estamos agitados por estar na cidade — ele disse.

Nós rimos. Tinha aproveitado a companhia das mulheres o dia inteiro, agradecida pelo tipo de conversa que raramente tive desde que entrei na PCT, mas era de Brent que me sentia estranhamente próxima, acho que porque eu o achava familiar. Sentada ao lado dele, percebi que ele me fazia lembrar meu irmão, que eu amava mais do que qualquer pessoa, apesar de nossa distância.

— Devíamos fazer um pedido — disse a Brent.

— Não tem que esperar até ver uma estrela cadente? — ele perguntou.

— Tradicionalmente, sim, mas podemos criar novas regras — respondi. — Tipo, quero botas que não machuquem meus pés.

— Não é para dizer em voz alta — ele disse, exasperado. — É como apagar as velas no aniversário. Você não pode contar a ninguém qual é o seu desejo. Agora, ele não vai se realizar. Seus pés estão completamente fodidos.

— Não necessariamente — eu disse, indignada, embora me sentisse mal por saber que ele estava certo.

— Ok, fiz o meu. Agora é a sua vez — ele disse.

Olhei fixamente para uma estrela, mas minha mente ficou vagando de uma coisa para a outra.

— Que horas você vai sair amanhã? — perguntei.

— Assim que amanhecer.

— Eu também — falei.

Não queria me despedir dele na manhã seguinte. Trina, Stacy e eu decidimos caminhar e acampar juntas nos próximos dias, mas Brent caminhava mais rápido do que nós, o que significava que seguiria sozinho.

— Então, você fez um pedido? — perguntou.

— Ainda estou pensando.

— É um bom momento para fazer um — ele disse. — Esta é nossa última noite em Sierra Nevada.

— Adeus, Serra da Luz — eu disse para o céu.

— Você pode desejar um cavalo — Brent disse. — Assim você não teria que se preocupar com os pés.

Olhei para ele no escuro. Isso era verdade, a PCT estava aberta tanto para trilheiros quanto para animais de carga, embora eu não tenha ainda encontrado cavaleiros na trilha.

— Tive um cavalo — falei, voltando a olhar para o céu. — Tive dois, na verdade.

— Bem, então, você é uma sortuda — ele disse. — Nem todo mundo tem um cavalo.

Ficamos em silêncio durante vários minutos.

Fiz meu pedido.

PARTE QUATRO

LIVRE

Quando eu não tinha um teto, fiz da
Audácia o meu teto.

ROBERT PINSKY,
Samurai Song

Nunca, nunca, nunca desista.

WINSTON CHURCHILL

11

A LOU FORA DA LOU

Eu estava de pé no acostamento da autoestrada bem na saída da cidade de Chester, tentando pegar carona, quando um homem dirigindo um LeBaron prateado da Chrysler parou e saiu do carro. Nas últimas cinquenta e poucas horas eu viajei de carona por 80 quilômetros com Stacy, Trina e o cachorro, da cidade de Belden até um lugar chamado Stover Camp, mas tínhamos nos separado havia dez minutos, quando um cara em um Honda Civic parou anunciando que tinha espaço apenas para duas de nós. "Vai você", falamos uma para a outra; "não, vai *você*", até que insisti e Stacy e Trina foram, Odin andando desajeitado atrás delas para sentar onde conseguisse, enquanto eu lhes garantia que ficaria bem.

Eu *ficaria* bem, pensei, enquanto o homem que dirigia o LeBaron da Chrysler vinha na minha direção no acostamento de cascalho da estrada, embora sentisse um embrulho no estômago enquanto tentava discernir, em uma fração de segundos, quais eram suas intenções. Ele parecia ser um cara legal, alguns anos mais velho do que eu. Ele *era* um cara legal, decidi, quando olhei de relance para o para-choque de seu carro. Nele, havia um adesivo verde que dizia IMAGINE WHIRLED PEAS.*

---

* Whirled Peas é o nome de uma extinta banda de surf music. É uma homonímia de World Peace, paz mundial.

Já houve algum assassino em série que imaginou a paz mundial?

— Oi — saudei amigavelmente. Eu estava segurando o apito mais barulhento do mundo, minha mão se dirigindo para ele inconscientemente por cima da Monstra e ao redor da corda de náilon que ficava pendurada na armação da mochila. Não usava o apito desde que fui atacada pelo touro, mas desde então tinha a consciência permanente e visceral de onde ele estava em relação a mim, como se não estivesse apenas amarrado à mochila pela corda, mas a mim por outra corda invisível.

— Bom dia — disse o homem, e estendeu a mão para me cumprimentar, o cabelo castanho caindo sobre os olhos. Ele disse que seu nome era Jimmy Carter, mas que não era parente, e que não podia me dar uma carona porque não havia espaço no carro. Olhei e vi que era verdade. Cada centímetro, exceto o lugar do motorista, estava abarrotado de jornais, livros, roupas, latas de refrigerante e um monte de outras coisas que chegavam à altura das janelas. Ele perguntou se em vez disso podia conversar comigo. Disse que era repórter de uma publicação chamada *Hobo Times*. Viajava de carro por todo o país entrevistando "pessoas" que viviam como andarilhas.

— Não sou andarilha — disse, achando graça. — Sou uma trilheiro de longa distância.

Larguei o apito e estendi o braço em direção à estrada, sinalizando com o polegar para uma van que passava.

— Estou fazendo a Pacific Crest Trail — expliquei, olhando-o de relance, desejando que entrasse em seu carro e fosse embora.

Precisava pegar duas caronas em duas autoestradas diferentes para chegar à Old Station, e ele não ajudaria nisso. Estava imunda e minhas roupas mais imundas ainda, mas era uma mulher sozinha. A presença de Jimmy Carter complicava as coisas, alterava a cena do ponto de vista dos motoristas que passavam. Eu me lembrei de quanto tempo tive que esperar no acostamento quando estava tentando chegar a Sierra City com Greg. Com Jimmy Carter ao meu lado, ninguém pararia.

— Então, há quanto tempo você está na estrada? — ele perguntou, tirando uma caneta e um bloquinho comprido e estreito de repórter do bolso de trás da calça de veludo cotelê. Seu cabelo estava desgrenhado e sujo. Sua franja escondia e depois revelava seus olhos escuros, dependendo de como o vento soprava. Passou pela minha cabeça que ele era uma pessoa que tinha um Ph.D. em algo irreal e impossível de descrever. A história da consciência, talvez, ou estudos comparativos em discurso e sociedade.

— Eu já *disse*, não estou na estrada — falei e ri. Ávida como estava para pegar uma carona, não pude evitar me sentir pouco satisfeita com a presença de Jimmy Carter.

— Estou fazendo a caminhada da Pacific Crest Trail — repeti, apontando, como forma de ilustrar, para a mata que crescia à margem da estrada, embora na realidade a PCT estivesse a 15 quilômetros daquele ponto.

Ele me olhou inexpressivamente, sem compreender. Estávamos no meio da manhã e já fazia calor, o tipo de dia que estaria abrasador na hora do almoço. Perguntei-me se ele podia sentir o meu cheiro. Já tinha passado do ponto de sentir meu próprio cheiro. Dei um passo atrás e me rendi, abaixando o braço. No que se tratava de pegar uma carona, eu estava ferrada até que ele fosse embora.

— É uma Trilha Panorâmica Nacional — acrescentei, mas ele continuou me olhando com uma expressão paciente no rosto, o bloco em branco nas mãos. Enquanto lhe explicava o que era a PCT e o que estava fazendo nela, percebi que Jimmy Carter não era feio. Perguntei-me se ele tinha alguma comida no carro.

— Então, se você está caminhando em uma trilha selvagem, o que está fazendo aqui? — ele perguntou.

Contei sobre contornar a neve do Parque Nacional Lassen Volcanic.

— Há quanto tempo você está na estrada?

— Estou na *trilha* há cerca de um mês — disse, e o observei anotar isso. E me ocorreu que talvez fosse um tanto andarilha, considerando o tempo gasto em pegar caronas e fazer os desvios, mas não achei prudente mencionar isso.

— Quantas noites você dormiu com um teto sobre sua cabeça nesse mês? — ele perguntou.

— Três vezes. — respondi, após refletir. Uma noite na casa de Frank e Annette e duas noites nos hotéis de Ridgecrest e Sierra.

— Isso é tudo o que você tem? — ele perguntou, apontando para a mochila e o bastão de esqui.

— Sim, quer dizer, tenho algumas coisas em depósitos também, mas nesse momento é isso.

Coloquei a mão na Monstra. Ela sempre parecia como uma amiga, e mais ainda na presença de Jimmy Carter.

— Bem, então, diria que você é uma andarilha! — ele disse alegremente e me pediu para soletrar meu primeiro e último nome.

Eu soletrei, mas logo desejei não ter feito isso.

— Não é possível! — ele exclamou quando viu a palavra escrita na página. — É esse mesmo o seu nome?

— Sim — eu disse, e me virei como se estivesse procurando um carro para que ele não pudesse ver a hesitação em meu rosto.

Estava estranhamente silencioso até que um caminhão transportando madeira apareceu na curva e passou por nós, ignorando meu polegar suplicante.

— Então — Jimmy Carter disse, após a passagem do caminhão. — Pode-se dizer que você é *realmente* uma desgarrada*.

— Eu não diria isso — gaguejei. — Ser andarilha e ser trilheiro são coisas completamente diferentes. — Segurei na faixa rosa do meu bastão de esqui e risquei o chão de terra com a ponta, desenhando uma linha que foi a lugar nenhum.

— Não sou uma trilheira no sentido que talvez você imagine uma trilheira — expliquei. — Sou mais como uma trilheira *especializada.* Caminho de 24 a 32 quilômetros por dia, dia após dia, subindo e descendo montanhas, afastada das estradas e das pessoas e de qualquer outra coisa, com frequência passando dias sem ver ninguém. Talvez você devesse escrever uma história sobre isso.

Ele tirou os olhos do bloco em minha direção, o cabelo voando de forma extravagante pelo rosto. Ele parecia como tantas pessoas que conheci. Fiquei imaginando se essa era a impressão que ele tinha de mim.

— Dificilmente encontro mulheres andarilhas — ele disse à meia-voz, como se estivesse confessando um segredo —, isso é muito legal.

— *Não sou uma andarilha!* — insisti com mais veemência desta vez.

— Mulheres andarilhas são difíceis de encontrar — ele persistiu.

---

* No original, stray, em referência a significado do sobrenome dela.

Eu disse a ele que isso acontecia porque as mulheres eram oprimidas demais para serem andarilhas. Que muito provavelmente todas as mulheres que gostariam de ser andarilhas estavam enfiadas em alguma casa com um bando de crianças para criar. Crianças que foram geradas por pais andarilhos que tinham caído na estrada.

— Ah, entendi — ele disse. — Então você é uma feminista.

— Sim — disse. Era bom concordar em alguma coisa.

— Minha predileta — ele disse e anotou em seu bloco sem dizer sua predileta *em quê*.

— Mas nada disso importa! — exclamei. — Porque não sou uma andarilha. Isso é totalmente legítimo, você sabe. O que estou fazendo. Não sou a única a percorrer a PCT. As pessoas *fazem isso*. Você já ouviu falar da Appalachian Trail? É como essa, apenas mais a oeste.

Fiquei parada observando-o anotar o que parecia ser mais do que eu falei.

— Gostaria de tirar uma foto sua — Jimmy Carter disse.

Ele foi até o carro e pegou uma câmera.

— Essa camiseta é legal, a propósito. Adoro Bob Marley. E gosto de seu bracelete também. Sabe, vários andarilhos são veteranos do Vietnã.

Olhei para o nome William J. Crockett em meu pulso.

— Sorria — ele disse, e tirou uma foto.

Ele me disse para procurar seu artigo sobre mim no número do outono da *Hobo Times*, como se eu fosse uma leitora habitual.

— Trechos dos artigos têm sido publicados na *Harper's* — ele acrescentou.

— Na *Harper's*? — perguntei, espantada.

— Sim, é uma revista que...

— Eu sei o que é a *Harper's* — interrompi rispidamente. — Não quero sair na *Harper's*. Ou melhor, quero muito estar na *Harper's*, mas não porque sou andarilha.

— Pensei que você não fosse uma andarilha — ele disse, e se virou para abrir o porta-malas do carro.

— Bem, não sou, portanto seria realmente uma péssima ideia estar na *Harper's*, o que significa que você provavelmente não deveria nem escrever este artigo porque...

— Pacote padrão de assistência ao andarilho — ele disse, virando-se para me dar uma lata de cerveja Budweiser gelada e uma sacola de mercado com um punhado de itens.

— Mas não sou uma andarilha — repeti pela última vez, com menos fervor do que antes, com medo de ele finalmente acreditar em mim e me deixar sem o pacote padrão de assistência ao andarilho.

— Obrigado pela entrevista — ele disse, e fechou o porta-malas. — Tenha cuidado.

— Sim, você também — falei.

— Você tem uma arma, imagino. Pelo menos *espero* que tenha.

Dei de ombros, relutante em confirmar ou desmentir.

— Porque sei que estava no sul, mas agora você está indo na direção norte, o que significa que está entrando no território do Pé-Grande.

— Pé-Grande?

— Sim. Sabe, o Abominável Homem das Neves? Sem brincadeira. Daqui em diante até a fronteira e dentro do Oregon você está no território onde foi registrado o maior número de aparições do Pé-Grande no mundo. — Ele se virou para as árvores como se uma delas pudesse nos atacar. — Um monte de gente acredita neles. Um monte de andarilhos que estão *por aí*. Pessoas que *conhecem*. Ouço história sobre o Pé-Grande o tempo todo.

— Bem, estou bem, acho. Pelo menos até agora — falei e ri, embora sentisse um leve frio no estômago. Nas semanas anteriores à PCT, quando decidi não ter medo de nada, pensei nos ursos, nas cobras, nos pumas e nas pessoas estranhas que encontraria ao longo do caminho. Não tinha considerado monstros bípedes humanoides peludos.

— Mas você está provavelmente segura. Eu não me preocuparia. É provável que eles a deixem em paz. Principalmente se você tem uma arma.

— Certo — concordei.

— Boa sorte em sua caminhada — disse, e entrou no carro.

— Boa sorte... em descobrir andarilhos — falei, e acenei quando ele se afastou.

Fiquei parada ali por um tempo, deixando os carros passarem sem nem tentar fazer com que me dessem uma carona. Eu me sentia mais sozinha do que qualquer pessoa no mundo inteiro. O sol quente batia direto em mim, mesmo através do chapéu. Eu me perguntei onde Stacy e Trina estavam. O homem que tinha dado carona a elas só as levaria a cerca de

20 quilômetros a leste, até o cruzamento com a próxima autoestrada em que precisaríamos pegar uma carona para ir na direção norte e depois de volta para oeste até Old Station, onde voltaríamos à PCT. Combinamos de nos encontrar nesse cruzamento. Eu me arrependi vagamente de tê-las encorajado a me deixar para trás quando aquela carona apareceu. Balancei o polegar para outro carro e só depois que ele passou percebi que não dava uma boa impressão eu estar segurando uma lata de cerveja. Pressionei o alumínio frio contra a minha testa quente e de repente senti vontade de bebê-la. Por que não deveria? Ela ficaria quente na minha mochila.

Suspendi a Monstra e a coloquei nas costas, então andei vagarosamente através dos arbustos até a vala e depois subi novamente até a mata, que de certa forma era como um lar, como o mundo que era meu, de um jeito que o mundo das estradas, das cidades e dos carros já não era mais. Andei até encontrar um bom lugar na sombra. Depois me sentei no chão e abri a cerveja. Não gosto de cerveja — na realidade, aquela Budweiser foi a primeira cerveja inteira que bebi em toda a minha vida —, mas achei saborosa, como é o sabor das cervejas, imagino, para quem gosta: gelada e amarga, refrescante e oportuna.

Enquanto tomava a cerveja, explorei o conteúdo da sacola plástica. Tirei tudo e estendi cada item no chão à minha frente: um pacote de chiclete de hortelã, três lenços umedecidos refrescantes em pacotes individuais, uma embalagem de papel contendo duas aspirinas, seis balas de butterscotch embrulhadas em papel dourado transparente, uma caixa de fósforos que dizia *Obrigado, Steinbeck Drug*, uma linguiça defumada Slim Jim fechada na embalagem plástica a vácuo, um único cigarro em um estojo cilíndrico imitando vidro, um aparelho de barbear descartável e uma lata pequena e larga de feijões cozidos.

Comi a Slim Jim primeiro, tomando o resto da Budweiser, então as balas de butterscotch, todas as seis, uma atrás da outra, e depois, ainda faminta, sempre faminta, voltei a atenção para a lata de feijões cozidos. Abri-a aos poucos com o impossível abridor de lata do meu canivete suíço e depois, preguiçosa demais para procurar a colher na bolsa, enfiei o próprio canivete e os comi — estilo andarilha — direto da lâmina.

Voltei para a estrada me sentindo levemente alterada por causa da cerveja, mascando dois pedaços do chiclete de hortelã para me recuperar, enquanto apontava alegremente o polegar para todo carro que passava. Após alguns minutos, um velho Maverick branco parou. Uma mulher sentava no banco do motorista com um homem ao lado e outro homem e um cachorro no banco de trás.

— Para onde você está indo? — perguntou.

— Old Station — respondi. — Ou pelo menos para o cruzamento da 36 com a 44.

— Isso fica no nosso caminho — ela disse, e saiu do carro para dar a volta e abrir o porta-malas para mim. Parecia ter uns 40 anos. Seu cabelo era crespo e tingido de louro, o rosto inchado e marcado por velhas cicatrizes de acne. Usava bermudas feitas de calça jeans cortada, brincos dourados no formato de borboletas e uma blusa frente única cinzenta que parecia ter sido feita com os barbantes de um esfregão. — Uma mochila e tanto que você tem, garota — falou e riu ruidosamente.

— Obrigada, obrigada — continuei falando enquanto limpava o suor do rosto e a ajudava a enfiar a Monstra no porta-malas. Conseguimos por fim colocar a Monstra e sentei no banco de trás com o cachorro e o homem. O cachorro era um lindo husky de olhos azuis, de pé no minúsculo espaço à frente do banco. O homem era magro e tinha mais ou menos a mesma idade da mulher, o cabelo escuro preso em uma trança fina. Ele usava um colete de couro preto, camiseta por baixo e uma bandana vermelha amarrada no estilo motociclista no alto da cabeça.

— Oi — murmurei em sua direção, enquanto buscava inutilmente o cinto de segurança que estava preso irremediavelmente na dobra do banco, meus olhos vasculhando suas tatuagens: uma bola de metal cravada de pregos na extremidade de uma corrente em um braço, a metade de cima de uma mulher de seios de fora com a cabeça jogada para trás tanto em dor quanto em êxtase no outro braço, uma palavra latina que não conheço o significado escrita no peitoral bronzeado.

Quando desisti de encontrar o cinto de segurança, o husky se inclinou e lambeu meu joelho avidamente com sua língua estranhamente fria e macia.

— Esse cachorro tem um bom gosto filho da puta para mulheres — disse o homem. — Seu nome é Stevie Ray — acrescentou.

Instantaneamente o cachorro parou de me lamber, fechou a boca e me olhou com seus olhos frios e de bordas pretas como se soubesse que estava sendo apresentado e quisesse ser educado.

— Eu sou Spider. Você já conheceu a Louise; ela atende por Lou.

— Oi — Lou disse, olhando para os meus olhos por um segundo pelo espelho retrovisor.

— E esse é o meu irmão Dave — ele disse, apontando para o homem no banco do carona.

— Oi — falei.

— E você? Tem um nome? — Dave se virou para perguntar.

— Ah, sim, desculpe. Sou a Cheryl. — Sorri, embora sentisse uma vaga incerteza sobre ter aceitado essa carona em especial.

Não havia nada a fazer relação a isso agora. Já estávamos a caminho, o vento quente soprando no meu cabelo. Acariciei Stevie Ray enquanto avaliava Spider em minha visão periférica.

— Obrigada por me pegar — eu disse, para dissimular meu desconforto.

— Ei, sem problemas, irmã — Spider disse. Em seu dedo médio usava um anel quadrado de turquesa. — Nós todos já estivemos na estrada. Sabemos como é. Peguei carona na semana passada e, caralho, se eu não conseguisse pegar uma carona para salvar minha vida, então é por isso que quando a vi disse a Lou para parar. Porra de carma, entende?

— Sim — eu disse, ajeitando o cabelo atrás das orelhas. Estava áspero e seco como palha.

— De qualquer forma, o que você está fazendo na estrada? — Lou perguntou lá da frente.

Contei toda a história da PCT, explicando sobre a trilha e a nevasca pesada recorde e a maneira complicada de pegar carona até chegar à Old Station. Eles ouviram com respeito, mas pouca curiosidade, os três acendendo cigarros enquanto eu falava. Depois que acabei de falar, Spider disse:

— Eu tenho uma história pra você, Cheryl. Acho que tem a ver com o que você está falando. Eu estava lendo sobre animais há pouco tempo e tinha essa porra desse cientista na França nos anos 1930 ou 1940 ou sabe-se lá quando foi essa porra, e ele estava tentando fazer com que os macacos desenhassem uns quadros, pinturas *artísticas* do tipo de pinturas que você vê em museus e merdas desse tipo. Então, esse cientista fica mostrando para os macacos os quadros e dando a eles lápis carvão para desenhar, então um dia um dos macacos finalmente desenha alguma coisa, mas não um desenho artístico. Ele desenha as barras da porra da própria jaula. *A porra da própria jaula!* Cara, essa é a verdade, né? Eu posso me identificar com isso e aposto que você também pode, irmã.

— Eu posso — eu disse, prudentemente.

— Todo mundo pode entender isso, cara — disse Dave, virando-se de seu banco de modo que ele e Spider pudessem fazer no ar entre eles uma série de saudações de motociclistas irmãos de sangue.

— Você quer saber uma coisa sobre este cachorro? — Spider me perguntou quando terminaram. — Ganhei ele no dia em que Stevie Ray Vaughan morreu. É por isso ele tem essa porra de nome.

— Adoro Stevie Ray — eu disse.

— Você gosta do *Texas Flood*? — Dave me perguntou.

— Sim — respondi, empolgada com a lembrança deles.

— Eu tenho um aqui — ele disse, pegou um CD e o colocou no CD player que estava apoiado entre ele e Lou. Um momento depois, o paraíso da guitarra elétrica de Vaughan inundou o carro. A música soou como um alimento, como comida, como todas as coisas que eu não dava importância por considerá-las óbvias e que agora se tornaram fontes de êxtase porque não tinha acesso a elas. Observei as árvores passando, imersa na música "Love Struck Baby".

Quando ela acabou, Lou disse:

— Nós estamos apaixonados, eu e Dave. Vamos nos casar na próxima semana.

— Parabéns — eu disse.

— Você quer se casar, querida? — Spider me perguntou, momentaneamente tocando de leve minha coxa nua com as costas da mão, seu anel turquesa pressionando forte a minha pele.

— Simplesmente ignore — disse Lou. — Ele não passa de um velho tarado.

Ela riu e me olhou pelo espelho retrovisor.

Eu era uma tarada também, pensei, enquanto Stevie Ray, o cachorro, lambia meu joelho metodicamente e o outro Stevie Ray executava uma versão arrasadora de “Pride and Joy”. O lugar em minha perna onde Spider tocou parecia pulsar. Queria que ele fizesse isso novamente, embora soubesse que era ridículo. Um cartão laminado com uma cruz balançava pendurado na haste do espelho retrovisor, junto com um aromatizador de ar desbotado em formato de árvore de Natal, e quando ele girou, eu vi que no verso tinha a fotografia de um garotinho.

— É seu filho? — perguntei, apontando para o espelho, quando a música acabou.

— Esse é o meu Luke — ela disse, segurando a foto e dando um tapinha.

— Ele vai estar no casamento? — perguntei, mas ela não respondeu, apenas diminuiu a música, e eu soube imediatamente que tinha dito a coisa errada.

— Ele morreu há cinco anos, quando tinha 8 anos — disse Lou, uns instantes depois.

— Sinto muito — disse, me inclinei para a frente e toquei seu ombro.

— Ele estava andando de bicicleta e foi atropelado por uma caminhonete — ela disse abertamente. — Ele não morreu na hora. Aguentou por uma semana no hospital. Nenhum dos médicos acreditou que ele não morreu na hora.

— Ele era um garotinho danado de durão — disse Spider.

— Sem dúvida era — disse Lou.

— Assim como sua mãe — Dave disse, pegando no joelho de Lou.

— Eu sinto muito — disse novamente.

— Eu sei que sente — disse Lou antes de aumentar a música. Viajamos sem conversar, ouvindo o lamento da guitarra elétrica de Vaughan abrir caminho em “Texas Flood”, meu coração apertado com o som.

Pouco tempo depois, Lou gritou:

— Eis seu cruzamento. — Ela parou, desligou o motor e olhou para Dave. — Por que os rapazes não levam Stevie Ray para fazer xixi?

Eles saíram junto comigo e ficaram por ali acendendo seus cigarros enquanto eu tirava a mochila do porta-malas. Dave e Spider levaram Stevie Ray para as árvores do lado da estrada e Lou e eu ficamos em um trecho de sombra perto do carro, enquanto prendia a Monstra em mim.

Ela me perguntou se eu tinha filhos, qual era a minha idade, se era casada ou se já tinha sido.

— Não, 26, não, sim — disse a ela.

Ela disse:

— Você é bonita, portanto vai se dar bem em qualquer coisa que faça. Já eu, as pessoas sempre precisam se agarrar ao fato de que tenho um bom coração. Nunca fui bonita.

— Não é verdade — eu disse. — Eu acho você bonita.

— Acha? — ela perguntou.

— Sim — disse, embora bonita não fosse exatamente como eu a descreveria.

— *Acha?* Obrigada. É bom ouvir isso. Normalmente Dave é o único a achar isso.

Ela olhou para baixo em direção às minhas pernas.

— Você precisa se raspar, garota! — ela berrou, depois riu da mesma maneira rouca que tinha rido quando comentou que a minha mochila era grande. — Ah — disse, soltando fumaça pela boca. — Estou só te enchendo o saco. Acho legal você fazer o que quiser. Poucas garotas fazem isso, quer saber... simplesmente diga à sociedade e às suas expectativas para se foderem. Se mais mulheres fizerem isso, vamos ficar em uma situação melhor. — Ela deu uma tragada e soltou a fumaça em uma linha compacta. — De qualquer forma, depois de toda essa história sobre meu filho ser atropelado, depois do que aconteceu, eu morri também. Por dentro. — Ela bateu no peito com a mão que segurava o cigarro. — Pareço a mesma, mas não sou a mesma aqui dentro. Quer dizer, a vida segue e toda essa merda, mas a morte de Luke tirou isso de mim. Tento não agir dessa forma, mas é o que aconteceu. Isso arrancou a Lou de dentro da Lou, e não tem volta. Entende?

— Entendo — eu disse, olhando para seus olhos castanhos.

— Acho que sim — ela disse. — Eu tive essa sensação a seu respeito.

Despedi-me deles, atravessei o cruzamento e me dirigi para a estrada que me levaria a Old Station. O calor estava tão forte que criava ondas perceptíveis saindo do chão. Quando cheguei à estrada, vi três figuras ondulando a distância.

— Stacy! — gritei. — Trina!

Elas me viram e acenaram. Odin latiu um alô.

Pegamos uma carona para Old Station, outro vilarejo minúsculo que era mais um aglomerado de construções do que uma cidade. Trina foi até a agência do correio despachar algumas coisas para casa enquanto Stacy e eu esperamos por ela no café com ar-condicionado, bebendo refrigerante e discutindo o próximo trecho da trilha. Era um pedaço do planalto Modoc chamado Hat Creek Rim, desolado e famoso pela ausência de água e sombra, um trecho lendário em uma trilha de lendas. Seco e quente, ele foi arrasado por uma queimada em 1987. O *Pacific Crest Trail, Volume 1: California* informou que apesar de não existir fonte de água confiável de Old Station até Rock Springs Creek, 48 quilômetros depois, quando o livro foi impresso em 1989, o serviço florestal estava para instalar um reservatório de água perto das ruínas de uma velha torre de monitoramento de incêndio, 24 quilômetros adiante. O guia advertia que essa informação devia ser confirmada e, mesmo tendo sido construído, esse tipo de reservatório nem sempre é seguro por causa do vandalismo na forma de buracos de bala.

Chupei o gelo do copo de refrigerante, um cubo por vez, refletindo sobre essa informação. Deixei o reservatório da hidratação em Kennedy Meadows, já que a maior parte dos trechos da trilha ao norte tinha água potável. Em antecipação ao árido Hat Creek Rim, eu tinha planejado comprar um grande recipiente de água e prendê-lo na Monstra, mas por razões tanto financeiras quanto físicas estava torcendo para que isso não fosse necessário. Esperava poder gastar meu último restinho de dinheiro em comida naquele café em vez de num recipiente de água, sem contar o sofrimento de carregar esse recipiente por 48 quilômetros ao longo de Hat Creek Rim. Portanto, quase caí da cadeira de alegria e alívio quando Trina voltou da agência do correio com a notícia de que trilheiros que estavam indo para o sul tinham escrito no livro de registro da trilha que o reservatório mencionado no guia estava lá e que havia água nele.

Caminhamos animadas até o camping, distante um quilômetro e meio, e montamos nossas barracas, uma ao lado da outra, para a última noite juntas. Trina e Stacy partiriam no dia seguinte, mas decidi ficar mais um dia, pois queria caminhar sozinha e também descansar os pés, que ainda estavam se recuperando das bolhas que surgiram na descida de Three Lakes.

Na manhã seguinte, quando acordei, tinha a área de acampamento toda para mim. Sentei à mesa de piquenique e tomei chá direto da panela enquanto queimava as últimas páginas de *O romance*. O professor que tinha ridicularizado Michener estava certo em alguns aspectos: ele não era William Faulkner ou Flannery O'Connor, mas fiquei totalmente envolvida pelo livro, não apenas por conta do texto. O tema mexeu comigo. Era uma história sobre muitas coisas, mas estava centrada na duração de um romance, contada da perspectiva de seu autor e editor, dos críticos e dos leitores. De todas as coisas que fiz na vida, em todas as versões que tinha encarnado, uma nunca mudava: eu era uma escritora. Algum dia pretendia escrever o meu próprio romance. Eu me senti envergonhada de ainda não ter escrito um. Na visão que tinha de mim mesma, dez anos antes, tinha certeza de que teria publicado meu primeiro livro a essa altura. Escrevi diversos contos e fiz uma importante tentativa de escrever um romance, mas não estava nem perto de ter um livro pronto. No tumulto dos últimos anos era como se a escrita tivesse me abandonado de vez, mas, à medida que eu caminhava, podia sentir que o romance tinha voltado para mim, inserindo sua voz entre os fragmentos de músicas e dos jingles publicitários em minha mente. Aquela manhã em Old Station, enquanto arrancava blocos de cinco e dez páginas do livro de Michener, agachada perto do fogo do camping para queimá-lo, decidi começar. De qualquer forma, não tinha nada a não ser um dia longo e quente à frente, então sentei à mesa de piquenique e escrevi até o fim da tarde.

Quando levantei os olhos, vi que um esquilo estava tentando abrir um buraco na porta de tela da minha barraca para pegar a sacola de comida. Eu o espantei xingando, enquanto ele, empoleirado em uma árvore, respondia com sons inarticulados. Nessa altura, a área de acampamento tinha lotado ao meu redor: a maior parte das mesas de piquenique estava coberta de coolers e fogareiros Coleman; caminhonetes e trailers estavam estacionados nos pequenos acessos pavimentados. Tirei a sacola de comida da barraca e a levei por um quilômetro e meio até o café onde tinha sentado com Trina e Stacy na tarde anterior. Pedi um hambúrguer, sem me importar de estar gastando quase todo o dinheiro que tinha. Minha próxima caixa de suprimentos estava no Parque Estadual de Burney Falls, a 67 quilômetros de distância, mas eu podia chegar lá em dois dias, agora que estava finalmente apta a caminhar por mais tempo e mais rápido — fiz duas caminhadas de 19 quilômetros sem parar saindo de Belden. Eram cinco horas de um dia de verão, período em que a luz se estendia até as nove ou as dez horas, e eu era a única cliente, devorando meu jantar.

Saí do restaurante com nada mais do que alguns trocados no bolso. Passei diante de um telefone público e depois voltei a ele, tirei o receptor e pressionei zero, tremendo internamente com uma mistura de medo e excitação. Quando a telefonista atendeu para me ajudar a fazer a ligação, dei a ela o número de Paul.

Ele atendeu no terceiro toque. Eu estava tão emocionada pelo som de sua voz que mal consegui dizer alô.

— Cheryl! — ele exclamou.

— Paul! — eu disse por fim, e depois em um falatório rápido contei a ele onde estava e um pouco do que passei desde que nos vimos pela última vez. Conversamos por quase uma hora, uma conversa amorosa e exuberante, compreensiva e amigável. Nem parecia que era meu ex-marido. Parecia meu melhor amigo. Quando desliguei, olhei para baixo, para a sacola de comida no chão. Estava quase vazia, cilíndrica e azul-turqueza, feita de um material sintético que parecia borracha. Eu a peguei, a abracei forte contra o peito e fechei os olhos.

Voltei andando para o acampamento e me sentei por um longo tempo à mesa de piquenique com *A Summer Bird-Cage* (Gaiola de verão) na mão, emocionada demais para ler. Obervei as pessoas preparando seus jantares ao meu redor e depois assisti ao sol amarelo derreter e ficar rosa, laranja e o azul-lavanda mais suave no céu. Estava com saudades de Paul. Estava com saudade da minha vida. Mas tampouco queria voltar para ela. Aquele momento terrível em que Paul e eu desabamos no chão depois que contei a ele a verdade sobre minhas infidelidades não parava de me voltar em ondas, e percebi que o que comecei quando falei aquelas palavras não me levou apenas ao divórcio, mas a isso: eu, sentada sozinha em Old Station, Califórnia, em uma mesa de piquenique sob um céu magnífico. Não sentia tristeza ou alegria, nem orgulho ou vergonha. Sentia apenas que, apesar de tudo que fiz de errado, acertei em decidir vir para cá.

Fui até a Monstra e peguei o estojinho imitando vidro do cigarro que Jimmy Carter tinha me dado mais cedo aquele dia. Eu não fumava, mas abri a embalagem de qualquer forma, me sentei em cima da mesa de piquenique e acendi o cigarro. Estava na PCT havia pouco mais de um mês. Parecia ter se passado muito mais tempo e também parecia que a viagem mal tinha começado, como se apenas agora estivesse entendendo seja lá o que for que vim fazer aqui. Como se ainda fosse a mulher com o buraco no coração, mas o buraco estivesse minimamente menor.

Dei uma tragada e soltei a fumaça pela boca, lembrando como me senti mais sozinha do que qualquer pessoa no mundo naquela manhã após Jimmy Carter ir embora. Talvez eu *fosse* mais sozinha do qualquer pessoa em todo o mundo.

Talvez isso fosse O.K.

12

ATÉ AQUI

Acordei assim que amanheceu, me movimentando com precisão enquanto levantava acampamento. Agora, conseguia guardar as coisas em cinco minutos. Cada item daquela incomensurável pilha na cama do hotel em Mojave que ainda não tinha sido descartado ou queimado tinha seu lugar dentro ou fora da mochila, e eu sabia exatamente onde era esse lugar. Minhas mãos se moviam por instinto, parecendo quase substituir meu cérebro. A Monstra era o meu mundo, meu membro adicional e inanimado. Apesar de seu peso e tamanho ainda me frustrarem, acabei aceitando que era o fardo que eu tinha que carregar. Não me sentia em conflito com ela da maneira que me sentira um mês antes. Não era eu contra ela. Nós duas éramos uma.

Aguentar o peso da Monstra me fez mudar por fora também. Minhas pernas ficaram duras como pedras e os músculos, aparentemente capazes de qualquer coisa, ondulavam sob meu corpo esguio como nunca antes. Os pontos nos quadris, nos ombros e no cóccix, que tinham repetidamente sangrado e formado cascas por causa das tiras da Monstra que esfolavam meu corpo, finalmente se renderam e ficaram ásperos e marcados, a pele se metamorfoseando em algo que só posso descrever como um cruzamento de cortiça com galinha morta depois de ser escaldada em água fervente e depenada.

Meus pés? Bem, ainda estavam completa e inacreditavelmente fodidos.

Meus dois dedões nunca se recuperaram da surra que levaram da implacável descida de Three Lakes para Belden. As unhas pareciam quase mortas. Os dedos rosa esfolados estavam tão em carne viva que me perguntei se com o tempo se desprenderiam dos meus pés. O que pareciam bolhas permanentes cobriam desde a base do calcanhar até o alto do tornozelo. Mas me recusei a pensar nos meus pés naquela manhã em Old Station. Grande parte da capacidade de fazer a caminhada na PCT dependia do controle da mente: a vigorosa decisão de seguir em frente a despeito de tudo. Cobri os machucados com fita adesiva e silver tape 2nd Skin, depois vesti as meias e as botas e manquei até a torneira do camping para encher as duas garrafas de um litro de água, que teriam que durar por 24 abrasadores quilômetros através do Hat Creek Rim.

Era cedo, mas já estava quente quando segui pela estrada até o cruzamento com a PCT. Eu me sentia descansada e forte, preparada para o dia. Passei a manhã abrindo caminho através de leitos secos de riachos e valas, parando para beber água o mínimo possível. No meio da manhã eu estava cruzando uma escarpa de quilômetros de largura, um árido campo de altitude com arbustos e flores silvestres que mal ofereciam uma nesga de sombra. As poucas árvores que encontrei estavam mortas, assassinadas pelo incêndio que aconteceu havia alguns anos, os troncos chamuscados brancos ou pretos carbonizados, os galhos quebrados e queimados transformados em punhais. Sua beleza severa se abatia sobre mim com uma força silenciosa e atormentada conforme passava por elas.

O céu azul estava em toda parte sobre mim, o sol brilhante e inexorável me queimando até mesmo através do chapéu e do protetor solar que passei no rosto suado e nos braços. Podia enxergar por quilômetros — o pico nevado do Lassen ao sul e o monte Shasta, mais alto e com mais neve, surgindo ao longe na direção norte. A visão do monte Shasta me deixou aliviada. Estava indo para lá. Passaria por ele e além dele, direto até o rio Columbia. Agora que escapei da neve, parecia que nada me tiraria do rumo. A imagem que formei em minha mente, de mim mesma caminhando com naturalidade e entusiasmo pelos quilômetros restantes, apesar de o calor asfixiante logo ter feito com que desaparecesse, me lembrou de que eu sabia que não era bem assim. Se chegasse à fronteira do Oregon com Washington, sabia que seria com todas as dificuldades que envolviam me deslocar em ritmo de caminhada debaixo de uma mochila gigantesca.

O ritmo de caminhada era uma maneira totalmente diferente de andar pelo mundo em comparação à minha maneira normal de viajar. Quilômetros não eram coisas que passavam tediosamente em disparada. Eram longas extensões de terra, de arbustos conhecidos e desordenados, de grama e flores que se dobram ao vento e de árvores que rangem e fazem um barulho surdo. Eram o som da minha respiração e dos meus pés na trilha, um passo por vez, e o clique do meu bastão de esqui. A PCT tinha me ensinado o que era um quilômetro. Eu era humilde perante cada um. E mais humilde ainda naquele dia no Hat Creek Rim, conforme a temperatura mudou de quente para quentíssima e o vento fazia pouco mais do que rodopiar a poeira nos meus pés. Foi durante uma rajada desse tipo que ouvi um som mais insistente do que qualquer coisa provocada pelo vento e percebi que era uma cascavel balançando seu chocalho com força e bem perto, me avisando. Recuei e vi a cobra a poucos passos na trilha, o chocalho suspenso como um dedo ameaçador levemente acima de seu corpo enrodilhado, a cabeça angulosa arremetendo na minha direção. Se tivesse dado mais alguns passos, estaria em cima dela. Era a terceira cascavel que tinha encontrado na trilha. Fiz um círculo quase comicamente amplo ao seu redor e segui em frente.

Ao meio-dia encontrei um estreito trecho sombreado e sentei para comer. Tirei as meias e as botas e deitei no chão para apoiar os pés inchados e castigados na mochila, como quase sempre fazia no intervalo do almoço. Olhei para o céu, observando os falcões e as águias que planavam em círculos tranquilos acima de mim, mas não consegui exatamente relaxar. Não apenas por causa da cascavel. A paisagem estava tão árida que eu podia enxergar grandes distâncias, embora continuasse com a vaga sensação de que algo estava à espreita por perto, me observando, pronto para atacar. Sentei e verifiquei o terreno em busca de pumas e então deitei, dizendo a mim mesma que não tinha nada a temer, para logo sentar rapidamente mais uma vez com o que achei ser o estalo de um galho.

Não era nada, disse a mim mesma. Não estava com medo. Peguei a garrafa de água e dei um longo gole. Estava com tanta sede que engoli fazendo barulhos até esvaziar a garrafa, depois abri outra e bebi dela também, incapaz de me controlar. O termômetro que ficava pendurado no zíper da mochila mostrava que estava fazendo 38 graus no trecho sombreado.

Cantei canções relaxantes enquanto caminhava, o sol me castigando como se tivesse de fato uma força física que se baseava em algo mais do que calor. O suor ficava empoçado ao redor dos meus óculos de sol e escorria para meus olhos, incomodando tanto que eu tinha que parar e enxugar o rosto de vez em quando. Parecia impossível eu ter estado no alto das montanhas nevadas vestindo todas as minhas roupas apenas uma semana antes, ter acordado todas as manhãs com uma camada grossa de gelo nas paredes da barraca. Não conseguia realmente me lembrar dessas coisas. Aqueles dias brancos pareciam ser um sonho, é como se todo esse tempo eu estivesse cambaleando rumo ao norte no calor abrasador em direção a isso, à quinta semana na trilha, sob o mesmo calor que quase me fez desistir dela na segunda semana. Parei e bebi mais uma vez. A água estava tão quente que quase queimou minha boca.

Artemísias e um tapete de flores silvestres resistentes cobriam o campo extenso. À medida que caminhava, plantas ásperas que eu não conhecia arranhavam minhas panturrilhas. Outras que eu conhecia pareciam falar comigo, dizer seus nomes através da voz da minha mãe. Nomes que eu não percebia que sabia até que surgiam claramente em minha mente: renda da rainha Anne, pincel indiano, lupino — essas mesmas plantas cresciam em Minnesota, brancas, laranja e roxas. Quando passávamos por elas na estrada, mamãe às vezes parava o carro e colhia um buquê das que cresciam no acostamento.

Parei de andar e olhei para o céu. As aves de rapina ainda voavam em círculos, aparentemente quase sem bater as asas. *Eu nunca irei para casa*, pensei com uma determinação que me fez recuperar o fôlego e então continuei, minha mente se esvaziando no nada a não ser no esforço de impulsionar meu corpo através da vazia monotonia da caminhada. Não havia um dia na trilha em que aquela monotonia não tenha por fim vencido, quando a única coisa para se pensar a respeito era o que quer que fosse fisicamente mais desafiadora. Era uma espécie de cura abrasadora. Contei os passos, abrindo caminho até cem e recomeçando mais uma vez a partir do um. Toda vez que completava outro conjunto era como se tivesse conquistado um pequeno prêmio. Depois o número cem ficou muito otimista e passei para cinquenta, depois para 25 e depois para dez.

Um dois três quatro cinco seis sete oito nove dez.

Parei e me curvei, pressionando as mãos nos joelhos para aliviar as costas por um instante. O suor pingava do meu rosto na terra esbranquiçada como lágrimas.

O planalto de Modoc era diferente do deserto de Mojave, mas não parecia diferente. Ambos tinham abundância de plantas pontiagudas do deserto, apesar de serem completamente inóspitos para a vida humana. Pequenos lagartos cinza e marrons disparavam pela trilha conforme eu me aproximava, ou ficavam imóveis quando eu passava. Onde *eles* conseguiam água? Fiquei curiosa, tentando parar de pensar sobre como eu estava com calor e sedenta. Onde *eu* conseguiria? Pelos meus cálculos, estava a 4,8 quilômetros de distância do reservatório de água. Eu só tinha 230 mililitros de água.

Depois 170.

Depois 120.

Eu me forcei a não beber os últimos 60 mililitros até que o tanque d'água estivesse à vista, e por volta das 16h30 lá estava ele: os pilares das estacas queimadas da torre elevando-se ao longe. O reservatório de metal estava próximo, encostado em um poste. Tão logo o vi, peguei a garrafa e acabei com a minha água, agradecida por poder me satisfazer diretamente no reservatório em questão de minutos. Quando me aproximei, vi que o poste de madeira perto do reservatório estava coberto com alguma coisa que se agitava no vento. A princípio, pareciam ser diversas fitas repicadas e então um pano rasgado. Só quando cheguei perto é que vi serem pequenos pedaços de papel — recados presos no posto com fita adesiva e agora tremulando no vento. Inclinei-me para ler os recados, sabendo o que deviam dizer antes mesmo de meus olhos alcançarem o papel. Diziam de várias maneiras, mas todos continham a mesma mensagem: SEM ÁGUA.

Fiquei imóvel por um momento, paralisada de horror. Olhei fixamente para dentro do reservatório para confirmar a realidade. Não havia água. Eu estava sem água. Nem mesmo um gole.

Semáguasemáguasemáguasemáguasemáguasemágua.

Chutei a terra, arranquei punhados de sálvia e joguei longe, furiosa comigo mesma por mais uma vez fazer a coisa errada, por ser a mesma idiota que fui desde o primeiro dia em que botei o pé na trilha. A mesma que comprou a bota do tamanho errado e subestimou completamente a quantia de dinheiro que precisaria para o verão, e talvez a mesma idiota que acreditou poder fazer esta trilha.

Peguei as páginas arrancadas do guia do bolso do short e li tudo novamente. Não estava assustada da mesma forma que estive mais cedo naquele dia, quando tive a estranha sensação de que alguma coisa estava de tocaia por perto. Agora estava aterrorizada. Isso não era uma sensação. Era um fato: estava a quilômetros da água em um dia cuja temperatura passava de 38 graus. Sabia que essa era a situação mais difícil em que estive até agora na trilha — mais ameaçadora do que o touro selvagem, mais assustadora do que a neve. Eu precisava de água. Precisava dela logo. Precisava dela agora. Podia sentir essa necessidade em cada um dos meus poros. Eu me lembrei de Albert me perguntando quantas vezes eu urinava por dia quando o encontrei pela primeira vez. Eu não tinha feito xixi desde que saí de Old Station naquela manhã. Não precisei. Cada litro que ingeri foi usado. Estava com tanta sede que não conseguia nem cuspir.

Os autores de *The Pacific Crest Trail, Volume 1: California* disseram que a água "confiável" mais próxima ficava a 24 quilômetros, em Rock Spring Creek, mas admitiram que havia, na realidade, água mais perto, em um reservatório cuja água definitivamente não recomendavam que fosse bebida, classificando sua qualidade como "no mínimo questionável". Aquela água ficava a quase 8 quilômetros de distância.

A não ser, é claro, que esse reservatório também tenha secado.

Era muito provável que tivesse, eu admitia, enquanto imaginava correr na direção dele, o que, dadas as condições de meus pés e o peso de minha mochila, era nada mais do que um passo decididamente mais rápido. Eu me sentia como se pudesse ver o mundo inteiro a partir da crista leste de Hat Creek. Um amplo vale se estendia abaixo de mim ao longe, interrompido pelas vulcânicas verdes montanhas tanto ao norte quanto ao sul. Mesmo em meu estado de ansiedade, não pude evitar o arrebatamento diante da beleza. Eu era uma idiota completa, sim, uma que podia morrer de desidratação e exaustão pelo calor, sim, mas pelo menos estava em um lugar bonito, um lugar que passei a amar, apesar e por causa de suas dificuldades, e tinha chegado a este lugar com meus dois pés. Consolando a mim mesma com isso, continuei andando, com tanta sede que fiquei enjoada e levemente febril. *Vou ficar bem*, disse a mim mesma. *É só um pouco mais longe*, dizia a cada curva e cada subida, enquanto o sol mergulhava em direção ao horizonte, até que finalmente vi o reservatório.

Parei para contemplá-lo. Era um laguinho sujo de aparência deprimente mais ou menos do tamanho de uma quadra de tênis, mas tinha água nele. Eu estava rindo de alegria quando desci cambaleando a encosta em direção à pequena praia de terra que cercava o reservatório. Era a primeira vez que eu tinha caminhado 32 quilômetros em um dia. Desafivelei a Monstra, a coloquei no chão e fui até a borda lamacenta, onde me agachei para colocar as mãos na água. Ela era cinza e quente como sangue. Quando mexi as mãos, a sujeira do fundo subiu em tufos emaranhados e deixou listras pretas na água.

Peguei meu purificador e bombeei o questionável líquido para minha garrafa. Meu purificador continuava tão difícil de usar quanto na primeira vez em que o usei em Golden Oak Springs, mas ele estava especialmente difícil nessa água, tão densa por causa do lodo que quase entupiu o filtro. Quando terminei de encher uma garrafa, meus braços tremiam de cansaço. Procurei o kit de primeiros socorros, peguei as pílulas de iodo e joguei duas na água. Tinha trazido as pílulas exatamente por essa razão, como um reforço caso tivesse que beber água possivelmente contaminada. Mesmo Albert tinha achado as pílulas de iodo uma boa ideia lá em Kennedy Meadows, quando selecionou implacavelmente itens dos quais eu deveria me livrar. Albert, que tinha sido abatido por uma doença transmitida pela água exatamente no dia seguinte.

Tive que esperar trinta minutos para o iodo fazer seu trabalho antes que fosse seguro beber. Estava desesperadamente sedenta, mas me distraí enchendo a outra garrafa d'água. Quando acabei, estendi a lona na praia de terra, fiquei em pé em cima dela e tirei a roupa. O vento tinha diminuído com a queda de luminosidade. Em sopros suaves, ele resfrescou os pedaços quentes de meus quadris nus. Não me passou pela cabeça que alguém poderia aparecer na trilha. Não tinha visto uma alma o dia inteiro e, mesmo se alguém aparecesse, eu estava catatônica demais com desidratação e exaustão para me importar.

Olhei para o relógio. Vinte e sete minutos se passaram desde que joguei as pílulas de iodo na água. Normalmente eu estava faminta no fim da tarde, mas a ideia de comer não significava nada agora. Água era meu único desejo.

Sentei na lona azul e bebi uma garrafa inteira e depois a outra. A água morna tinha gosto de ferro e lodo e mesmo assim raramente eu consumi algo tão maravilhoso. Podia senti-la penetrando dentro de mim; apesar de ter tomado de uma única vez duas garrafas de um litro cada, não me sentia completamente recuperada. Ainda não estava com fome. Eu me sentia como naqueles primeiros dias na trilha, quando fiquei tão incrivelmente exausta que tudo o que meu corpo queria era dormir. Agora tudo o que meu corpo queria era água. Enchi as garrafas novamente, deixei que o iodo as purificasse e bebi ambas.

Quando fiquei satisfeita, havia escurecido e a lua cheia estava nascendo. Não consegui reunir energia para armar a barraca — uma tarefa que exigia um esforço de pouco mais de dois minutos, que agora me parecia hercúleo. Não precisava de uma barraca. Não chovia desde os primeiros dias na trilha. Recoloquei as roupas e estiquei o saco de dormir na lona, mas estava quente demais para fazer qualquer coisa a não ser ficar deitada sobre ele. Eu estava cansada demais para ler. Até olhar para a lua parecia um esforço moderado. Tinha consumido 3,6 litros do duvidoso reservatório de água desde que cheguei havia algumas horas e ainda não precisava fazer xixi. Eu tinha feito uma coisa extraordinariamente idiota ao atravessar o cume de Hat Creek com tão pouca água. *Nunca serei tão descuidada novamente*, prometi à lua antes de cair no sono.

Acordei duas horas mais tarde com a sensação vagamente prazerosa de que pequenas mãos geladas estavam me acariciando suavemente. Elas estavam nas minhas pernas nuas, nos braços, no rosto e no cabelo, nos pés, no pescoço e nas mãos. Podia sentir seu peso gelado através de minha camiseta no peito e na barriga.

— Humm — gemi, me virando levemente antes de abrir os olhos e me lembrar de uma série de fatos em câmera lenta.

Tinha o fato da lua e o fato de que eu estava dormindo ao ar livre na minha lona.

Tinha o fato de que eu havia acordado porque parecia que pequenas mãos geladas estavam me acariciando suavemente e o fato de que pequenas mãos geladas *estavam* me acariciando suavemente.

E depois tinha o último fato de todos, que era um fato mais monumental até mesmo que a lua: o fato de que aquelas pequenas mãos geladas não era mãos, mas centenas de pequenos sapos pretos gelados.

Pequenos sapos pretos gelados e pegajosos pulando em mim.

Cada um tinha o tamanho aproximado de uma batata chip. Eles eram um exército anfíbio, uma milícia úmida de pele macia, uma grande migração de palmípedes, e eu estava no caminho, conforme eles saltavam, se arrastavam, pulavam e lançavam seus corpos gorduchos minúsculos e de patas dobradas do reservatório para a cortina de sujeira que eles sem dúvida consideravam sua praia particular.

Em um minuto eu estava entre eles, saltando, me arrastando, pulando e jogando a mochila, a lona e tudo que estava nela no mato depois da praia, arrancando sapos do cabelo e das dobras de minha camiseta enquanto corria. Não pude evitar esmagar alguns embaixo de meus pés descalços. Finalmente segura, fiquei observando-os do perímetro livre de sapos, a movimentação frenética de seus pequenos corpos escuros visível no resplandecente luar. Verifiquei os bolsos do short à procura de sapos perdidos. Juntei as minhas coisas em um pequeno trecho limpo que parecia plano o suficiente para a barraca e a tirei da mochila. Não precisava ver o que estava fazendo. Minha barraca estava de pé em um estalar de dedos.

Saí dela às 8h30 da manhã seguinte. Oito e meia era tarde para mim, o equivalente a meio-dia em minha vida anterior. E esse 8h30 parecia como meio-dia em minha vida anterior também. Como se eu tivesse ficado na rua bebendo até de madrugada. Eu levantei meio tonta, olhando ao redor meio grogue. Ainda não precisava fazer xixi. Arrumei minhas coisas, bombeei mais água imunda e caminhei rumo ao norte embaixo de um sol abrasador. Estava ainda mais quente do que no dia anterior. Em uma hora eu quase pisei em outra cascavel, apesar de ela também ter me avisado educadamente com seu chocalho.

No fim da tarde qualquer pensamento de chegar ao Parque Estadual de McArthur-Burney Falls Memorial até o fim do dia foi abatido completamente pelo atraso inicial, pelos pés latejantes e cheios de bolhas e pelo calor descomunal. Em vez disso, peguei um pequeno atalho para Cassel, onde o guia prometeu que haveria um armazém. Já eram quase três horas quando cheguei lá. Tirei a mochila e sentei em uma cadeira de madeira na varanda à moda antiga da loja, quase catatônica por causa do calor. O grande termômetro na sombra marcava quase 40 graus. Contei o dinheiro, me sentindo à beira das lágrimas, sabendo que não importava o quanto tivesse, não seria suficiente para uma limonada Snapple. Minha vontade de beber uma tinha crescido tanto que nem era mais um desejo. Era mais como um membro crescendo em meu estômago. Ela custaria 99 centavos ou US$ 1,05 ou US$ 1,15, não sabia a quantia exata. Mas sabia que tinha apenas 76 centavos e que não seria suficiente. Fui até a loja de qualquer forma, só para olhar.

— Você está fazendo a PCT? — a mulher atrás do balcão perguntou.

— Sim — respondi, sorrindo para ela.

— De onde você é?

— Minnesota — mencionei enquanto me encaminhava para a bancada de portas de vidro com bebidas geladas arrumadas em filas perfeitas. Passei por latas de cerveja gelada e refrigerante, garrafas de água mineral e de suco. Parei na porta onde ficavam as prateleiras da Snapple. Encostei a mão no vidro perto das garrafas de limonada — tinha ambas, a amarela e a rosa. Elas eram como diamantes ou pornografia. Eu podia olhar, mas não podia tocar.

— Se você encerrou a caminhada do dia, é bem-vinda para acampar no terreno atrás da loja — a mulher me disse. — Deixamos os trilheiros da PCT ficarem lá.

— Obrigada, acho que vou fazer isso — disse, ainda olhando para as bebidas.

Talvez eu possa apenas segurar uma, pensei. Apenas pressioná-la contra a testa por um instante. Abri a porta e peguei uma garrafa de limonada rosa.

Ela estava tão gelada que parecia queimar minha mão.

— Quanto custa esta? — não consegui evitar a pergunta.

— Eu vi você contando suas moedas lá fora — a mulher disse, rindo.

— Quanto você tem?

Dei a ela tudo o que eu tinha enquanto agradecia profusamente e levei a Snapple para a varanda. Cada gole enviou uma sensação prazerosa inebriante dentro de mim. Segurei a garrafa com as mãos, querendo absorver toda partícula de frescor que conseguisse. Os carros paravam e as pessoas saíam para entrar na loja, depois saíam e entravam no carro para ir embora. Eu as observei durante uma hora em uma felicidade pós-Snapple mais semelhante ao entorpecimento provocado por drogas. Depois de um tempo, uma caminhonete reduziu a velocidade em frente à loja por tempo suficiente para um homem saltar da caçamba e pegar a mochila antes de acenar para que o motorista continuasse. Ele se virou para mim e viu a minha mochila.

— Oi — ele disse, com um sorriso gigante estampado no rosto vigoroso e rosado. — Está um dia infernal de quente para caminhar na PCT, você não acha?

Seu nome era Rex. Era um cara grande, ruivo, sociável e gay, de 38 anos de idade. Ele me pareceu ser o tipo de pessoa que dá um monte de abraços apertados. Entrou na loja e comprou três latas de cerveja e tomou todas sentado ao meu lado na varanda, onde conversamos até anoitecer. Morava em Phoenix e tinha um emprego em uma grande empresa que não conseguiu exatamente me explicar, mas tinha crescido em uma cidade pequena no sul do Oregon. Ele havia caminhado desde a fronteira mexicana até Mojave na primavera, saindo da trilha no mesmo lugar onde entrei e mais ou menos na mesma época também, para voltar a Phoenix durante seis semanas a fim de cuidar de algumas questões profissionais antes de retornar à trilha em Old Station, tendo elegantemente contornado toda a neve.

— Acho que você precisa de botas novas — ele disse quando lhe mostrei meus pés, ecoando a opinião de Greg e de Brent.

— Mas eu *não posso* comprar botas novas. Não tenho dinheiro — eu lhe disse, já sem vergonha de admitir isso.

— Onde você comprou essa? — perguntou Rex.

— REI.

— Ligue para eles. Eles dão uma garantia de satisfação. Vão substituí-la gratuitamente.

— Vão?

— Liga para o 0800 — ele disse.

Pensei nisso a noite toda enquanto Rex e eu acampamos juntos no terreno atrás da loja e durante o dia seguinte enquanto eu andava mais rápido do que nunca ao longo dos nada estimulantes quase 20 quilômetros até o Parque Estadual de McArthur-Burney Falls Memorial. Quando cheguei, imediatamente peguei minha caixa de suprimentos na loja concessionária e fui até o telefone público ligar para a telefonista e depois para a REI. Em cinco minutos a mulher com quem conversei concordou em me enviar um novo par de botas, um número maior, pelo correio noturno, sem cobrar por isso.

— Você tem *certeza*? — continuei a perguntar, reclamando sobre os problemas que as botas pequenas demais me causaram.

— Sim — ela disse com tranquilidade, e agora era oficial: eu adorava a REI mais do que adorava as pessoas que faziam a limonada da Snapple.

Dei a ela o endereço da loja do parque, lendo-o em minha caixa ainda não aberta. Teria pulado de alegria após desligar o telefone se meus pés estivessem bons o suficiente para fazer isso. Abri a caixa, achei meus vinte dólares e me juntei à multidão de turistas na fila, torcendo para que nenhum deles percebesse que eu fedia. Comprei uma casquinha de sorvete e me sentei em uma mesa de piquenique para comer com uma alegria muito pouca disfarçada. Rex apareceu quando eu estava lá sentada, e Trina surgiu alguns minutos depois com seu grande cachorro branco. Nós nos abraçamos e eu a apresentei a Rex. Ela e Stacy tinham chegado no dia anterior. Ela tinha decidido sair da trilha aqui e voltar para o Colorado para fazer diversas trilhas de um dia perto de sua casa pelo resto do verão, em vez de caminhar na PCT. Stacy continuaria como planejado.

— Tenho certeza de que ela ficará feliz se você for com ela — Trina acrescentou. — Ela vai sair pela manhã.

— Não posso — eu disse, e vertiginosamente expliquei que precisava esperar pelas botas novas.

— Ficamos preocupadas com você em Hat Creek Rim — ela disse. — Sem água no...

— Eu sei — eu disse, e ambas balançamos a cabeça melancolicamente.

— Venham — ela nos disse. — Vou te mostrar onde acampamos. É uma caminhada de vinte minutos, mas é longe disso tudo. — Ela apontou com um ar de desdém para os turistas, para a lanchonete e para a loja. — Além do mais, é grátis.

Meus pés chegaram a um ponto em que toda vez que eu descansava eles doíam mais na próxima vez que precisava andar, as diversas feridas reabrindo a cada novo esforço. Manquei atrás de Trina e Rex descendo um caminho pela mata que nos levou de volta à PCT, onde havia uma pequena clareira entre as árvores.

— Cheryl! — Stacy gritou, vindo me abraçar.

Conversamos sobre Hat Creek Rim, sobre o calor, a trilha, a falta d'água e o que a lanchonete tinha a oferecer para o jantar. Tirei as botas e as meias e coloquei a sandália; então montei a barraca e realizei o prazeroso ritual de desempacotar minha caixa enquanto conversávamos. Stacy e Rex ficaram amigos rapidamente e decidiram caminhar juntos o próximo trecho da trilha. Quando eu estava pronta para voltar à lanchonete e jantar, meus dedões tinham inchado e ficado tão vermelhos que pareciam duas beterrabas. Eu já não aguentava nem colocar as meias, então fui mancando de sandálias até a lanchonete, onde nos sentamos ao redor de uma mesa de piquenique com cachorros-quentes, *jalapeña recheada* e nachos com molho de queijo laranja fluorescente pingando pelos lados em barquinhos de papel. Parecia um banquete e uma celebração. Seguramos nossos copos descartáveis de refrigerante e fizemos um brinde.

— À viagem de volta para casa de Trina e Odin! — dissemos, e fizemos tim-tim com os copos.

— A Stacy e Rex fazendo a trilha! — bradamos.

— Às botas novas da Cheryl! — gritamos.

E bebi em homenagem a isso.

Quando acordei na manhã seguinte, minha barraca era a única na clareira entre as árvores. Andei até o banheiro feito para os campistas na área oficial de acampamento, tomei um banho e voltei para o acampamento, onde fiquei sentada na minha cadeira durante horas. Tomei o café da manhã e li metade de *A Summer Bird-Cage* de uma vez só. À tarde, fui até a loja próxima à lanchonete para ver se as botas estavam lá, mas a mulher que trabalhava no balcão me disse que o correio ainda não tinha chegado.

Saí desanimada, descendo de sandália por um curto caminho pavimentado até um mirante para ver as grandes cachoeiras que dão nome ao parque. Burney Falls é a cachoeira com maior volume de água do estado da Califórnia durante a maior parte do ano, uma placa explicava. Enquanto olhava para a formidável queda-d'água, me sentia quase invisível entre as pessoas com suas câmeras, mochilas engraçadas e bermudas. Sentei-me em um banco e observei um casal dar um pacote inteiro de pastilhas Breathsavers a um bando ruidoso de esquilos extremamente domesticados que corriam ao redor da placa que dizia NÃO ALIMENTE OS ANIMAIS SILVESTRES. Fiquei irritada ao vê-los fazer isso, mas minha raiva não era apenas porque estavam perpetuando o hábito dos esquilos, percebi. Era também por serem um casal. Testemunhar a maneira como eles se encostavam um no outro, entrelaçavam os dedos e empurravam um ao outro com carinho ao descer o caminho pavimentado era quase insuportável. Fiquei ao mesmo tempo enojada de ver isso e com inveja do que eles tinham. A existência deles parecia ser uma prova de que eu nunca seria bem-sucedida no amor romântico. Tinha me sentido tão forte e feliz enquanto conversava ao telefone com Paul em Old Station havia apenas uns dias, mas não sentia mais nada parecido com isso. Tudo o que estava calmo, agora ficou turbulento.

Manquei de volta para o acampamento e avaliei meus dedões torturados. Um mero arranhão neles se tornou aflitivo. Eu podia literalmente vê-los latejando — o sangue por baixo da carne pulsando em um ritmo regular deixava rosa as unhas brancas, e depois mais uma vez. Os dedos estavam tão inchados que as unhas davam a impressão de que simplesmente cairiam de uma hora para a outra. Passou pela minha cabeça que retirá-las poderia na realidade ser uma boa ideia. Segurei uma das unhas e com um puxão firme, seguido por um segundo de dor lancinante, a unha cedeu, e senti um alívio instantâneo, quase total. Um tempo depois, fiz o mesmo no outro dedo.

Percebi que era eu contra a PCT quando se tratava de unhas dos pés.

O placar estava 6 a 4, e eu mal estava me aguentando na liderança.

Ao anoitecer outros quatro trilheiros da PCT se uniram a mim no acampamento. Chegaram quando eu estava queimando as últimas páginas do

A Summer Bird-Cage em minha forma de alumínio, dois casais mais ou menos da minha idade que tinham caminhado desde o México, menos o mesmo trecho cheio de neve de Sierra Nevada que eu também pulei. Cada casal tinha começado separadamente, mas encontraram-se e juntaram forças no sul da Califórnia, caminhando e desviando da neve juntos em um encontro de namorados de semanas de duração. John e Sarah eram de Alberta, no Canadá, e estavam namorando havia menos de um ano quando começaram a PCT. Sam e Helen eram um casal do Maine. Passariam o dia seguinte aqui, mas eu seguiria em frente, disse a eles, assim que minhas botas chegassem.

Na manhã seguinte arrumei a Monstra e andei de sandálias até a loja, com as botas presas na armação da mochila. Sentei em uma das mesas de piquenique próxima, à espera do correio. Estava ansiosa para sair caminhando não tanto pela vontade de caminhar, mas porque precisava caminhar. Para chegar ao local de cada reabastecimento mais ou menos no dia em que eu tinha planejado, precisava manter uma programação. Apesar de todas as mudanças e desvios, por razões relacionadas tanto a dinheiro quanto a tempo, tinha de manter o plano de terminar a viagem por volta de meados de setembro. Fiquei sentada durante horas lendo o livro que veio na caixa — *Lolita*, de Vladimir Nabokov — enquanto esperava pela chegada das botas. As pessoas vinham em ondas, às vezes formavam pequenos círculos ao meu redor para fazer perguntas sobre a PCT quando percebiam a minha mochila. Conforme eu falava, as dúvidas que tinha sobre mim mesma na trilha se dissiparam de uma vez e esqueci completamente que era uma grande e completa idiota. Desfrutando da atenção das pessoas que me rodeavam, me sentia não apenas como uma mochileira sabe-tudo. Eu me sentia como uma rainha amazona fodona.

— Aconselho você a colocar isso em seu currículo — disse uma senhora da Flórida enfeitada com uma viseira rosa brilhante e um punhado de colares dourados. — Trabalhei em recursos humanos. Os empregadores procuram por coisas assim. Isso diz a eles que você tem personalidade. Isso a coloca à parte do resto.

O carteiro estacionou por volta das três horas. O cara da UPS veio uma hora depois. Nenhum dos dois tinha as minhas botas. Meu estômago se contraiu, então fui até o telefone público e liguei para a REI.

Eles ainda não tinham enviado as botas, o homem com quem conversei educadamente me informou. O problema era que descobriram que não podiam enviá-las para o parque estadual durante a noite, então queriam enviá-las pelo correio normal, mas como não tinham como entrar em contato comigo para dizer isso, não haviam feito nada.

— Acho que vocês não entenderam — eu disse. — Estou caminhando na PCT. Estou dormindo no mato. *Obviamente* vocês não tinham como entrar em contato comigo. E eu não posso esperar aqui por... quanto tempo vai demorar para minhas botas chegarem pelo correio normal?

— Cerca de cinco dias — ele repetiu, impassível.

— Cinco dias? — perguntei.

Eu não podia exatamente ficar zangada. Estavam me enviando um novo par de botas de graça, afinal de contas, mas ainda assim fiquei frustrada e em pânico. Além disso, para manter a programação, precisava da comida que estava na sacola para o próximo trecho da trilha, o trecho de 133 quilômetros que ia até Castle Crags. Se ficasse em Burney Falls para esperar a bota, teria que comer aquela comida porque, com pouco mais de cinco dólares sobrando, não havia dinheiro suficiente para passar os próximos dias comendo na lanchonete do parque. Fui até a mochila, peguei o guia e descobri o endereço de Castle Crags. Era impossível imaginar caminhar outros pesados 133 quilômetros com as botas pequenas, mas não tinha escolha a não ser pedir que a REI as mandasse para lá.

Quando desliguei o telefone, não me sentia mais como uma rainha amazona fodona.

Olhei para minhas botas com uma expressão de súplica, como se fosse possível chegar a um acordo. Estavam penduradas na mochila pelos cadarços vermelhos empoeirados, perversos em sua indiferença. Planejei deixá-las na caixa de doações para o trilheiro da PCT assim que as botas novas chegassem. Estendi a mão para pegá-las, mas não consegui me convencer a colocá-las. Talvez pudesse usar as frágeis sandálias durante pequenos trechos da trilha. Tinha encontrado pessoas que alternavam entre botas e sandálias durante a caminhada, mas as suas sandálias era bem mais robustas do que as minhas. Nunca tive a intenção de usar as sandálias para caminhar. Eu as trouxe apenas para descansar os pés das botas no fim do dia, imitações baratas que eu tinha comprado em uma ponta de estoque por algo como US$ 19,99. Tirei-as dos pés e as segurei em minhas mãos, como se ao examiná-las bem de perto pudesse lhes conceder a durabilidade que não possuíam. O velcro estava coberto de detritos e desfiando a partir das tiras pretas nas pontas desfiadas. As solas azuis eram flexíveis como massa de pão e tão finas que quando eu andava podia sentir o contorno das pedras e dos paus sobre os pés. Usá-las era pouco mais do que não ter sapato nenhum nos pés. E eu pretendia caminhar até Castle Crags nisso?

Talvez não devesse, pensei. Talvez *não conseguisse*. Até aqui era longe o suficiente. Podia colocar isso em meu currículo.

— Merda — eu disse. Peguei uma pedra e a atirei com o máximo de força que consegui em uma árvore próxima, e depois outra e outra.

Pensei na mulher em quem sempre pensava nesses momentos: uma astróloga que fez meu mapa astral quando eu tinha 23 anos. Uma amiga encomendou o mapa como um presente de despedida um pouco antes de eu trocar Minnesota por Nova York. A astróloga era uma mulher sensata de meia-idade chamada Pat, que me fez sentar à mesa de sua cozinha com um pedaço de papel cheio de anotações misteriosas e um gravador zumbindo baixinho entre nós. Não coloquei muita fé naquilo. Achei que seria engraçado, uma sessão de estimulação ao ego durante a qual ela diria coisas genéricas como *Você é uma pessoa generosa*.

Ela não fez isso. Ou melhor, disse essas coisas, mas também disse coisas estranhamente específicas que eram tão corretas e íntimas, tão reconfortantes e ao mesmo tempo tão angustiantes que o máximo que consegui fazer foi não chorar em reconhecimento e tristeza. "Como você pode saber disso?" Eu não parava de perguntar. E então a escutaria falar dos planetas, do sol e da lua, dos "aspectos" do momento em que nasci; do que significava ser de Virgem com lua em Leão e ascendente em Gêmeos. Eu concordava enquanto pensava: *Isso é um monte de besteira anti-intelectual da excêntrica Nova Era*, e depois ela dizia outra coisa que explodiria o meu cérebro em mil pedaços porque era muito verdadeira.

Até que ela começou a falar de meu pai.

— Ele era veterano do Vietnã? — perguntou. Não, eu disse a ela, ele não era. Ele foi militar por um curto período em meados dos anos 1960. Na realidade, ficou baseado em Colorado Springs, onde o pai de minha mãe estava, e é por isso que meus pais se conheceram, mas ele não foi ao Vietnã.

— Parece que ele era um veterano do Vietnã — ela insistiu. — Talvez não literalmente. Mas ele tem algo em comum com alguns desses homens. Ele foi profundamente ferido. Ele era problemático. O sofrimento contagiou a vida dele e isso contagiou você.

Eu não ia assentir com a cabeça. Tudo que aconteceu comigo em toda a minha vida foi misturado ao cimento que manteve a minha cabeça perfeitamente imóvel no momento em que a astróloga disse que meu pai tinha me contagiado.

— Ferido? — foi tudo o que consegui.

— Sim — disse Pat. — E você foi afetada da mesma forma. Isso é o que os pais fazem quando não curam suas feridas. Eles machucam os filhos no mesmo lugar.

— Humm — eu disse, o rosto inexpressivo.

— Posso estar errada — ela disse, olhando fixamente para o papel entre nós. — Isso não é necessariamente literal.

— Na verdade, só vi meu pai três vezes depois que fiz 6 anos — eu disse.

— A função do pai é ensinar aos filhos como ser guerreiros, é deixá-los confiantes para montar em um cavalo e para entrar em uma batalha quando for necessário fazer isso. Se você não recebe isso do pai, precisa ensinar a si mesma.

— Mas... acho que já fiz isso — bradei. — Sou forte... eu enfrento as coisas... eu...

— Não se trata de força — disse Pat. — E você pode não ser capaz de ver isso ainda, mas talvez surja um momento... isso pode levar anos... quando você vai precisar montar em seu cavalo e entrar em uma batalha, e vai hesitar. Você vai vacilar. Para curar o sofrimento que seu pai causou, você vai ter que montar nesse cavalo e entrar na batalha como uma guerreira.

Eu ri um pouco então, uma risada constrangida que parecia o coaxar de um sapo que soou mais triste do que alegre. Sei porque levei a fita com a gravação para casa e a ouvi repetidas vezes. *Para curar o machucado que seu pai causou, você vai ter que montar nesse cavalo e entrar em uma batalha como uma guerreira.* Croc croc.

Rebobinar. Repetir.

— Você gostaria de um sanduíche de punho? — meu pai costumava me perguntar quando estava zangado, segurando a mão cerrada a um centímetro de meu rosto de 3-e-4-e-5-e-6-anos-de-idade. — Você quer? Hein? Hein? Hã?

— ME RESPONDE!

Coloquei as sandálias idiotas e comecei a longa caminhada até Castle Crags.

13

CONCENTRAÇÃO DE ÁRVORES

Foi uma mulher quem primeiro imaginou a PCT. Era uma professora aposentada de Bellingham, em Washington, chamada Catherine Montgomery. Em uma conversa com o escritor e montanhista Joseph T. Hazard, sugeriu que deveria haver uma "trilha alta contornando os picos de nossas montanhas ocidentais" de fronteira a fronteira. O ano era 1926. Embora um pequeno grupo de trilheiros tenha imediatamente apoiado a ideia de Montgomery, só quando Clinton Churchill Clarke adotou a causa, seis anos depois, uma visão clara da PCT começou a se unir. Clarke trabalhava com petróleo e vivia despreocupado em Pasadena, mas era também uma pessoa ligada à vida ao ar livre. Alarmado com a cultura que gastava "tempo demais sentada em bancos macios de carros e tempo demais sentada em poltronas macias dos cinemas", Clarke fez lobby no governo federal para preservar um corredor de natureza intocada para a trilha. Sua visão foi bem além da PCT, que ele esperava ser mero segmento de uma "Trilha das Américas", bem mais longa, e que cruzaria do Alasca ao Chile. Acreditava que o contato com a natureza proporcionava "uma cura permanente e um valor civilizatório"; então passou 25 anos defendendo a PCT, embora tenha morrido em 1957, quando a trilha ainda era apenas um sonho.

Talvez a contribuição mais importante de Clarke para a trilha tenha sido o relacionamento com Warren Rogers, que tinha 24 anos quando os dois se conheceram em 1932. Rogers trabalhava para a Associação Cristã dos Moços (ACM) em Alhambra, na Califórnia, quando Clarke o convenceu a ajudá-lo a mapear a rota ao destacar equipes de voluntários da ACM para traçar mapas e em alguns casos para construir o que veio a se tornar a PCT. Apesar de inicialmente relutante, Rogers logo se tornou um apaixonado pela criação da trilha e passou o resto da vida defendendo a PCT e se esforçando para superar os obstáculos legais, financeiros e logísticos que apareciam em seu caminho. Rogers viveu para ver o Congresso designar a Pacific Crest Trail como patrimônio de beleza natural em 1968, mas morreu um ano antes de a trilha estar completa, em 1992.

Eu tinha lido no inverno anterior o capítulo sobre a história da trilha no guia, mas só agora — alguns quilômetros depois de Burney Falls, ao caminhar com minhas frágeis sandálias no calor do início da noite — é que o entendimento do que a história significava ganhou força e me atingiu em cheio no peito: mesmo de modo contraditório, quando Catherine Montgomery, Clinton Clarke, Warren Rogers e as centenas de outras pessoas criadoras da PCT pensaram em quem caminharia por aquela trilha de altitude serpenteando através dos picos de nossas montanhas ocidentais, eles imaginaram a mim. Não fazia diferença que tudo, desde as sandálias baratas às botas e mochila de alta tecnologia segundo o padrão de 1995, fosse estranho para eles, pois o que importava era basicamente atemporal. Foi isso que os incentivou a lutar pela trilha contra todas as adversidades, e foi o que me incentivou e a todos os trilheiros a seguir em frente nos dias difíceis. Não tinha nada a ver com o equipamento, o tipo de calçado, as mochilas da moda, a filosofia de qualquer época em especial ou mesmo com a saída do ponto A para o ponto B.

Tinha a ver apenas com a sensação de estar na natureza. Com o que significava caminhar quilômetros por nenhuma outra razão a não ser observar a concentração de árvores e os prados, as montanhas, os desertos e riachos, as rochas, os rios e campos, e cada amanhecer e entardecer. A experiência era potente e fundamental. A mim, parecia que a sensação do ser humano na natureza sempre tinha sido essa e enquanto a natureza existir a sensação será sempre a mesma. Isso era o que Montgomery percebia, suponho, o que Clarke e Rogers percebiam e o que milhares de pessoas que os precederam e os sucederam percebiam.

Era o que *eu* percebia antes mesmo de realmente fazer, antes de ter a chance de saber o quanto seria verdadeiramente difícil e gloriosa a PCT e o quanto a trilha me abalaria profundamente e ao mesmo tempo me acolheria.

Pensei a respeito disso enquanto caminhava durante a sexta semana na trilha sob a sombra úmida de pinheiros da espécie Ponderosa e de pinheiros-do-oregon. Meus pés podiam sentir a superfície de cascalho da trilha através do fino solado da sandália. Os músculos dos tornozelos estavam retesados sem as botas para apoiá-los, mas ao menos os dedos machucados não estavam batendo na bota a cada passo. Caminhei até chegar a uma ponte de madeira que cruzava um riacho. Incapaz de encontrar um lugar nos arredores, montei a barraca em cima da ponte, que era a própria trilha, e dormi ouvindo o delicado murmúrio da pequena queda-d'água abaixo de mim a noite inteira.

Acordei com a primeira luz do dia e caminhei de sandália por algumas horas, subindo cerca de 500 metros, e às vezes vislumbrava a montanha Burney, ao sul, quando saía da sombra da floresta de pinheiros que estava atravessando. Quando parei para almoçar, desamarrei relutantemente as botas da mochila, sentindo que não tinha outra opção a não ser calçá-las. Comecei a comprovar o que os autores do *Pacific Crest Trail, Volume 1: California* registraram na introdução, no trecho em que descreveram os quilômetros entre Burney Falls e Castle Crags. Escreveram que a trilha nesse trecho era tão malcuidada que em alguns lugares era "pouco melhor do que uma caminhada num terreno acidentado" e, apesar de ainda não ter visto isso, tal aviso não era um bom prenúncio para minha sandália. Ela já estava começando a ficar danificada, o solado soltava e estalando a cada passo, prendendo pequenos ramos e pedrinhas enquanto eu andava.

Forcei os pés a entrarem novamente nas botas e segui em frente, ignorando a dor à medida que subia e passava por duas assustadoras torres de eletricidade que fizeram sons e estalos sobrenaturais. Vi algumas vezes ao longo do dia a montanha Bald e o pico Grizzly a noroeste, montanhas verde-escuras e marrons cobertas de árvores e arbustos derrubados pelo vento de forma aleatória, mas acima de tudo caminhei em uma floresta densa, cruzei um crescente número de estradas primitivas abertas pelas profundas bondade de rodagem de tratores. Passei por antigas áreas de desmatamento que lentamente estavam voltando à vida, campos enormes de troncos, raízes e pequenas árvores verdes ainda menores do que eu, onde a trilha se tornou insustentável em alguns locais, difícil de rastrear entre os restos de árvores e galhos derrubados pelo vento. As árvores eram da mesma espécie daquelas que eu tinha visto com frequência na trilha, mas a floresta parecia diferente, desordenada e de certa forma mais sombria, apesar das esporádicas paisagens abertas.

No fim da tarde, parei para descansar em um ponto da trilha com vista para o campo ondulado verdejante. Estava em uma encosta, a montanha erguendo-se acima de mim e descendo abruptamente. Sem outro lugar para me sentar, sentei na própria trilha, como frequentemente fazia. Tirei as botas e as meias e massageei os pés enquanto olhava através das copas das árvores; minha posição na trilha era basicamente uma elevação sobre a floresta. Adorava a sensação de me sentir mais alta do que das árvores, de ver seu dossel de cima, como um pássaro faria. Essa visão diminuiu a preocupação com o estado dos meus pés e a difícil trilha à frente.

Foi nesse devaneio que estendi a mão na direção do bolso lateral da mochila. Quando abri o zíper do bolso, a Monstra tombou sobre as botas, batendo na bota esquerda de tal maneira que ela pulou no ar como se eu a tivesse arremessado. Eu a vi saltar, foi rápido como um raio e em câmera lenta ao mesmo tempo, e depois a vi cair pelo penhasco da montanha até lá embaixo, entre as árvores, sem fazer barulho. Respirei fundo, perplexa, e me inclinei para a outra bota, segurando-a junto ao peito, esperando que o momento se desfizesse, ou que alguém saísse rindo da mata, balançando a cabeça e dizendo que tudo não passava de uma piada.

Mas ninguém riu. Ninguém ousaria. O universo, aprendi, nunca brincava. Ele pegaria qualquer coisa que quisesse e nunca a devolveria. Eu realmente só tinha uma bota.

Então, me levantei e joguei a outra sobre o penhasco também. Olhei para baixo, para meus pés descalços, encarei-os por um bom tempo, depois comecei a consertar as sandálias com silver tape da melhor forma que podia, colando os solados novamente e reforçando as tiras onde ameaçavam soltar. Vesti as meias por dentro das sandálias para proteger os pés da fita e continuei, sentindo-me mal com o novo estado de coisas, mas tranquilizando-me de que ao menos tinha um novo par de botas à minha espera em Castle Crags.

Ao anoitecer, a floresta se abriu em uma ampla faixa do que só pode ser chamado de entulho natural, uma paisagem rasgada por fendas e sem árvores, a PCT fazendo seu caminho ligeiramente ao longo de suas extremidades. Diversas vezes precisei parar de andar e procurar a trilha, obstruída como estava por galhos caídos e montes de terra revirada. As árvores que restaram no limite do desmatamento pareciam estar de luto, seus refúgios desbastados recentemente expostos, seus troncos irregulares se estendendo em ângulos absurdos. Nunca tinha visto nada parecido com isso na floresta. Era como se alguém tivesse trazido uma gigantesca bola de demolição e a tivesse deixado balançando. Era esse o corredor verde que o Congresso tinha em mente quando criou a reserva? Não parecia, mas eu estava caminhando por uma floresta nacional que, apesar do nome sugestivo, significava que eu estava em um território que detentores do poder podiam usar da maneira que considerassem adequada para o bem público. Às vezes isso significava que a terra permaneceria intocada, como era a maior parte da PCT. Outras vezes isso significava que árvores antigas eram cortadas para fazer coisas como cadeiras e papel higiênico.

A visão da terra revirada e improdutiva me incomodou. Fiquei triste e zangada com isso, mas de uma maneira que incluía a complicada verdade sobre minha própria cumplicidade. Eu também usava mesas, cadeiras e papel higiênico, afinal de contas. Conforme abria caminho em meio ao entulho, sabia que tinha encerrado o dia. Escalei a borda íngreme para chegar a uma área desmatada e plana; montei a barraca entre pedaços de troncos e montes de terra revirada, me sentindo solitária como raramente me sentia na trilha. Queria conversar com alguém, e não era com qualquer um.

Queria conversar com Karen, Leif ou Eddie. Queria ter uma família novamente, estar envolvida em algo que acreditava ser imune à destruição. Junto com a saudade que eu sentia deles, agora sentia por cada um deles algo tão forte quanto o ódio. Visualizei uma grande máquina como aquela que mastigou essa floresta mastigando nossos 16 hectares de terra em Minnesota. Desejei com ardor que isso realmente acontecesse. Eu estaria livre então, pelo menos aparentemente. Como não escapamos da destruição depois que mamãe morreu, a destruição total viria agora como um alívio. A perda da família e da casa eram meu desmatamento particular. O que restou era apenas a prova terrível de uma coisa que já não existia.

Tinha estado em casa pela última vez uma semana antes da caminhada na PCT. Fui para o norte de carro me despedir de Eddie e visitar o túmulo da minha mãe, sabendo que não voltaria a Minnesota depois de terminar a trilha. Fiz meu último turno como garçonete no restaurante em Mineápolis e dirigi três horas para o norte, chegando à uma da madrugada. Planejei estacionar na entrada da garagem e dormir no banco de trás da caminhonete para não perturbar ninguém, mas, quando cheguei, tinha uma festa acontecendo. A casa estava acesa e havia uma fogueira no jardim; havia barracas espalhadas por todo o terreno e música alta estrondava nos alto-falantes colocados na grama. Era o sábado do fim de semana do Memorial Day. Saí da caminhonete e caminhei em meio à multidão, a maioria desconhecida. Fiquei abalada, mas não surpresa, nem com o estilo barulhento da festa nem com o fato de que não tinha sido convidada. Era apenas outra prova de como as coisas estavam profundamente mudadas.

— Cheryl! — Leif gritou quando entrei na garagem cheia de gente. Abri caminho em direção a ele e nos abraçamos. — Estou viajando de cogumelo — ele me disse animado, apertando meu braço com força demais.

— Onde está Eddie? — perguntei.

— Não sei, mas tenho uma coisa pra te mostrar — ele disse, me puxando. — Com certeza vai te irritar.

Eu o segui pelo jardim, subi as escadas da frente da casa e entrei até ficar em frente à mesa da cozinha. Era a mesma que tínhamos nos apartamentos de Tree Loft quando éramos crianças, aquela que nossa mãe comprou por dez dólares, aquela onde comemos na noite que conhecemos Eddie, quando achamos que éramos chineses porque sentávamos no chão. Ela tinha a altura de uma mesa normal agora. Depois que nos mudamos de Tree Loft para a casa normal com Eddie, ele cortou as pernas pequenas e pregou um tambor embaixo e comemos nela durante todos esses anos sentados em cadeiras. A mesa nunca foi bonita e ficou menos ainda com o passar dos anos, rachando em lugares que Eddie consertava com massa para madeira, mas ela tinha sido nossa.

Ou pelo menos tinha sido até aquela noite na semana anterior à minha partida para a PCT.

Agora a superfície da mesa estava lotada de palavras e frases gravadas recentemente, nomes e iniciais de pessoas conectadas por sinais de mais ou margeadas com corações, obviamente feitos por aqueles que estavam na festa. Enquanto olhávamos, um adolescente que eu não conhecia entalhava na superfície da mesa com um canivete suíço.

— Pare com isso — ordenei, e ele me olhou assustado. — Essa mesa é... — Não consegui terminar o que queria dizer. Apenas me virei e bati a porta. Leif veio atrás de mim enquanto passávamos pelas tendas e pelos fogos de artifício, pelo galinheiro que estava agora sem galinhas e do outro lado do pasto dos cavalos, onde não viviam mais cavalos, descendo por uma trilha que entrava na mata até o gazebo que existia lá atrás, onde nos sentamos e eu chorei, meu irmão em silêncio meu lado. Estava aborrecida com Eddie, mas acima de tudo estava triste comigo mesma. Acendi velas e fiz declarações em meu diário. Cheguei a conclusões saudáveis sobre aceitação e gratidão, sobre destino, perdão e riqueza. Em um lugar pequeno e impetuoso dentro de mim, tinha deixado minha mãe e meu pai partirem, e por fim deixei Eddie ir também. Mas a mesa era outra coisa. Não tinha me ocorrido que precisava me desapegar dela também.

— Estou tão feliz por estar indo embora de Minnesota — disse, sentindo as palavras amargas na boca. — Tão feliz.

— Eu não estou — disse Leif. Ele colocou a mão em meu cabelo na altura da nuca e depois a tirou.

— Não estou dizendo que estou feliz por deixar *você* — falei, enxugando o rosto e o nariz com as mãos. — Mas eu quase não te vejo, de qualquer forma. — Isso era verdade, por mais que ele alegasse que eu era a pessoa mais importante em sua vida, sua "segunda mãe", como às vezes ele me chamava, eu o via apenas eventualmente. Ele era vago e arredio, irresponsável e quase impossível de localizar. Seu telefone estava frequentemente desligado. Sua moradia era sempre temporária.

— Você pode me visitar — falei.

— Visitar você onde? — ele perguntou.

— Onde quer que eu decida morar no outono. Depois que eu terminar a PCT.

Pensei a respeito de onde moraria. Não conseguia imaginar onde seria. Podia ser em qualquer lugar. A única coisa que sabia era que não estaria aqui. *Não neste estado! Não neste estado!*, mamãe tinha insistido, transtornada, nos dias anteriores à sua morte, quando eu insisti para me dizer onde ela gostaria que espalhássemos suas cinzas. Nunca consegui arrancar dela o que ela quis dizer com isso, se estava se referindo ao estado de Minnesota ou ao estado em que estava, enfraquecida e confusa.

— Talvez no Oregon — disse a Leif, e ficamos quietos por um tempo.

— O gazebo é legal no escuro — ele sussurrou alguns minutos depois, e ambos olhamos ao redor, à luz sombreada da noite. Paul e eu nos casamos nele. Nós o construímos juntos para o casamento havia quase sete anos, com a ajuda de Eddie e de mamãe. Era o humilde castelo de nosso ingênuo e malfadado amor. O telhado era de folha de zinco e as laterais, de madeira sem acabamento que soltava farpas se você a tocasse. O piso era de terra batida com placas de pedras que arrastamos pela mata no carrinho de mão que a família tinha havia anos. Depois que me casei com Paul no gazebo, ele se tornou o lugar em nossa mata para onde as pessoas iam quando caminhavam e se juntavam quando se reuniam. Eddie pendurou uma grande rede ocupando toda a sua extensão, um presente que deu a mamãe havia alguns anos.

— Vamos deitar nessa coisa — Leif disse, apontando para a rede. Nós subimos e eu nos balancei suavemente, tomando impulso com um pé na mesma pedra em que fiquei parada quando me casei com Paul.

— Agora sou divorciada — disse, sem demonstrar emoção.

— Achei que vocês tinham se divorciado antes.

— Bem, agora é oficial. Tivemos que enviar a papelada para que o Estado pudesse processá-la. Só recebi os documentos definitivos com o selo do juiz na semana passada.

Ele balançou a cabeça e nada comentou. Parecia que pouco lamentava por mim e pelo divórcio que eu mesma provoquei. Ele, Eddie e Karen gostavam de Paul. Não consegui fazer com que entendessem por que eu tinha que destruir as coisas. *Mas vocês pareciam tão felizes*, era tudo o que conseguiram dizer. E isso era verdade: passávamos essa impressão. Da mesma forma que eu parecia estar bem depois que minha mãe morreu. O sofrimento não tem um rosto.

Conforme Leif e eu nos balançávamos na rede, captamos relances das luzes da casa e da fogueira através das árvores. Podíamos ouvir as vozes indistintas das pessoas à medida que a festa desanimava e acabava. O túmulo de nossa mãe ficava ali perto, atrás de nós, talvez a apenas trinta passos adiante na trilha que continuava depois do gazebo e chegava a uma pequena clareira onde construímos um canteiro de flores, enterramos suas cinzas e instalamos uma lápide. Eu a sentia conosco e sentia que Leif a sentia também, embora não dissesse uma palavra sobre isso por temer que as palavras fizessem a sensação desaparecer. Dormi sem perceber e acordei quando o sol começou a raiar no céu, virando-me para Leif sobressaltada e esquecendo por um instante onde estava.

— Caí no sono — falei.

— Eu sei — ele respondeu. — Fiquei acordado o tempo todo. Os cogumelos.

Eu me sentei na rede e me virei para olhá-lo.

— Eu me preocupo com você — disse. — Com as drogas, você sabe.

— Olha quem fala.

— Aquilo foi diferente. Foi só uma fase e você sabe disso — repliquei, tentando evitar que minha voz soasse defensiva. Havia uma série de razões pelas quais me arrependia de ter me envolvido com heroína, mas perder a credibilidade com meu irmão era a coisa que eu mais lamentava.

— Vamos dar uma volta — ele disse.

— Que horas são? — perguntei.

— Quem se importa?

Eu o segui ao longo da trilha, depois das barracas silenciosas e dos carros na entrada da garagem até a estrada de cascalho que passava pela nossa casa. A luz estava suave e tingida com o mais claro tom de rosa, tão lindo que meu cansaço era irrelevante. Sem combinar, andamos até a casa abandonada que ficava a uma curta distância, pegando a estrada depois de nossa garagem, onde costumávamos ir quando crianças, entediadas com os longos dias de verão antes de ter idade suficiente para dirigir. A casa estava vazia e desmoronando na época. Agora, se encontrava ainda mais destruída.

— Acho que o nome dela era Violet, a mulher que morava aqui — eu disse quando subimos na varanda, recordando a lenda sobre a casa que ouvimos dos velhos finlandeses anos antes. A porta da frente nunca tinha sido trancada, e assim continuava. Nós a abrimos e entramos, evitando pisar nos lugares em que faltavam tábuas no piso. Os mesmos itens que estavam espalhados pela casa havia 12 anos ainda se encontravam lá, curiosamente, só que agora estavam ainda mais decrépitos. Peguei uma revista amarelada e vi que tinha sido publicada pelo Partido Comunista de Minnesota e datava de outubro de 1920. Uma xícara de chá lascada com pintura de rosas estava caída de lado, e me abaixei para endireitá-la. A casa era tão pequena que bastava dar alguns passos para ter tudo à vista. Fui até os fundos e me aproximei de uma porta de madeira que pendia diagonalmente de uma dobradiça, um painel de vidro transparente na metade de cima.

— Não toque nisso — sussurrou Leif. — Má sorte se ele quebrar.

Contornamos cuidadosamente a porta e entramos na cozinha. Tinha fendas e buracos e uma mancha preta enorme onde ficava o fogão. No canto havia uma pequena mesa de madeira sem uma perna.

— Você gravaria seu nome nela? — perguntei, apontando para a mesa, minha voz subitamente vibrando de emoção.

— Não — disse Leif, segurando meus ombros para me dar uma sacudida firme. — Esqueça isso, Cheryl. Isso é real. E a realidade é o que temos que aceitar, gostando ou não.

Concordei e ele me soltou. Ficamos um ao lado do outro olhando para o jardim através da janela. Tinha uma cabana arruinada que costumava ser uma sauna e uma calha que agora estava coberta de mato e musgo. Além disso, um amplo campo pantanoso deu lugar a um bosque de bétulas no fundo, e mais à frente havia um brejo, que sabíamos estar lá, mas não podíamos ver.

— Claro que eu não gravaria meu nome nessa mesa, nem você — disse Leif depois de um tempo, voltando-se para mim. — Você sabe por quê? — perguntou.

Balancei a cabeça, embora soubesse a resposta.

— Porque fomos criados por mamãe.

* * *

Eu me afastei do lugar onde acampei na área desmatada assim que amanheceu e não vi ninguém a manhã inteira. Ao meio-dia eu não via nem a PCT. Eu a perdi em meio às árvores derrubadas pelo vento e às estradas temporárias que iam, vinham e acabavam obstruindo a trilha. E não estava muito assustada no início, achando que a estrada que eu seguia serpentearia de volta a outro lugar que interceptaria a trilha, mas isso não aconteceu. Peguei o mapa e a bússola e vi minha posição. O que achei que era a minha posição, pois minhas habilidades de orientação ainda eram pouco confiáveis. Segui outra estrada, mas ela apenas levou a outra e a outra até que não conseguia mais lembrar em qual delas tinha estado antes.

Parei para almoçar no meio do calor da tarde, mas minha fome monumental estava levemente diminuída pela constrangedora percepção de que não sabia onde estava. Silenciosamente me recriminei por ser tão descuidada e seguir em frente mesmo contrariada em vez de parar para analisar a rota, mas não havia nada que pudesse fazer agora. Tirei a camiseta do Bob Marley e a pendurei em um galho para secar, tirei outra camiseta da mochila e a vesti. Desde que Paco me deu a camiseta do Bob Marley, eu levava duas e as trocava durante o dia da mesma forma que fazia com as meias, embora soubesse que tal prática era um luxo que só acrescentava mais peso à mochila.

Estudei o mapa e segui adiante, descendo uma estrada de terra improvisada e depois outra, sentindo uma ponta de esperança toda vez que reencontrava no rumo certo. Mas no início da noite a estrada em que eu estava acabou em uma pilha assustadora de terra, raízes e galhos mais alta do que uma casa. Escalei a pilha para ter uma visão melhor e vi outra estrada depois de uma antiga faixa de desmatamento. Fui nessa direção até que uma de minhas sandálias caiu, e tanto a fita adesiva quanto a tira que cruzava o peito do meu pé descolaram do resto da sandália.

— AHHHH! — gritei e olhei ao redor, sentindo a estranha quietude das árvores a distância. Eram como uma presença, como pessoas protetoras que me tirariam dessa enrascada, apesar de não terem feito nada além de silenciosamente assistir.

Sentei no chão entre o mato e as mudas da altura dos meus joelhos e fiz um conserto mais do que completo nas sandálias. Construí um par de botas cinza metálicas enrolando a silver tape em volta das meias e dos restos da estrutura das sandálias, como se estivesse fazendo um molde para meus pés quebrados. Tive o cuidado de enrolar apertando o suficiente para que as botas não caíssem enquanto caminhava, mas largas o suficiente para que pudesse tirá-las no fim do dia sem destruí-las. Tinham que durar todo o caminho até Castle Crags.

E agora eu não tinha a menor ideia de quão distante isso poderia estar ou como fazer para chegar lá.

Calçada com as botas de silver tape, continuei atravessando a área desmatada até a estrada e olhei ao redor. Não tinha mais certeza sobre qual direção deveria seguir. A única visão que tinha era aquela que o desmatamento e a estrada me permitiam. A floresta de abetos era densa, cheia de galhos caídos, e o dia tinha me ensinado que as estradas de terra não passavam de linhas em um labirinto inexplicável. Seguiam para oeste, depois para noroeste e mais à frente desviavam para o sul durante um trecho. Para complicar as coisas, o trecho da PCT entre Burney Falls e Castle Crags não ia tão para o norte, mas fazia uma curva grande na direção oeste. Parecia improvável que eu pudesse até mesmo fingir que ainda estivesse seguindo o trajeto da trilha. Meu único objetivo agora era descobrir como sair de sabe-se lá onde eu estava. Sabia que se fosse para o norte em algum momento encontraria a Highway 89. Caminhei pela estrada até quase anoitecer e encontrei um trecho razoavelmente plano junto à floresta para montar a barraca.

Estava perdida, mas não estava com medo, disse a mim mesma enquanto preparava o jantar. Tinha água e comida de sobra. Tudo o que precisava para sobreviver por uma semana ou mais estava na mochila. Se continuasse andando, chegaria à civilização em algum momento. Mesmo assim, quando me agachei para entrar na barraca, estremeci de gratidão pelo conhecido abrigo de náilon verde com paredes de tela que se tornou o meu lar. Girei os pés e tirei cuidadosamente as botas de fita e as deixei no canto. Verifiquei os mapas pela centésima vez naquele dia, sentindo-me frustrada e insegura. No fim, simplesmente desisti e devorei cem páginas de *Lolita*, mergulhando em sua terrível e hilariante realidade de modo que aos poucos esqueci a minha.

Pela manhã percebi que não estava com a camiseta do Bob Marley. Eu a tinha deixado em um galho para secar no dia anterior. Perder as botas foi ruim, mas perder a camiseta do Bob Marley foi ainda pior. Aquela camiseta não era apenas uma velha camiseta. Era, pelo menos segundo Paco, uma camiseta sagrada que significava que eu andava com os espíritos dos animais, da terra e do céu. Não sabia se acreditava naquilo, mas a camiseta se tornou um emblema de algo que eu não conseguia exatamente nomear.

Reforcei as botas de silver tape com outra camada de fita e andei durante todo o úmido dia. Na noite anterior, fiz um plano: seguiria essa estrada aonde quer que ela me levasse. Ignoraria todas as outras que cruzassem meu caminho, não importava o quanto parecessem ser curiosas ou promissoras. Tinha finalmente me convencido de que se não fizesse isso eu andaria por um labirinto infindável. Já no fim da tarde, percebi que a estrada estava me levando a algum lugar. Ela ficou mais larga e menos acidentada e a floresta se abriu à frente. Finalmente, fiz uma curva e vi um trator não tripulado. Mais adiante, havia uma estrada pavimentada com duas pistas. Eu a atravessei, virei à esquerda e caminhei ao longo do acostamento. Estava na Highway 89, pude apenas supor. Peguei os mapas e tracei uma rota para pegar uma carona de volta à PCT, depois passei a me dedicar a conseguir uma carona, sentindo-me constrangida pelas botas cinza metálicas feitas de adesivo. Os carros passavam em grupos de dois ou três com longos intervalos entre eles. Fiquei de pé na autoestrada por meia hora com o polegar para cima, sentindo uma ansiedade crescente. Por fim um homem dirigindo uma caminhonete parou na lateral. Fui até a porta do carona e a abri.

— Você pode colocar a mochila na caçamba — ele disse. Era um homem grande como um touro, em seus 40 e muitos anos, imaginei.

— Essa é a Highway 89? — perguntei.

Ele me olhou, perplexo.

— Você não sabe nem em que estrada está?

Fiz que não com a cabeça.

— O que em nome do Senhor você tem nos pés? — ele perguntou.

Quase uma hora depois, ele me deixou em um lugar onde a PCT cruzava uma estrada de cascalho na floresta, nada muito diferente daquela que eu tinha seguido quando me perdi no dia anterior. No dia seguinte, caminhei em uma velocidade recorde para mim, estimulada pelo desejo de chegar a Castle Crags no fim do dia. Segundo o guia, não estaria chegando exatamente a uma cidade. A trilha dava em um parque estadual que fazia fronteira com uma loja de conveniência e uma agência do correio, mas isso era suficiente para mim. O correio teria as botas e a caixa de suprimentos. A loja de conveniência tinha um pequeno restaurante onde eu poderia realizar pelo menos algumas das fantasias com comidas e bebidas assim que pegasse a nota de vinte dólares na caixa. E o parque estadual oferecia uma área de acampamento gratuita para trilheiros da PCT, onde eu poderia tomar um banho quente.

Quando cheguei me arrastando a Castle Crags, já eram três horas e eu estava quase descalça, com as botas se desintegrando. Entrei mancando na agência do correio com tiras de fitas cheias de terra golpeando minhas pernas e perguntei pela minha correspondência.

— Deve haver duas caixas para mim — acrescentei, sentindo-me desesperada por conta do pacote da REI.

Enquanto aguardava a funcionária voltar do depósito, lembrei que poderia ter alguma coisa a mais além das botas e da caixa de suprimento: cartas. Eu tinha enviado avisos para todas as paradas que perdi quando fiz o desvio, instruindo para que mandassem minha correspondência para cá.

— Aqui está — disse a funcionária, colocando a pesada caixa de suprimentos no balcão.

— Mas deve haver... tem alguma coisa da REI? Seria...

— Uma coisa por vez — ela disse enquanto voltava para a sala de trás.

Quando saí da agência do correio, estava quase gritando de alegria e alívio. Junto com a impecável caixa de papelão que trazia as minhas botas — *minhas botas!* —, eu segurava nove cartas endereçadas às paradas ao longo do caminho que não fui, e escritas com letras que eu conhecia. Sentei no concreto perto da pequena construção, embaralhando rapidamente os envelopes, ainda perplexa demais para abrir qualquer um. Um era de Paul. Outro era de Joe. Outro de Karen. O restante era de amigos espalhados pelo país. Coloquei-os de lado e abri a caixa da REI com o canivete. Dentro, cuidadosamente embrulhada em papel, estavam as botas de couro marrom.

Botas do mesmo modelo daquelas que tinham voado pela encosta da montanha, só que novas e em um tamanho maior.

— Cheryl! — uma mulher me chamou, e olhei para cima.

Era Sarah, um das mulheres dos casais que conheci em Burney Falls, de pé, mas sem a mochila.

— O que você está fazendo aqui? — ela perguntou.

— O que *você* está fazendo aqui? — repliquei. Achava que ela ainda estaria atrás de mim na trilha.

— Nós nos perdemos. Acabamos saindo na autoestrada, onde pegamos uma carona.

— Eu me perdi também! — disse com agradável surpresa, contente por não ser a única que conseguiu se perder na trilha.

— Todo mundo se perdeu — ela disse. — Vem comigo. — Ela gesticulou para a entrada do restaurante no final do prédio. — Está todo mundo lá dentro.

— Já vou entrar — falei. Depois que ela entrou, tirei as botas novas da caixa, descasquei as botas de fita pela última vez e as joguei na lixeira mais próxima. Abri a caixa de suprimentos e peguei um par de meias limpas e que nunca tinham sido usadas, coloquei-as em meus pés imundos e então amarrei as botas. Estavam impecavelmente limpas. Pareciam ser quase uma obra de arte de tão impecáveis enquanto eu andava lentamente pelo estacionamento. A satisfação do solado novo em folha; a glória dos dedos não marcados. Ela parecia dura, mas espaçosa; como se fosse dar certo, apesar da preocupação com o fato de que a estrearia na trilha. Não podia fazer nada a não ser torcer pelo melhor.

— Cheryl! — Rex bramou quando entrei no restaurante. Stacy estava sentada ao lado dele, bem como Sam, Helen, John e Sarah, os seis praticamente enchendo o pequeno restaurante.

— Bem-vinda ao paraíso — disse John com uma garrafa de cerveja na mão.

Comemos cheeseburgers com batatas fritas e depois passamos pela loja de conveniência num êxtase pós-refeição, enchendo os braços de pacotes de batatas fritas e biscoitos, cerveja e garrafas grandes de vinho tinto barato, juntando nosso dinheiro para pagar por tudo. Nós sete caminhamos vertiginosamente colina acima até a área de acampamento do parque estadual onde montamos nossas barracas, de modo a formar um círculo na área disponível para acampar, e passamos a noite ao redor da mesa de piquenique, rindo e contando uma história atrás da outra à medida que a luz caía. Enquanto conversávamos, dois ursos-negros — que de fato pareciam negros — saíram das árvores que rodeavam nossas barracas, apenas levemente amedrontados quando gritamos para irem embora.

Ao longo da noite, enchi várias vezes o pequeno copo de papel que peguei na loja de conveniência, bebendo o vinho como se fosse água até que passasse a ter sabor de água para mim. Nem parecia que eu tinha caminhado 27 quilômetros no calor de 35 graus naquele dia, com uma mochila nas costas e fita em volta dos pés. Parecia que eu tinha flutuado para lá em vez disso. A mesa de piquenique era o melhor lugar em que já estive ou que estaria. Não percebi que estava bêbada até que todo mundo decidiu ir se deitar e me levantei, ficando espantada ao perceber que a arte de ficar de pé tinha mudado. Em um instante estava de quatro, apoiada nas mãos e nos joelhos, vomitando desgraçadamente na terra no meio de nosso acampamento. Apesar da vida absurda que levei nos anos anteriores, nunca tinha passado mal com álcool antes. Quando acabei, Stacy colocou uma garrafa de água ao meu lado, murmurando que eu precisava beber. Meu verdadeiro eu que estava dentro do borrão que me tornei percebeu que ela tinha razão, que não apenas estava bêbada como também profundamente desidratada. Não tinha tomado um gole de água desde que entrei na trilha quente aquela tarde. Eu me obriguei a sentar e a beber.

Quando dei um gole, imediatamente vomitei mais uma vez.

Pela manhã, me levantei antes dos outros e fiz o que pude para varrer para longe o vômito com o galho de uma árvore. Fui ao banheiro, tirei a roupa suja e fiquei embaixo do jato de água quente na cabine de concreto me sentindo como alguém que tinha levado uma surra na noite anterior. Não tinha tempo para ficar de ressaca. Pretendia voltar à trilha no meio do dia. Eu me vesti, voltei ao acampamento e sentei à mesa para beber a maior quantidade de água possível e ler todas as nove cartas enquanto os outros dormiam. Paul estava filosófico e amoroso sobre nosso divórcio. Joe estava romântico e arrebatado, mas não dizia nada sobre estar em reabilitação. Karen foi breve e rotineira, me atualizando sobre a vida dela. As cartas dos amigos eram uma torrente de amor e fofocas, novidades e histórias engraçadas. Quando terminei de ler, os outros estavam saindo das barracas, mancando para começar o dia, do jeito que eu fazia a cada manhã, até que as articulações aquecessem. Fiquei aliviada por todos parecerem pelo menos meio de ressaca como eu. Todo mundo sorriu um para o outro, indisposto e achando graça. Helen, Sam e Sarah foram tomar banho, Rex e Stacy foram mais uma vez à loja.

— Eles têm *cinnamon rolls* — disse Rex, tentando me atrair para acompanhá-los enquanto andavam, mas eu recusei, e não apenas porque a ideia de comer fez meu estômago revirar.

Entre o cheeseburger, o vinho e os petiscos que tinha comprado na tarde anterior, já estava novamente com menos de cinco dólares.

Quando eles saíram, peguei a caixa de suprimentos e organizei a comida em uma pilha para arrumar na Monstra. Vou levar uma carga pesada de comida no próximo trecho, um dos mais longos da PCT: 250 quilômetros até Seiad Valley.

— Você e Sarah precisam de alguma refeição? — perguntei a John, que estava sentado à mesa, nós dois sozinhos no acampamento por pouco tempo. — Eu tenho mais disso. — Eu segurava um pacote de uma coisa chamada Fiesta Noodles, uma comida que eu tinha suportado bem nos primeiros dias, mas pela qual sentia repugnância agora.

— Não. Obrigado — ele disse.

Tirei o *Dublinenses*, de James Joyce, e o aproximei do nariz, a capa verde e surrada. Ele tinha um agradável cheiro de mofo, exatamente como o sebo em Mineápolis onde o comprei alguns meses antes. Eu o abri e vi que o exemplar tinha sido publicado décadas antes de eu nascer.

— O que é isso? — John perguntou, pegando o cartão-postal que eu tinha comprado na loja de conveniência na tarde anterior.

Era a fotografia de uma motosserra esculpindo um Pé-Grande, as palavras *Terra do Pé-Grande* adornando o alto do cartão.

— Você acredita que eles existem? — ele perguntou, devolvendo o cartão.

— Não. Mas as pessoas que acreditam alegam que essa é a capital do Pé-Grande no mundo.

— As pessoas falam muitas coisas — ele retrucou.

— Bem, se estiverem em algum lugar, imagino que seja aqui — disse e olhei ao redor. Além das árvores que nos cercavam ficavam as rochas cinza ancestrais chamadas de Castle Crags, seus cumes recortados erguendo-se como catedrais acima de nós. Logo passaríamos por elas na trilha, quando caminhássemos pela faixa de granito de um quilômetro e meio de comprimento e de rochas ultramáficas que o guia descrevia como "de origem ígnea e intrusiva por natureza", seja lá o que isso significava. Nunca tinha sido muito interessada em geologia, mas não precisava saber o significado de *ultramáfica* para ver que estava entrando em um território diferente. Minha transição para a cordilheira das Cascatas foi como a que tinha experimentado atravessando a Sierra Nevada: tinha caminhado durante dias em cada uma antes de sentir que estava realmente nelas.

— Só falta uma parada — disse John, como se pudesse ler meus pensamentos.

— Acabamos de passar por Seiad Valley e então entraremos no Oregon. Estamos a apenas cerca de 320 quilômetros da fronteira.

Confirmei com a cabeça e sorri. Não achava que *apenas* e *320 quilômetros* pudessem pertecer à mesma frase. Não me permiti pensar muito além da próxima parada.

— Oregon! — ele exclamou, e a alegria em sua voz quase me seduziu, quase fez com que aqueles 320 quilômetros parecessem um pulo, mas sabia que não era bem assim. Não houve uma semana na trilha que não tivesse sido uma provação para mim.

— Oregon — cedi, minha expressão ficando séria. — Mas primeiro a Califórnia.

14

LIVRE

Às vezes parecia que a Pacific Crest Trail era uma montanha longa que eu estava subindo. Que no final de minha jornada no rio Columbia eu chegaria ao pico da trilha em vez de em seu ponto mais baixo. Essa sensação de subir não era apenas metafórica. A sensação era como se eu estivesse quase sempre, intoleravelmente, subindo. Às vezes quase chorava com o ritmo implacável, meus músculos e pulmões queimando com o esforço. Foi só quando achei que já não aguentava mais subir que a trilha nivelou e desceu.

Como foi maravilhoso descer naqueles primeiros minutos! Descia, descia, descia, até que se tornou impossível, punitivo e tão cruel que eu rezei para a trilha voltar a subir. Descer, percebi, era como segurar o fio solto de um suéter que você acabou de passar horas tricotando e puxá-lo até que o suéter se transforme em uma pilha de fios. Caminhar na PCT era o esforço enlouquecedor de tricotar aquele suéter e desfiá-lo, e mais uma vez, e mais uma vez. Como se tudo o que foi conquistado estivesse inevitavelmente perdido.

Quando saí de Castle Crags às duas horas, uma hora depois de Stacy e Rex e algumas horas à frente dos casais, estava usando botas satisfatoriamente maiores do que as anteriores. "*Eu sou* o Pé-Grande!", brinquei quando me despedi dos casais. Subi cada vez mais ao longo do dia abrasador, sentindo-me entusiasmada por estar na trilha, com os últimos sinais de ressaca logo sendo expelidos pela transpiração. Subi cada vez mais, a tarde inteira e o dia seguinte, embora meu entusiasmo com as novas botas tenha logo desaparecido, sendo substituído pela desanimadora compreensão de que, em termos de conforto, as coisas não seriam nada diferentes. As botas novas tinham apenas mastigado meus pés, de novo. Eu estava atravessando um lindo território ao qual passei a não prestar muita atenção, meu corpo finalmente preparado para a tarefa de caminhar longas distâncias, mas por conta dos problemas nos pés, entrei no mais terrível desespero. Lembrei que fiz esse pedido para a estrela quando estava com Brent em Belden Town. Parecia que eu tinha mesmo me amaldiçoado ao dizer isso em voz alta. Talvez meus pés nunca ficariam bons.

Perdida em uma espiral de pensamentos amargos no segundo dia depois de Castle Crags, quase pisei em duas cascavéis que estavam enrodilhadas na trilha a alguns quilômetros uma da outra. As cobras me fizeram correr de volta para onde eu estava, me avisando no último minuto. Repreendida, tentei correr delas. Segui em frente, imaginando coisas inimagináveis, como meus pés não estarem realmente presos a mim, digamos, ou que a sensação que eu estava tendo não era dor, mas simplesmente uma *sensação*.

Sentindo calor, irritada, cansada de mim mesma, parei para almoçar à sombra de uma árvore, estendi a lona e deitei. Acampei com Rex e Stacy na noite anterior e planejava encontrá-los novamente essa noite — os casais ainda estavam em algum ponto atrás de nós —, mas passei o dia caminhando sozinha sem ver ninguém. Observei as aves de rapina planando bem acima dos picos rochosos, de vez em quando uma nuvem branca e rala viajando lentamente pelo céu, até que adormeci sem perceber. Acordei meia hora depois ofegante e assustada, assombrada pelo sonho, o mesmo sonho que tive na noite anterior. Nele, o Pé-Grande tinha me raptado. Ele fez isso de uma forma bastante particular, aproximando-se para me arrastar pela mão para as profundezas da floresta, onde outros Pés-Grandes moravam em um vilarejo. No sonho, eu estava ao mesmo tempo atônita e assustada ao vê-los. "Como vocês se esconderam dos humanos por tanto tempo?", perguntei ao Pé-Grande que me sequestrou, mas ele apenas grunhiu. Conforme eu o olhava, percebi que não era o Pé-Grande, mas um homem usando uma máscara e um macacão peludo. Podia ver sua pálida pele humana por baixo da borda da máscara, o que me aterrorizou.

Tentei esquecer o sonho quando acordei naquela manhã, culpando o cartão-postal que comprei em Castle Crags por ele, mas agora que sonhei pela segunda vez ele parecia ter mais peso, como se não fosse realmente um sonho, mas um mau pressentimento — de quê eu não sabia. Levantei-me, prendi a Monstra novamente e examinei os penhascos alinhados, os picos rochosos e as grandes escarpas cinza e ferrugem que me cercavam de perto e de longe entre os trechos de árvores verdes, sentindo um desconforto. Quando encontrei Stacy e Rex naquela noite, fiquei mais do que aliviada em vê-los. Eu me senti apreensiva por horas, hesitante em relação a pequenos ruídos que vinham dos arbustos e irritada pelos longos silêncios.

— Como estão os seus pés? — perguntou Stacy enquanto eu montava a barraca perto da dela.

Como resposta, sentei no chão e tirei as botas e as meias para lhe mostrar.

— Merda — ela sussurrou. — Isso parece doer.

— Então, adivinhem o que ouvi ontem de manhã na loja — disse Rex. Ele estava mexendo uma panela de alguma coisa sobre a chama do fogareiro, o rosto ainda rosado por causa do esforço do dia. — Aparentemente está acontecendo uma coisa chamada Encontro do Arco-íris lá em cima no lago Toad.

— Lago Toad? — perguntei, subitamente lembrando da mulher que encontrei no banheiro na estação de ônibus em Reno. Ela estava indo para lá.

— Sim — disse Rex. — Fica a apenas 800 metros da trilha, a cerca de 15 quilômetros daqui. Acho que a gente devia ir lá.

Eu aplaudi alegremente.

— O que é Encontro do Arco-íris? — perguntou Stacy.

Expliquei a eles o que era enquanto jantávamos, pois eu tinha ido há uns dois anos. O Encontro do Arco-íris é organizado pela Tribo do Arco-íris, uma tribo independente que se autointitula como de livres-pensadores e compartilha o objetivo comum de paz e amor na terra. Todo verão eles montam um acampamento em território de floresta nacional, atraindo milhares de pessoas para uma celebração que culmina na semana do Quatro de Julho, mas ferve o verão inteiro.

— Tem improvisos de tambores, fogueiras e festas — expliquei a Rex e Stacy. — Mas o melhor de tudo são as incríveis cozinhas ao ar livre onde as pessoas vão e preparam todo tipo de pão, cozinham vegetais e fazem ensopados e arroz. Todo tipo de coisa e qualquer um pode simplesmente chegar e comer.

— Qualquer um? — perguntou Rex com a voz aflita.

— É — eu disse. — Você precisa apenas levar a própria caneca e colher.

Enquanto conversávamos, decidi que ficaria no Encontro do Arco-íris por alguns dias, minha programação de caminhada que se danasse. Precisava deixar meus pés se curarem, colocar a cabeça novamente na trilha e afastar esse sentimento fantasmagórico que tinha florescido dentro de mim de que poderia ser abduzida por um mítico monstro bípede humanoide.

E, possivelmente, apenas talvez, eu pudesse ir para a cama com um hippie gostosão.

Mais tarde, na barraca, vasculhei a mochila e encontrei a camisinha que carreguei todo esse tempo, a única que resgatei em Kennedy Meadows quando Albert expurgou o resto da minha mochila. Ainda estava intacta na pequena embalagem branca. Parecia ter chegado o momento de colocá-la em uso. Nas seis semanas em que estava na trilha, não tinha nem mesmo me masturbado, destruída demais no fim de cada dia para fazer qualquer coisa além de ler e com repulsa demais do meu próprio fedor de suor para minha mente se mover em qualquer direção que não fosse dormir.

No dia seguinte, andei mais rápido do que nunca, estremecendo a cada passo, a trilha oscilando entre 2 mil e 2.200 metros de altitude enquanto oferecia vistas panorâmicas de lagos cristalinos abaixo da trilha e infindáveis montanhas nos arredores e ao longe. Era meio-dia quando começamos a descer a pequena trilha que ligava a PCT ao lago Toad.

— Ele não parece estar muito distante — disse Rex ao olhar para o lago, cerca de 100 metros abaixo.

— Ele não se parece com nada — falei. Havia apenas o lago cercado por uma concentração desordenada de pinheiros, com o monte Shasta a leste; após tê-lo à vista ao norte desde Hat Creek Rim, estava agora finalmente passando pelo esplendoroso pico de quase 4.300 metros de altitude.

— Talvez o Encontro seja um pouco mais afastado da água — disse Stacy, embora tenha ficado claro, assim que chegamos à margem do lago, que não havia nenhum acampamento feliz, nenhuma aglomeração de pessoas serpenteando, se espremendo, viajando e fazendo ensopados saudáveis. Não havia pães integrais ou hippies sensuais.

O Encontro do Arco-íris era um fracasso.

Almoçamos com desânimo perto do lago, comendo as coisas miseráveis que sempre comíamos. Depois, Rex nadou um pouco e Stacy e eu andamos sem as mochilas por uma trilha que descia em direção a uma estrada de terra que o guia informava existir. Apesar da evidência, ainda não tínhamos perdido totalmente a esperança de que encontraríamos o Encontro do Arco-íris, mas, depois de dez minutos na acidentada estrada de terra, não encontramos nada. Ninguém. Só árvores, terra, pedras e mato, como sempre tinha sido.

— Acho que recebemos a informação errada — disse Stacy, verificando a paisagem, a voz alta com a mesma raiva e o mesmo pesar que brotou em mim. Minha sensação de desapontamento foi enorme e infantil, como se eu fosse ter o tipo de ataque que não tinha desde os 3 anos de idade. Fui até uma pedra grande e plana próxima à estrada, deitei nela e fechei os olhos a fim de bloquear o mundo idiota para que isso não fosse a coisa que finalmente me faria chorar na trilha. A pedra estava quente e lisa, era larga como uma mesa. Dava uma boa e inacreditável sensação nas costas.

— Espere — disse Stacy depois de um tempo. — Acho que ouvi alguma coisa.

Abri os olhos e tentei ouvir.

— Provavelmente foi apenas o vento — falei, sem ouvir nada.

— É provável. — Ela me olhou e sorrimos melancolicamente uma para a outra. Ela usava um chapéu de abas largas preso sob o queixo e short curto com perneiras que iam até os joelhos, uma roupa que sempre a fez parecer uma escoteira para mim. Quando nos encontramos pela primeira vez, fiquei levemente desapontada por ela não ser mais parecida com minhas amigas e comigo. Era mais quieta, emocionalmente mais distante, menos feminista, artística e politizada, mais comum. Se tivéssemos nos encontrado fora da trilha, não sei se teríamos ficado amigas, mas agora ela se tornou querida para mim.

— Eu ouvi de novo — ela disse de repente, olhando para a estrada.

Levantei quando uma pequena caminhonete malconservada cheia de gente fez a curva. Tinha placa do Oregon. Veio direto até a gente e parou de repente, fazendo um ruído bem alto a alguns metros de distância. Antes que o motorista desligasse o motor, as sete pessoas e os dois cachorros que estavam na caminhonete começaram a pular. Despenteadas e sujas, vestidas a caráter como hippies, essas pessoas eram inquestionavelmente membros da Tribo do Arco-íris. Até os cachorros estavam discretamente enfeitados com bandanas e contas. Estendi a mão para tocar seus dorsos peludos quando passaram voando por mim e entraram na mata.

— Oi — Stacy e eu dissemos em uníssono para os quatro homens e três mulheres que estavam parados diante de nós, embora como respostas eles tenham apenas nos encarado, olhares esquivos e atormentados, como se tivessem surgido de uma caverna e não da cama ou da cabine de uma caminhonete. Era como se tivessem passado a noite sem dormir, ou como se estivessem saindo de uma viagem alucinógena, ou as duas coisas.

— É aqui o Encontro do Arco-íris? — o homem que estava atrás do volante perguntou. Ele estava bronzeado e tinha uma estrutura óssea pequena. Uma estranha e imunda faixa branca cobria a maior parte de sua cabeça e mantinha o cabelo comprido e ondulado longe do rosto.

— É isso que nós também estamos procurando, mas somos os únicos aqui — respondi.

— Ai, porra, meu DEUS! — lamentou uma mulher pálida e magérrima com a barriga esquelética de fora e uma colagem de tatuagens celtas. — Percorrermos todo o caminho desde a porra de Ashland para *nada*? — Ela foi se deitar atravessada na pedra que eu tinha recentemente desocupado. — Estou com tanta fome que, sem brincadeira, acho que vou morrer.

— Estou com fome também — reclamou outra mulher, uma anã de cabelo preto que vestia um cinto fino com pequenos sinos prateados presos nele. Ela parou ao lado da pálida e frágil, e acariciou sua cabeça.

— Porra de *folkalizers*![*] — berrou o homem com faixa na cabeça.

— Certíssimo — resmungou o homem com moicano verde e uma grande argola prateada no nariz do tipo que você vê de vez em quando em um touro.

— Você sabe o que vou fazer? — perguntou o homem com a faixa na cabeça. — Vou fazer minha própria porra de Encontro lá no lago Crater. Não preciso dessas merdas de *folkalizers* para me dizer aonde ir. Tenho muita *influência* por aqui.

— Esse lago Crater é muito longe? — perguntou a última mulher com um sotaque australiano. Ela era alta, bonita e loira, tudo sobre ela, um espetáculo: o cabelo formado por *dreadlocks* presos no alto da cabeça, as orelhas furadas com o que pareciam ser ossos de aves de verdade e cada dedo coberto de anéis extravagantes.

— Não muito longe, docinho — disse o homem da faixa na cabeça.

— Não me chame de "docinho" — ela contestou.

— "Docinho" é um insulto na Austrália? — ele perguntou.

Ela suspirou, depois emitiu um som gutural.

— Tudo bem, baby, não vou chamar você de "docinho" então. — Ele gargalhou para o céu. — Mas *vou* chamar você de "baby" quando bem quiser. Como Jimi Hendrix disse: "Eu chamo *todo mundo* de baby."

Meus olhos encontraram com os de Stacy.

— Nós também estamos tentando achar o Encontro — falei. — Ouvimos dizer que era aqui.

— Estamos fazendo a Pacific Crest Trail — acrescentou Stacy.

— Eu. Preciso. *Comida!* — lamentou a magérrima na pedra.

— Eu tenho um pouco e você é bem-vinda — disse a ela. — Mas está lá em cima, no lago.

Ela apenas me olhou, o rosto inexpressivo, os olhos parados. Desejei saber que idade ela tinha. Parecia ter a minha idade, embora pudesse passar por alguém de 12 anos.

— Vocês têm lugar no carro? — perguntou a australiana furtivamente. — Se vocês duas estiverem voltando para Ashland, eu pego uma carona com vocês.

---

[*] A palavra *folkalizer* é uma contração de *folk* com *realizer* e é usada para definir pessoas que atuam como facilitadoras. (N. da E.)

— Estamos a pé — disse para seu olhar vazio. — Estamos com mochilas. Nós as deixamos lá em cima no lago.

— Na realidade, *estamos* indo para Ashland — disse Stacy. — Mas vamos levar cerca de 12 dias para chegar lá. — Nós duas rimos, embora ninguém mais tenha rido.

Todos eles se empilharam de volta na caminhonete e foram embora alguns minutos depois, e Stacy e eu fizemos a trilha de volta para o lago Toad. Os dois casais estavam sentados com Rex quando voltamos e fizemos juntos a caminhada de volta à PCT, embora não tenha demorado para eu fechar a fila e ser a última a chegar mancando ao acampamento aquela noite quando já estava quase escuro, atrasada pela catástrofe que eram meus pés.

— Achamos que você não ia conseguir — disse Sarah. — Achamos que tinha parado para acampar.

— Bem, aqui estou eu — respondi, me sentindo magoada, embora soubesse que ela pretendia apenas me consolar sobre meus problemas nos pés. No meio da bebedeira e das histórias que foram contadas lá em Castle Crags, Sam disse brincando que meu nome de trilheira devia ser Trilheira Azarada depois que lhes contei minhas diversas desventuras. Na hora eu ri, Trilheira Azarada parecia ser um nome bastante apropriado, mas não queria ser esse tipo de trilheira. Queria ser uma porra de uma rainha amazona fodona.

De manhã, levantei antes de todo mundo e preparei silenciosamente meu leite de soja na panela com água fria, granola e uvas-passas. Acordei de outro sonho com o Pé-Grande, quase exatamente o mesmo das duas vezes anteriores. Enquanto tomava o café da manhã, percebi que estava ouvindo atentamente os sons das árvores ainda no escuro. Comecei a trilha antes de os outros saírem das barracas, feliz por sair na frente. Exausta, lenta e com os pés doloridos como eu estava, e azarada como podia ser, vinha mantendo o ritmo das pessoas que eu considerava trilheiras de verdade. Manter a média de 27 a 30 quilômetros por dia, dia após dia, virou a regra.

Uma hora depois, ouvi um forte estrondo nos arbustos e árvores ao meu lado. Congelei, em dúvida se devia gritar ou permanecer totalmente quieta. Não consegui me controlar: por mais idiota que fosse, aquele homem com a máscara do Pé-Grande dos meus sonhos passou pela minha mente.

— Ai! — gritei, quando um monstro peludo se materializou na minha frente na trilha, tão próximo que consegui sentir seu cheiro. Um urso, percebi um instante depois. Seus olhos passaram tranquilamente por mim antes de ele bufar, se virar e correr pela trilha na direção norte.

Por que eles sempre têm que correr na direção em que estou indo?

Esperei alguns minutos e depois continuei, escolhendo o caminho apreensivamente e cantando alto letras de músicas.

— *Oh, I could drink a case of youuuuu, darling, and I would still be on my feet* — cantei bem alto.

— *She was a fast machine, she kept her motor clean...!* — cantei em tom de resmungo.

— *Time out for tiny little tea leaves in* Tetley Tea! — cantei com a voz estridente.

Funcionou. Não encontrei o urso novamente. Ou o Pé-Grande.

Mas me deparei com algo que realmente tinha que temer: um grande trecho de neve congelada cobrindo a trilha com uma inclinação de 40 graus. Quente como estava, nem toda a neve derreteu nas escarpas da face norte. Podia ver o outro lado da neve. Podia praticamente jogar uma pedra através dela. Mas não podia fazer o mesmo comigo. Tinha que passar andando. Olhei para baixo na montanha, meus olhos acompanhando o caminho da neve, caso eu escorregasse e deslizasse. Ela acabava bem mais abaixo em uma concentração de rochas recortadas. Além delas havia apenas ar.

Comecei a lascar meu caminho através da neve, forçando cada passo com as botas, agarrada ao bastão de esqui. Em vez de me sentir mais confiante na neve, devido à experiência que tive em Sierra, estava mais insegura e consciente do que podia dar errado. Um pé escorregou e caí apoiada nas mãos; lentamente eu me levantei, mais uma vez com os joelhos dobrados. *Eu vou cair* era o pensamento que surgiu na minha cabeça, e junto com ele eu congelei e olhei para baixo, para as pedras abaixo de mim, me imaginando adernada sobre elas. Olhei para o lugar de onde vim e para onde estava indo, os dois equidistantes de mim. Estava longe demais de ambos, então fui forçada a seguir em frente. Fiquei de quatro e engatinhei o restante da travessia, as pernas tremendo incontrolavelmente, o bastão de esqui pendurado ao longo do meu corpo, preso em meu punho pela faixa de náilon rosa.

Quando cheguei ao outro lado da trilha, me senti estúpida e fraca e tive pena de mim mesma, vulnerável de um jeito que ainda não tinha me sentido, com inveja dos casais que tinham um ao outro, de Rex e de Stacy que tão facilmente fizeram uma parceria para a caminhada. Quando Rex deixar a trilha em Seiad Valley, Stacy encontrará sua amiga Dee e elas continuarão a caminhar juntas pelo Oregon, mas eu estarei sempre sozinha. E por quê? O que ficar sozinha me trouxe? *Não estou com medo*, eu disse, invocando meu velho mantra para acalmar a mente. Mas não me sentia do mesmo jeito que geralmente me sentia ao dizer isso. Talvez porque não fosse mais inteiramente verdade.

Talvez agora eu tenha chegado longe o suficiente para ter coragem de ter medo.

Quando parei para almoçar, protelei até que os outros me alcançassem. Eles me disseram que encontraram com um guarda florestal do interior que os avisou sobre um incêndio na floresta a oeste e a norte, perto de Happy Valley. Até agora não tinha afetado a PCT, mas ele nos disse para ficarmos alertas. Deixei que todos saíssem na minha frente, dizendo que eu os encontraria ao anoitecer, e caminhei sozinha no calor da tarde. Umas duas horas depois, encontrei uma fonte em um campo idílico e parei para pegar água. Era um lugar lindo para se ficar, então me demorei mais um pouco, deixando os pés de molho na fonte até que ouvi um barulho cada vez mais alto de sinos. Mal consegui me equilibrar de pé quando uma lhama branca surgiu na curva e veio saltando em minha direção com os dentes arreganhados.

— Ai! — gritei, a mesma reação que tive quando vi o urso, mas de qualquer forma estendi a mão para pegar a corda que estava pendurada no cabresto, um velho hábito da minha infância com os cavalos. A lhama carregava um fardo amarrado com sinos prateados, não muito diferente do cinto da mulher que encontrei no lago Toad. — Calma — disse a ela, descalça e assustada, pensando no que fazer a seguir.

Ela parecia assustada também, sua expressão tanto cômica quanto séria. Passou pela minha cabeça que ela poderia me morder, mas não tinha como saber. Nunca estive tão perto de uma lhama. Nunca estive sequer longe de uma lhama. Tinha tão pouca experiência com lhamas que nem estava cem por cento certa de que era de fato uma lhama. Ela fedia a juta e mau hálito matinal. Puxei-a suavemente na direção das minhas botas e enfiei os pés nelas, e então afaguei seu longo e eriçado pescoço de maneira firme, na esperança de que ela entendesse como um comando. Depois de alguns minutos, apareceu uma senhora com duas tranças grisalhas, uma de cada lado da cabeça.

— Você a pegou! Obrigada — ela falou, com o sorriso aberto e os olhos brilhando.

A não ser pela pequena mochila nas costas, ela parecia uma mulher que tinha saído de um conto de fadas, delicada, rechonchuda e de bochechas rosadas. Um menininho andava ao seu lado e um grande cachorro marrom o acompanhava.

— Relaxei por um momento e lá foi ela — a mulher disse rindo e pegando a corda da lhama comigo. — Imaginei que você a pegaria; encontramos seus amigos mais adiante e disseram que você estava vindo. Eu sou Vera e este é meu amigo Kyle — falou, apontando para o garoto. — Ele tem 5 anos.

— Olá — eu disse, olhando-o. — Sou a Cheryl. — Ele tinha uma garrafa vazia de maple syrup cheia de água pendurada no ombro por uma corda grossa, o que era estranho de se ver — vidro na trilha — e também era estranho vê-lo. Fazia tempo que eu não ficava na companhia de uma criança.

— Olá — ele respondeu, os olhos cinza-azulado se movendo rapidamente para encontrar os meus.

— E você já conheceu Shooting Star — disse Vera, afagando o pescoço da lhama.

— Você esqueceu a Miriam — Kyle disse a Vera. Ele colocou a mãozinha na cabeça da cadela. — Esta é a Miriam.

— Oi, Miriam — falei. — Vocês estão se divertindo na caminhada? — perguntei a Kyle.

— Estamos tendo um momento maravilhoso — respondeu em um esquisito tom formal, e então foi molhar as mãos na fonte.

Conversei com Vera enquanto Kyle jogava folhas de grama na água e as observava sumir flutuando. Ela me contou que morava em uma pequena cidade no centro do Oregon e fazia caminhadas sempre que podia. Kyle e a mãe passaram por uma situação terrível, ela disse em voz baixa, morando nas ruas de Portland. Vera os conheceu apenas alguns meses antes, através de uma entidade na qual todos eles estavam envolvidos, chamada Basic Life Principles. A mãe de Kyle pediu que Vera o levasse nessa caminhada para que ela pudesse recolocar a vida em ordem.

— Você prometeu não contar às pessoas sobre os meus problemas — Kyle gritou com veemência, olhando para nós de maneira acusatória.

— Não estou falando sobre os seus problemas — Vera disse com cordialidade, apesar de não ser verdade.

— Porque eu tenho problemas enormes e não quero dizer às pessoas que conheço — Kyle disse, seus olhos procurando os meus novamente.

— Muita gente tem problemas grandes — eu disse. — Eu *tive* problemas grandes.

— Que tipo de problemas? — ele perguntou.

— Tipo problemas com meu pai — disse indecisa, querendo não ter falado isso.

Não tenho experiência suficiente com crianças para saber exatamente quão honesta uma pessoa deve ser com uma criança de 5 anos.

— Na verdade, não tive pai — expliquei em um tom levemente animado.

— Eu também não tenho pai — Kyle disse. — Bem, todo mundo tem um pai, mas eu não conheço mais o meu. Eu costumava conhecê-lo quando eu era um bebê, mas não me lembro. — Ele abriu as palmas das mãos e olhou para elas. Estavam cheias de pequenas folhas de grama. Nós as observamos à medida que flutuavam impulsionadas pelo vento.

— E a sua mãe? — ele perguntou.

— Ela está morta.

Seu rosto se virou rapidamente para mim, a expressão mudando de perplexa para tranquila.

— Minha mãe gosta de cantar — ele disse. — Você quer ouvir uma música que ela me ensinou?

— Sim — respondi, e sem um momento de hesitação ele cantou cada letra e verso de "Red River Valley" em uma voz tão pura que me deixou angustiada. — Obrigada — falei, meio arrasada quando ele acabou. — Essa deve ser a melhor coisa que ouvi em toda a minha vida.

— Minha mãe me ensinou muitas músicas — ele disse solenemente. — Ela é cantora.

Vera tirou uma fotografia de mim e eu coloquei a Monstra de volta nas costas.

— Adeus, Kyle. Adeus, Vera. Adeus, Shooting Star — falei enquanto subia pela trilha.

— Cheryl! — Kyle gritou quando eu estava quase fora de vista.

Eu parei e me virei.

— O nome da cadela é Miriam.

— *Adios*, Miriam — eu disse.

No fim da tarde, cheguei a um lugar sombreado onde havia uma mesa de piquenique — um raro luxo na trilha. Quando me aproximei, vi que havia um pêssego no tampo da mesa e embaixo dele um bilhete.

Cheryl!

Surrupiamos dos trilheiros de um dia para você. Aproveite!

Sam e Helen

Fiquei entusiasmada com o pêssego, é claro, frutas frescas e vegetais competiam com a limonada Snapple em minhas fantasias mentais sobre comida, mas, além disso, fiquei emocionada por Sam e Helen o terem deixado para mim. Sem dúvida tinham fantasias com comida exatamente tão intensas quanto as minhas. Sentei no tampo da mesa de piquenique e mordi feliz o pêssego, seu sumo delicado parecia atingir cada célula minha. O pêssego tornou menos ruim o fato de meus pés serem uma polpa latejante. A gentileza com a qual ele foi oferecido abrandou o calor e o tédio do dia. Enquanto estava sentada comendo o pêssego, percebi que não conseguiria agradecer a Sam e Helen por o terem deixado para mim. Estava pronta para ficar novamente sozinha; acamparia por minha conta esta noite.

Quando joguei fora o caroço do pêssego, vi que estava cercada por centenas de azaleias de dezenas nuances de rosa e laranja-claro, e que algumas pétalas voavam com a brisa. Pareciam ser um presente para mim, da mesma forma que o pêssego e Kyle cantando "Red River Valley". Por mais difícil e enlouquecedora que fosse a trilha, mal passava um dia em que ela não me oferecesse algum tipo do que era chamado de mágica da trilha na linguagem da PCT, os acontecimentos inesperados e maravilhosos que se destacam como um alívio total em comparação aos desafios da trilha. Antes de me levantar para colocar a Monstra nas costas, ouvi passos e me virei. Tinha um cervo caminhando na trilha em minha direção, aparentemente sem perceber minha presença. Fiz um som baixinho, de modo a não assustá-lo, mas em vez de disparar ele apenas parou e me olhou, farejando em minha direção antes de continuar avançando bem devagar. A cada passo ele fazia uma pausa para verificar se devia continuar, e continuou vindo, chegando cada vez mais perto até ficar a apenas 3 metros de distância. Sua expressão estava calma e curiosa, o focinho se alongando o máximo que podia em minha direção. Eu me sentei sem me mexer, observando, nem um pouco temerosa, como tinha me sentido nas semanas anteriores, quando a raposa parou para me analisar na neve.

— Está tudo bem — sussurrei para o cervo, sem saber o que falaria até dizer: — Você está seguro neste mundo.

Quando falei, foi como se o encanto fosse quebrado. O cervo perdeu todo o interesse em mim, apesar de ainda não fugir. Apenas levantou a cabeça e se afastou, passando pelas azaleias com seus cascos delicados, mordiscando as plantas enquanto andava.

Nos dias seguintes, caminhei sozinha, subindo, descendo, subindo novamente, acima do pico do Etna e das montanhas Marble em uma longa e quente caminhada até Seiad Valley, quando passei por lagos onde, por causa dos mosquitos, fui obrigada a passar uma camada generosa de repelente pela primeira vez na viagem e adentrei trechos de trilheiros de um dia que me contaram sobre os incêndios florestais que estavam devastando o oeste, mas ainda não tinham invadido a PCT.

Uma noite acampei em um lugar gramado de onde pude ver a prova desses incêndios: uma nebulosa cortina de fumaça cobria a vista em direção a oeste. Sentei em minha cadeira por uma hora e fiquei olhando a paisagem enquanto o sol se punha na fumaça. Tinha assistido a cada pôr do sol de tirar o fôlego nos finais de tarde na PCT, mas esse foi mais espetacular do que qualquer outro até então, a luz ficou difusa, dissipando-se em milhares de tons de amarelo, rosa, laranja e roxo sobre a cobertura verde ondulada. Poderia estar lendo os *Dublinenses* ou dormindo no aconchego do saco de dormir, mas nessa noite o céu estava fascinante demais para ser abandonado. Enquanto eu assistia a isso, percebi que tinha ultrapassado a metade da caminhada. Tinha começado a trilha havia mais de cinquenta dias. Se tudo saísse como o planejado, em mais cinquenta dias eu terminaria a PCT. O que quer que fosse acontecer comigo aqui teria acontecido.

— "*Oh, remember the Red River Valley and the cowboy who loved you so true...*" — cantei, a voz falhando, sem saber o resto da letra. Imagens do pequeno rosto de Kyle e de suas mãos me voltaram como ecos de sua voz impecável. Eu me perguntei se um dia seria mãe e em que tipo de "situação horrível" a mãe de Kyle estava metida, onde seu pai poderia estar e onde o meu estava. *O que será que ele está fazendo neste instante?*, pensava ocasionalmente ao longo da minha vida, mas nunca consegui imaginar isso. Não conheço a vida do meu próprio pai. Ele existia, mas era invisível, como uma sombra monstruosa na floresta, um incêndio tão distante que não passa de fumaça.

Isso era o meu pai: o homem que não me criou. Isso sempre me impressionou. Repetidas vezes. De todas as coisas loucas, seu fracasso em me amar da maneira que deveria sempre foi a coisa mais louca de todas. Mas naquela noite, quando assistia ao anoitecer depois de cinquenta e tantas noites na PCT, passou pela minha cabeça que eu não precisava mais ficar impressionada com ele.

Havia tantas outras coisas impressionantes neste mundo.

Elas se abriram dentro de mim como um rio. Como se eu não soubesse que podia respirar e então respirasse. Eu ria com a alegria disso e no momento seguinte estava chorando minhas primeiras lágrimas na PCT. Chorei, chorei, chorei. Não estava chorando porque estava feliz. Não estava chorando porque estava triste. Não estava chorando por causa de minha mãe ou de meu pai ou de Paul. Estava chorando porque estava plena. Desses cinquenta e tantos dias difíceis na trilha e dos 9.760 dias que tinham vindo antes deles também.

Eu estava entrando. Eu estava saindo. A Califórnia se estendia atrás de mim como um longo véu de seda. Não me sentia mais uma idiota completa. E não me sentia uma porra de uma rainha amazona fodona. Eu me sentia determinada, humilde e forte por dentro, como se estivesse segura neste mundo também.

PARTE CINCO

CAIXA DE CHUVA

Sou um caminhante lento, mas nunca
caminho para trás.

ABRAHAM LINCOLN

Diga-me, o que é que você planeja fazer
Com sua vida selvagem e preciosa?

MARY OLIVER,
The Summer Day

15

CAIXA DE CHUVA

Acordei no escuro em meu antepenúltimo dia na Califórnia, com o som do vento açoitando os galhos das árvores e o pinga-pinga da chuva na barraca. Estava tão seco ao longo de todo o verão que parei de colocar a cobertura para chuva, dormindo apenas com o grande painel de tela entre mim e o céu. Eu me esforcei descalça no escuro para colocar a cobertura sobre a barraca, tremendo, embora fosse início de agosto. Estava fazendo 32 graus havia semanas, às vezes chegando a 38 graus, mas com o vento e a chuva a temperatura subitamente mudou. De volta à barraca, coloquei a calça de lã e o agasalho, entrei no saco de dormir e me fechei nele até o queixo, ajustando o capuz bem apertado ao redor da cabeça. Quando acordei às seis horas, o pequeno termômetro na mochila marcava 2,8 graus.

Caminhei ao longo de uma alta cadeia de montanhas na chuva, vestida com quase tudo que tinha. Toda vez que parava por mais do que alguns minutos ficava com tanto frio que meus dentes batiam comicamente até que eu continuasse andando e começasse a suar novamente. Nos dias claros, o guia declarava, era possível ver o Oregon ao norte, mas não conseguia ver nada por causa da neblina densa que encobria qualquer coisa a uma distância maior do que 3 metros. Eu não precisava ver o Oregon. Podia senti-lo, imenso, diante de mim. Cruzaria todo a sua extensão se fosse direto à Ponte dos Deuses. Quem seria eu se cruzasse ? Quem seria eu se não cruzasse?

No meio da manhã, Stacy surgiu no meio da névoa, rumando para o sul na trilha. Saímos de Seiad Valley juntas no dia anterior, depois de passar a noite com Rex e os casais. Pela manhã, Rex pegou um ônibus para voltar à sua vida real, enquanto o restante de nós seguiu em frente, separando-se após algumas horas. Estava quase certa de que não veria os casais na trilha novamente, mas Stacy e eu fizemos planos de nos encontrar em Ashland, onde ela ficaria alguns dias esperando pela amiga Dee chegar antes de começar a caminhada pelo Oregon. Vê-la agora me surpreendeu, como se ela fosse parte mulher, parte fantasma.

— Estou voltando para Seiad Valley — ela disse, e explicou que estava com frio, os pés cheios de bolhas. O saco de dormir tinha ficado encharcado na noite anterior e ela não tinha esperança de que secasse antes de a noite cair. — Vou pegar um ônibus para Ashland — ela disse. — Venha me encontrar no albergue quando chegar lá.

Eu a abracei antes de ela ir embora, e a neblina a encobriu novamente em segundos.

Na manhã seguinte, acordei antes do horário habitual, o céu cinza bem claro. Parou de chover e o ar estava menos frio. Sentia-me animada colocando a Monstra e me afastava do lugar onde acampei: esses eram meus últimos quilômetros na Califórnia.

Estava a menos de um quilômetro e meio da fronteira quando um galho pendurado ao longo da margem da trilha prendeu em meu bracelete William J. Crockett e o arremessou nos arbustos fechados. Examinei cuidadosamente as pedras, os arbustos e as árvores, aterrorizada, sabendo enquanto procurava que era uma causa perdida. Não o encontraria. Não vi onde tinha caído. Havia feito apenas um *tum* muito leve ao ser arrancado de mim. Parecia absurdo que eu perdesse o bracelete neste exato momento, um nítido presságio de problemas à frente. Tentei tirar isso da cabeça e fazer a perda representar algo bom — um símbolo das coisas que eu já não precisava, talvez, de metaforicamente aliviar a carga —, mas então o pensamento se instalou e eu só pensava no próprio William J. Crockett, o homem de Minnesota que tinha mais ou menos a minha idade quando morreu no Vietnã, cujo corpo nunca foi encontrado e cuja família sem dúvida ainda sofria por ele. Meu bracelete era acima de tudo um símbolo da vida que ele perdeu tão jovem. O universo simplesmente a pegou com sua bocarra cruel e faminta.

Não tinha nada a fazer além de seguir em frente.

Cheguei à fronteira alguns minutos depois, parando para entendê-la: Califórnia e Oregon, um fim e um começo pressionados um contra o outro. Para um lugar tão importante, não parecia tão importante. Havia apenas uma caixa de metal marrom que continha o livro de registro da trilha e uma placa que dizia WASHINGTON: 802 QUILÔMETROS, sem mencionar o Oregon.

Mas eu sabia o que eram aqueles 802 quilômetros. Estive na Califórnia por dois meses, mas era como se tivesse envelhecido anos desde que estive em Tehachapi Pass, sozinha com minha mochila, e imaginei chegar a este lugar. Fui até a caixa de metal, tirei o livro de registros e o folheei, lendo as entradas das semanas anteriores. Havia anotações de algumas pessoas cujos nomes nunca tinha visto e de outras que não encontrei, mas que tinha a sensação de conhecer porque estive caminhando com elas durante todo o verão. As anotações mais recentes eram dos casais — John e Sarah, Helen e Sam. Embaixo de seus triunfantes registros, escrevi o meu, tão dominada pela emoção que optei pela concisão: "Consegui!"

Oregon. Oregon. *Oregon.*

Estava aqui. Andei até aqui, capturando paisagens do majestoso monte Shasta ao sul e do mais baixo mas austero monte McLoughlin, ao norte. Subi no alto de uma cordilheira e encontrei trechos curtos de neve, que atravessei com a ajuda do bastão de esqui. Podia ver as vacas pastando nos prados não muito abaixo de mim, os grandes sinos quadrados ressoando quando elas se movimentavam.

— Olá, vacas do Oregon — gritei para elas.

Naquela noite, acampei sob uma lua quase cheia, o céu brilhante e sereno. Abri *À espera dos bárbaros*, de J. M. Coetzee, mas li apenas algumas páginas porque não conseguia me concentrar; a mente vagava pensando em Ashland. Estava finalmente tão perto que podia me permitir pensar sobre isso. Em Ashland haveria comida, música e vinho, e pessoas que não sabiam nada a respeito da PCT. E, mais importante, haveria dinheiro, e não apenas os costumeiros vinte dólares. Coloquei 250 dólares em traveler's check na caixa para Ashland, originalmente acreditando que seria a caixa que me saudaria no fim da viagem. Ela não continha comida ou suprimentos. Tinha apenas traveler's check e uma roupa do "mundo real" para vestir, meu jeans azul desbotado preferido da Levi's, uma camiseta preta justa, um sutiã de renda preta novo em folha e uma calcinha combinando. Era vestida assim que, meses antes, imaginei que celebraria o fim da minha viagem e pegaria uma carona de volta a Portland. Quando mudei meu itinerário, pedi a Lisa para colocar aquela pequena caixa dentro de outra caixa que enchi de comida e suprimentos e redirecionei para Ashland em vez de mandar para uma das paradas que não faria em Sierra Nevada. Mal podia esperar para colocar as mãos nela, na caixa dentro da caixa, e passar o fim de semana vestindo roupas que não eram as de trilha.

Cheguei a Ashland no dia seguinte por volta da hora do almoço, depois de pegar uma carona desde a trilha com um grupo de voluntários do AmeriCorps.

— Você soube da notícia? — um deles perguntou depois que entrei na van.

Balancei a cabeça negativamente sem explicar que nos últimos dois meses ouvi poucas notícias, grandes ou pequenas.

— Você conhece o Grateful Dead? — ele perguntou, e assenti com a cabeça. — Jerry Garcia morreu.

Fiquei em uma calçada no centro da cidade para ver uma foto do rosto de Garcia em cores psicodélicas na capa de um jornal local, lendo o que pude através da janela de plástico transparente da caixa de jornais, dura demais para comprar um exemplar. Gostava de várias músicas do Grateful Dead, mas nunca colecionei vídeos de seus shows ao vivo nem acompanhei o grupo pelo país como alguns de meus amigos fãs do Dead faziam. A morte de Kurt Cobain no ano anterior me afetou mais de perto, seu fim triste e violento, uma fábula de advertência não apenas dos excessos da minha geração como também dos meus próprios. E ainda assim a morte de Garcia me abalou fortemente, como se fosse o fim não apenas de um momento, mas de uma era que durou toda a minha vida.

Andei com a Monstra nas costas alguns quarteirões até a agência do correio, passando por placas caseiras colocadas nas vitrines das lojas que diziam: AMAMOS VOCÊ, JERRY, DESCANSE EM PAZ. As ruas estavam cheias de vida com uma mistura de turistas bem-vestidos chegando para o final de semana e a juventude radical do baixo noroeste do Pacífico, que se reunia em bandos pelas calçadas emitindo uma vibração mais intensa do que o normal por causa do acontecimento. "Ei", vários deles falavam comigo enquanto eu passava, alguns acrescentando "irmã" no fim. Variavam em idade, de adolescentes a idosos, vestidos com roupas que os colocavam em algum lugar ao longo do espectro artístico hippie/anarquista/punk rock/funk. Eu parecia ser um deles — cabeluda, bronzeada e tatuada; curvada sob todos os meus pertences — e cheirava como um deles também, só que pior, sem dúvida, já que não tomava um banho de verdade desde a chuveirada naquele acampamento em Castle Crags quando fiquei de ressaca, umas duas semanas antes. E ainda assim me sentia tão diferente deles, de todo mundo, como se tivesse aterrissado aqui de outro planeta e época.

— Oi! — exclamei surpresa quando passei por um dos homens quietos que estava na caminhonete que tinha subido até o lago Toad, onde Stacy e eu fomos à procura do Encontro do Arco-íris, mas ele respondeu com uma saudação inexpressiva, parecendo não se lembrar de mim.

Cheguei à agência do correio e abri a porta para entrar, sorrindo com expectativa, mas, quando disse meu nome para a mulher atrás do balcão, ela voltou apenas com um pequeno envelope acolchoado endereçado a mim. Nenhuma caixa. Nenhuma caixa dentro da caixa. Nenhum jeans Levi's ou sutiã de renda preta ou 250 dólares em traveler's check ou a comida que eu precisava para caminhar até a próxima parada no Parque Nacional de Crater Lake.

— Deveria ter uma caixa para mim — disse, segurando o pequeno envelope acolchoado.

— Você vai ter que checar novamente amanhã — a mulher disse sem se importar.

— Tem certeza? — gaguejei. — Quero dizer... Ela definitivamente devia estar aqui.

A mulher apenas balançou a cabeça de maneira antipática. Ela não me dava a mínima. Eu era uma jovem suja e malcheirosa do baixo noroeste do Pacífico.

— Próximo — ela disse, sinalizando para o homem no começo da fila.

Saí da agência aos trancos, meio cega de pânico e raiva. Estava em Ashland, no Oregon, e tinha apenas U$ 2,29 dólares. Precisava pagar por um quarto no albergue naquela noite. Precisava da comida antes de continuar a caminhada. Mas, acima de tudo, depois de sessenta dias caminhando sob a mochila, comendo comidas desidratadas que tinham gosto de papelão aquecido e estando totalmente sem contato humano por períodos às vezes de uma semana enquanto subia e descia montanhas em inacreditáveis variações de temperatura e terreno, precisava que as coisas fossem fáceis. Só por alguns dias. *Por favor*.

Fui até o telefone público mais próximo, tirei a Monstra, coloquei-a no chão e me fechei na cabine telefônica. A sensação de estar ali dentro era incrivelmente boa, tipo não querer mais sair dessa pequena sala transparente. Olhava para o envelope acolchoado. Era de minha amiga Laura, de Mineápolis. Abri o envelope e tirei seu conteúdo: uma carta presa em um colar que ela fez para mim em homenagem ao meu nome. STRAYED diziam as letras prateadas blocadas em uma corrente de bolinhas. À primeira vista parecia que estava escrito STARVED* porque o Y era levemente diferente de todas as outras letras, mais largo e baixo e feito em um molde diferente, e minha mente misturou as letras em uma palavra familiar. Coloquei o colar e olhei para o reflexo distorcido de meu colo na frente metálica do telefone. Ele ficou pendurado abaixo do que eu estava usando desde Kennedy Meadows, o do brinco de turquesa e prata que pertenceu a minha mãe.

Peguei o telefone e tentei fazer uma chamada a cobrar para Lisa a fim de perguntar sobre a minha caixa, mas ela não atendeu.

Perambulei pelas ruas miseravelmente, tentando não querer nada. Nada de almoço, nada de muffins e biscoitos que enfeitavam as vitrines, nada de *lattes* em copos de papel que os turistas seguravam em suas mãos limpas. Fui até o albergue para ver se encontrava Stacy. Ela não estava lá, o homem que trabalhava na recepção me disse, mas voltaria mais tarde — já tinha reservado para aquela noite.

— Você quer um quarto também? — ele me perguntou, mas apenas balancei a cabeça negativamente.

Andei até a cooperativa de comida natural, o local que a juventude radical do noroeste do Pacífico transformou em algo parecido com um

* Morta de fome. (N. da E.)

acampamento diurno, reunindo-se na grama e nas calçadas em frente do estabelecimento. Quase imediatamente, identifiquei outro homem que vi no lago Toad, o homem da faixa na cabeça, o líder do bando, que, como Jimi Hendrix, chamava todo mundo de *baby*. Estava sentado na calçada perto da entrada do lugar segurando um pequeno cartaz de papelão que trazia um pedido de dinheiro rabiscado com pincel atômico. Na frente dele havia uma lata de café vazia com um punhado de moedas.

— Oi — falei, parando à sua frente, sentindo-me aliviada por ver um rosto conhecido, mesmo que fosse o dele. Ele ainda usava a estranha e imunda faixa na cabeça.

— Oiê — ele respondeu, obviamente sem se lembrar de mim. Ele não pediu dinheiro a mim. Aparentemente eu transparecia não ter nenhum.

— Você está viajando por aí? — perguntou.

— Estou fazendo a Pacific Crest Trail — respondi para estimular sua memória.

Ele assentiu, sem se lembrar.

— Muita gente de fora da cidade está chegando para as celebrações do Dead.

— Vai haver celebrações? — perguntei.

— Hoje à noite vai ter alguma coisa.

Fiquei curiosa para saber se ele tinha reunido um mini-Encontro do Arco-íris no lago Crater, como disse que faria, mas não o suficiente para lhe perguntar.

— Se cuida — eu disse, me afastando.

Entrei na cooperativa e estranhei o ar-condicionado nas pernas nuas. Estive em lojas de conveniência e em pequenas lojas voltadas para o turismo em algumas paradas de reabastecimento ao longo da PCT, mas não entrava em uma loja como essa desde que comecei a viagem. Fui e voltei nos corredores olhando coisas que eu não podia ter, espantada com sua despreocupada abundância. Como eu podia aceitar isso como natural? Potes de picles e baguetes tão frescas que eram embrulhadas em sacos de papel, garrafas de suco de laranja, potes de *sorbet* e, acima de tudo, as frutas e os legumes que brilhavam tanto nas caixas que pareciam me ofuscar. Eu me demorei, cheirando as coisas, os tomates e os maços de alface-manteiga, as nectarinas e as limas. Era tudo que eu podia fazer para não enfiar alguma coisa em meu bolso.

Fui até a seção de higiene pessoal e beleza e espirrei amostras grátis de hidratante nas mãos, esfregando diversos tipos por todo o corpo, as fragrâncias discretas me fazendo entrar em êxtase: pêssego e coco, lavanda e tangerina. Analisei as amostras de batom e apliquei uma chamada Plum Haze com uma cópia barata de cotonete natural e orgânico Q-tip feito-de-material-reciclado que ficava ao lado em um pote de vidro de aparência medicinal e tampa prateada. Tirei um borrado do batom com um lenço natural e orgânico feito-de-material-reciclado e me olhei no espelho redondo que ficava em um pedestal perto do mostruário de batons. Tinha escolhido Plum Haze porque seu tom era parecido com o batom que eu usava em minha vida normal, pré-PCT, mas agora, com ele na boca, parecia uma palhaça, a boca chamativa e agressiva em contraste com a pele queimada.

— Posso ajudá-la? — uma mulher com óculos de avó e um crachá com o nome JEN G. me perguntou.

— Não, obrigada — respondi. — Só estou olhando.

— Esse tom fica bem em você. Ele destaca o azul dos seus olhos.

— Você acha? — perguntei, sentindo-me subitamente tímida. Olhei para mim mesma no pequeno espelho redondo, como se estivesse realmente decidindo se compraria o Plum Haze.

— Gostei de seu colar também — Jen G. disse. — Starved. Engraçado.

Segurei o cordão.

— É *Strayed*, na verdade. Esse é o meu sobrenome.

— Ah, sim — Jen G. disse, aproximando-se para olhar. — Entendi errado. É engraçado de qualquer forma.

— É uma ilusão de ótica — falei.

Saí andando pelo corredor até a delicatéssen, onde peguei um guardanapo grosso de um porta-guardanapo, retirei o Plum Haze dos lábios e então examinei a seleção de limonadas. Eles não tinham da Snapple, para meu desgosto. Comprei uma limonada natural, orgânica, espremida na hora e sem conservantes com o último dinheiro que tinha e voltei com ela para me sentar na frente da loja.

Na animação para chegar à cidade, não parei para almoçar, então peguei a barra de proteína e algumas castanhas velhas da mochila e comi enquanto me proibia de pensar a respeito da refeição que eu tinha planejado: uma salada Caesar com peito de frango grelhado e uma cesta de pão francês torradinho que eu mergulharia no azeite e uma Diet Coke para beber, com uma banana split de sobremesa. Bebi a limonada e conversei com quem quer que se aproximasse: falei com um homem de Michigan que tinha se mudado para Ashland para estudar na faculdade local e outro que tocava bateria em uma banda; uma mulher que era ceramista especializada em figuras de deusas e outra que me perguntou em um sotaque europeu se eu estava indo à homenagem a Jerry Garcia aquela noite.

Ela me deu um folheto que dizia *Relembrando Jerry* no alto.

— Fica em um clube perto do albergue, se é lá que você está hospedada — ela me disse. Ela era rechonchuda e bonita, o cabelo louro preso em um coque solto no alto da cabeça. — Nós estamos viajando por aí também — acrescentou, apontando para a minha mochila. Não entendi quem era o "nós" a que ela se referiu até que apareceu um homem ao seu lado. Ele era o seu oposto fisicamente, alto e aflitivamente magro, vestido com uma saia envelope marrom que ia um pouco abaixo dos joelhos ossudos, o cabelo curto preso em quatro ou cinco marias-chiquinhas espalhadas na cabeça.

— Você pegou carona aqui? — perguntou o homem. Ele era americano.

Expliquei a eles sobre a caminhada na PCT, sobre como planejei passar o fim de semana em Ashland. O homem ficou indiferente, mas a mulher ficou impressionada.

— Meu nome é Susanna e sou da Suíça — ela disse, segurando minhas mãos. — Nós chamamos o que você está fazendo de *caminho do peregrino*. Se quiser, posso massagear seus pés.

— Oh, isso é gentil, mas não precisa fazer isso — falei.

— Eu *quero*. Será uma honra. É o estilo suíço. Eu já volto. — Ela se virou e entrou na cooperativa quando eu a chamei dizendo que ela era muito gentil. Depois que entrou, olhei para seu namorado. Ele me lembrava a boneca Kewpie, com o cabelo daquele jeito.

— Ela realmente gosta de fazer isso, então não se preocupe — ele disse, sentando-se ao meu lado.

Quando Susanna apareceu um minuto depois, mantinha as mãos em formato de cálice na frente do corpo, um punhado de óleo aromático nas palmas das mãos.

— É menta — ela disse, sorrindo para mim. — Tire as botas e as meias!

— Mas meus pés — hesitei. — Eles estão em mau estado e sujos...

— Essa é minha vocação! — ela gritou, então obedeci; logo estava espalhando óleo de menta em mim. — Seus pés, eles são muito fortes — disse Susanna. — Como os de um animal. Posso sentir sua força com as minhas mãos. E também como estão sofridos. Percebi que você perdeu as unhas dos pés.

— Sim — murmurei, reclinando na grama sobre os cotovelos, meus olhos fechados, tremulando.

— Os espíritos me disseram para fazer isso — ela disse enquanto pressionava os polegares nas solas dos meus pés.

— Os espíritos te disseram?

— Sim. Quando te vi, os espíritos sussurraram que eu tinha que te dar algo, foi por isso que me aproximei com o folheto, mas depois entendi que tinha algo mais. Na Suíça, temos um grande respeito pelas pessoas que viajam como peregrinas. — Girando meus dedos um por um entre seus dedos, ela me olhou e perguntou: — O que significa isso em seu colar, que está passando fome?

E foi assim, pelas duas horas seguintes, enquanto fiquei na frente da cooperativa. Eu *estava* faminta. Não me sentia mais a mesma. Eu me sentia apenas como um balde de desejos, uma coisa desvitalizada e esfomeada. Uma pessoa me deu um *muffin vegetariano*, outra uma salada de quinoa com uvas. Várias se aproximaram para admirar minha tatuagem de cavalo ou perguntar sobre a mochila. Por volta das quatro horas, Stacy apareceu e eu lhe contei sobre a minha situação difícil; ela se ofereceu para me emprestar dinheiro até que minha caixa chegasse.

— Me deixa tentar mais uma vez na agência de correio — eu disse, relutante em aceitar a oferta, grata por ela. Voltei ao correio e esperei na fila, desapontada de ver que a mesma mulher que me disse que a minha caixa não estava lá ainda estava trabalhando no balcão. Quando a abordei, pedi a caixa como se não tivesse ido ali algumas horas antes. Ela se dirigiu à sala de trás e voltou segurando a caixa, empurrando-a pelo balcão em minha direção sem pedir desculpas.

— Então, ela estava aqui o tempo todo — falei, mas ela não se importou, respondendo que simplesmente não devia ter visto antes.

Eu estava empolgada demais para ficar zangada enquanto andava com Stacy até o albergue, segurando minha caixa. Fiz o check in e segui Stacy pelas escadas, através do principal dormitório feminino até um pequeno quarto particular que ficava sob a parte baixa do telhado do prédio. Dentro dele, havia três camas de solteiro. Stacy estava em uma, sua amiga Dee em outra e elas guardaram a terceira para mim. Stacy me apresentou a Dee e conversamos enquanto eu abria a caixa. Continha o meu velho jeans limpo, meu novo sutiã, a calcinha e mais dinheiro do que havia tido desde que comecei a viagem.

Fui até o banheiro e fiquei debaixo da água quente me esfregando. Não tomava banho havia duas semanas, período durante o qual as temperaturas variaram de -1 a 37 graus. Podia sentir a água limpando as camadas de suor, como se fossem realmente uma camada da pele. Quando acabei, olhei para mim mesma nua no espelho, meu corpo mais magro do que da última vez em que me tinha me olhado, o cabelo mais claro do que quando era criança. Coloquei o sutiã preto novo, a calcinha, a camiseta, o jeans desbotado da Levi's, que agora estava frouxo em mim apesar de eu não entrar completamente nele três meses antes, e voltei para o quarto para colocar as botas. Elas não eram novas, estavam sujas e quentes, pesadas e doloridas, mas eram o único calçado que eu tinha.

No jantar com Stacy e Dee, pedi tudo o que queria. Mais tarde, fui a uma sapataria e comprei um par de sandálias esportivas preto e azul Merrell, o modelo que devia ter comprado antes da viagem. Voltamos ao albergue, mas em poucos minutos Stacy e eu saímos novamente para a homenagem a Jerry Garcia em um clube ali perto, deixando Dee dormindo. Sentamos a uma mesa em uma área demarcada por cordas que ficava na beira da pista de dança, bebendo vinho branco e vendo mulheres de todas as idades, formatos e tamanhos e de vez em quando um homem girando ao som das músicas do Grateful Dead, que tocavam uma atrás da outra. Atrás dos dançarinos, havia uma tela sobre a qual uma série de imagens eram projetadas, algumas abstratas, espirais psicodélicas, outras literais, desenhos tridimensionais em homenagem a Jerry e sua banda.

— Amamos vocês, Jerry! — uma mulher na mesa ao lado gritou quando uma imagem dele apareceu.

— Você vai dançar? — perguntei a Stacy.

Ela balançou a cabeça negativamente.

— Preciso voltar ao albergue. Vamos sair amanhã bem cedo.

— Acho que vou ficar mais um pouco — eu disse. — Me acorde para se despedir se eu ainda estiver dormindo amanhã. — Depois que ela saiu, pedi outra taça de vinho e me sentei ouvindo a música. Observava as pessoas, sentindo uma felicidade profunda por estar simplesmente em uma sala entre outras pessoas em uma noite de verão com música tocando. Quando me levantei para sair meia hora depois, a música "Box of Rain" tocou. Era uma das minhas músicas favoritas do Dead e eu estava um pouco alta, então impulsivamente pulei para a pista de dança e comecei a dançar, mas me arrependi disso quase imediatamente. Meus joelhos estavam doloridos e rangendo por causa de toda a caminhada, os quadris estranhamente rígidos, mas bem na hora em que ia sair o homem de Michigan que conheci mais cedo estava, de repente, em cima de mim, aparentemente dançando comigo, girando para dentro e para fora de minha órbita, como um giroscópio hippie, desenhando uma caixa imaginária no ar com os dedos enquanto acenava com a cabeça para mim, como se eu soubesse que droga ele queria dizer, e por isso parecia rude ir embora.

— Sempre penso no Oregon quando ouço essa música — ele gritou mais alto do que a música enquanto eu movia o corpo em um falso *boogie*. — Entendeu? — perguntou. — "Box of Rain"?* Igual ao Oregon, que também é uma caixa de chuva?

Eu concordei e ri, tentando aparentar que me divertia, mas assim que a música acabou saí correndo para ficar perto de uma mureta que ficava ao longo do bar.

— Oi — um homem falou depois de um tempo, e me virei. Ele estava de pé do outro lado da mureta na altura da cintura, segurando um pincel atômico e uma lanterna; era um funcionário do clube, apa-

---

* Em português, caixa de chuva. (N. da E.)

rentemente controlando o espaço no qual era permitido beber, embora não o tivesse notado ali antes.

— Oi — respondi. Ele era bonito e parecia um pouco mais velho do que eu, os cachos escuros deslizando pelo alto dos ombros. Na frente de sua camiseta estava escrito WILCO. — Adoro essa banda — falei, apontando para a camiseta.

— Você *conhece*? — ele perguntou.

— É claro que conheço — respondi.

Seus olhos castanhos se apertaram em um sorriso.

— Show — ele disse —, eu sou Jonathan — e apertou minha mão.

A música começou antes que eu pudesse lhe dizer meu nome, mas ele se inclinou para o meu ouvido para perguntar em um grito suave de onde eu era. Parecia saber que eu não era de Ashland. Gritei de volta, explicando o mais resumidamente que pude sobre a PCT, então ele cochichou em meu ouvido novamente e gritou uma frase longa que não consegui entender por causa da música, mas não me importei por causa do jeito maravilhoso que seus lábios deslizaram pelo meu cabelo e sua respiração fez cócegas no meu pescoço, e eu me arrepiei toda, da cabeça aos pés.

— O quê? — gritei de volta quando ele acabou, então ele repetiu, falando mais devagar e mais alto desta vez, e entendi que estava me dizendo que trabalhava até tarde, mas que sairia às 11 horas na noite seguinte e se eu não queria vir assistir à banda que iria fazer um show e sair com ele depois.

— Claro! — gritei, embora quase quisesse fazê-lo repetir o que disse para que sua boca fizesse aquela coisa no meu cabelo e no meu pescoço mais uma vez. Ele me deu a caneta e por mímica indicou que eu escrevesse meu nome na palma de sua mão, para que pudesse colocar na lista de convidados. *Cheryl Strayed*, escrevi o mais nítido que pude, apesar das mãos tremendo. Quando acabei, ele olhou para a palma da mão e fez sinal de positivo com o polegar, eu acenei e saí pela porta me sentindo empolgada.

Eu tinha um encontro.

Eu tinha mesmo um encontro? Caminhei nas ruas quentes duvidando de mim mesma. Talvez meu nome não fosse estar na lista, afinal de contas. Talvez o tenha entendido mal. Talvez fosse ridículo me encontrar com alguém com quem mal tinha conversado e cujos principais apelos fossem ser atraente e gostar do Wilco. Certamente eu tinha feito esse tipo de coisa com homens por muito menos, mas isso era diferente. *Eu* estava diferente. Não estava?

Voltei para o albergue e passei sem fazer barulho por camas onde mulheres desconhecidas dormiam e entrei no pequeno quarto sob o telhado, onde Dee e Stacy também dormiam; então tirei a roupa e me acomodei na cama de verdade, que era inacreditavelmente minha por aquela noite. Fiquei acordada por uma hora, passando as mãos pelo corpo, imaginando como seria se Jonathan o tocasse na noite seguinte: os montes dos meus peitos e a planície do meu abdômen, os músculos das minhas pernas e os pelos crespos das minhas partes íntimas, tudo isso aceitável, mas quando cheguei às partes do quadril que tinham o tamanho da palma da minha mão e pareciam uma mistura de casca de árvore com galinha morta depenada, percebi que sob nenhuma circunstância eu deveria tirar as calças no meu encontro do dia seguinte. Era provável que eu fizesse mesmo assim. Deus sabe que tinha tirado as calças tantas vezes que cheguei a perder a conta, certamente mais do que era bom para mim.

Passei o dia seguinte discutindo comigo mesma se encontraria com Jonathan naquela noite. Durante todo o tempo em que estava na lavanderia, me deleitando nos restaurantes ou passeando pelas ruas observando as pessoas, eu me perguntava *O que esse cara bonito fã do Wilco significa para mim?* E ainda assim, no entanto, minha mente continuou imaginando as coisas que poderíamos fazer.

Com as calças ainda no lugar.

Naquela noite, tomei uma chuveirada, me vesti e andei até a cooperativa para colocar um pouco do batom Plum Haze e do óleo de ilangue-ilangue das amostras grátis antes de me apresentar para a mulher que ficava na porta do clube em que Jonathan trabalhava.

— Devo estar na lista — disse casualmente e dei meu nome, pronta para ser rejeitada.

Sem uma palavra, ela carimbou minha mão com tinta vermelha.

Jonathan e eu nos vimos no momento em que entrei; ele acenou de seu lugar inalcançável na plataforma suspensa, onde fazia a iluminação. Peguei uma taça de vinho e fiquei bebericando com uma postura que eu achava ser elegante, ouvindo a banda perto da mureta na qual tinha conhecido Jonathan na noite anterior. Era uma banda de *bluegrass* razoavelmente famosa de Bay Area. Dedicaram uma música a Jerry Garcia. A música era boa, mas não consegui prestar atenção porque estava me esforçando muito para parecer feliz e perfeitamente à vontade, como se eu estaria naquele mesmo clube ouvindo aquela mesma banda, se tivesse ou não sido convidada por Jonathan, e, principalmente, não estivesse nem olhando ou deixando de olhar para Jonathan, que estava me olhando sempre que eu o olhava, o que então me deixou preocupada que ele pensasse que eu estava sempre olhando para ele, pois, se fosse apenas uma coincidência ele estar me olhando toda vez que eu olhava para ele, e ele não estivesse realmente olhando para mim sempre, mas apenas nos momentos em que eu olhava para ele, o que ele seria levado a pensar: *Por que essa mulher está sempre me olhando?* Então, não olhei para ele durante três músicas inteiras de *bluegrass*, uma das quais teve como destaque uma improvisação, um solo de rabeca aparentemente interminável que só parou quando o público bateu palmas em reconhecimento, mas eu não aguentava mais e olhei, e ele não apenas estava me olhando, como acenou novamente.

Acenei de volta.

Eu me virei e fiquei ainda mais ereta e imóvel, extremamente consciente de mim mesma como um objeto de beleza quente e requintado, sentindo os olhos de Jonathan em meu traseiro e minhas coxas cem por cento musculosos, em meus peitos empinados pelo maravilhoso sutiã por baixo da camiseta justa, em meu cabelo superclaro e na minha pele bronzeada, nos meus olhos azuis ainda mais azuis com o batom Plum Haze, uma sensação que durou o tempo de uma música, até que mudou e percebi que era uma monstra detestável com pele de casca-de-árvore-e-galinha-morta-depenada nos quadris, o rosto marcado e bronzeado demais, o cabelo castigado e o abdômen inferior que, apesar de todo o exercício e sacrifício, mais a barrigueira da mochila que durante dois meses o espremeu no que se suporia ser o fim, ainda tinha um formato indiscutivelmente arredondado, a não ser quando eu estava deitada ou encolhendo a barriga. De perfil, meu nariz era tão proeminente que um amigo uma vez disse que eu lembrava um tubarão. E meus lábios — meus ridículos e exagerados lábios! Discretamente, eu os pressionei nas costas da mão para eliminar o Plum Haze enquanto a música gemia.

Havia, graças a Deus, um intervalo. Jonathan se materializou ao meu lado, apertando minha mão solicitamente. Disse que estava feliz por eu ter vindo e perguntou se queria outra taça de vinho.

Eu não queria. Queria apenas que fossem 11 horas para que ele pudesse ir embora comigo e eu pudesse parar de me perguntar se eu era uma gata ou uma gárgula e se ele estava me olhando ou se pensava que eu estava olhando para ele.

Ainda tínhamos uma hora e meia de espera.

— Então, o que vamos fazer depois? — ele perguntou. — Você jantou?

Respondi que sim, mas que topava qualquer coisa. Não mencionei que geralmente era capaz de comer cerca de quatro refeições uma atrás da outra.

— Moro em uma fazenda orgânica a 24 quilômetros daqui. É bem legal passear por lá à noite. Podemos ir até lá e eu a trago de volta quando quiser.

— Tá bom — eu disse, deslizando o pequeno brinco de turquesa e prata ao longo de sua corrente delicada. Optei por não usar meu colar Strayed/Starved, caso Jonathan pensasse que era a segunda opção.

— Na verdade, acho que vou sair para tomar um ar — falei. — Mas estarei de volta às 11.

— Show — ele disse, esticando-se para dar outro aperto em minha mão antes de voltar ao seu posto e de a banda recomeçar.

Saí vertiginosamente para a noite, a bolsinha de náilon vermelho, que normalmente guarda o fogareiro, pendurada pela corda em meu punho. Deixei a maior parte dessas bolsas e recipientes lá em Kennedy Meadows, relutante em carregar o peso extra, mas esta bolsa eu mantive, acreditando que o fogareiro precisava de proteção. Eu a estava usando como bolsa nesses dias em Ashland, embora cheirasse levemente a nafta. As coisas dentro dela estavam guardadas em um saco ziplock que funcionava como uma bolsa interna nada especial — dinheiro, carteira de motorista, hidratante labial, pente e o cartão que os funcionários do albergue me deram para que eu pudesse tirar do depósito a Monstra, o bastão de esqui e a caixa de comida.

— Oi, tudo bem? — disse um homem que estava na calçada do lado de fora do bar. — Você gosta da banda? — perguntou em voz baixa.

— Sim. — Sorri para ele educadamente.

Parecia ter 40 e tantos anos, usava jeans, suspensórios e uma camiseta velha. Tinha uma barba longa e crespa que ia até o peito e uma faixa de cabelos grisalhos lisos que chegava ao ombro e saía de uma careca redonda no alto da cabeça.

— Eu desci das montanhas para vir aqui. Gosto de ouvir música às vezes — o homem disse.

— Eu também. Quer dizer, desci das montanhas.

— Onde você mora?

— Estou fazendo a Pacific Crest Trail.

— Ah, tá — ele acenou com a cabeça. — A PCT. Já estive nela. Minha casa fica na outra direção. Tenho uma cabana lá em cima onde moro cerca de quatro ou cinco meses por ano.

— Você mora em uma cabana? — perguntei.

Ele fez que sim com a cabeça.

— Sim. Só eu. Gosto disso, mas às vezes me sinto solitário. A propósito, meu nome é Clyde — disse, e estendeu as mãos.

— Sou Cheryl — eu disse, apertando a sua mão.

— Você quer ir até lá e tomar uma xícara de chá comigo?

— Muito obrigada, mas estou esperando um amigo sair do trabalho — disse, e olhei para a porta do clube, como se Jonathan fosse surgir dela a qualquer momento.

— Bem, meu caminhão está bem ali, e não vamos sair de lá — ele disse, apontando para um velho caminhãozinho de leite no estacionamento. — É nele que moro quando não estou na cabana. Há anos venho tentando ser um eremita, mas às vezes é legal vir à cidade e ouvir uma banda.

— Eu sei o que você quer dizer — falei. Gostei dele e de seu jeito calmo. Ele lembrava alguns homens que conheci no noroeste de Minnesota. Caras que tinham sido amigos de minha mãe e de Eddie, curiosos e generosos, obstinadamente fora do convencional. Encontrei poucas vezes com eles depois que minha mãe morreu. Agora a sensação era como se eu nunca os tivesse conhecido e não pudesse conhecê-los novamente. Parecia-me que, seja lá o que tenha existido antes no lugar onde cresci, agora estava muito distante, impossível de ser resgatado.

— Bem, foi um prazer conhecer você, Cheryl — Clyde disse. — Vou colocar a chaleira para o chá. Você está convidada, como eu disse.

— Legal — respondi imediatamente. — Aceito uma xícara de chá.

Nunca vi uma casa dentro de um caminhão que deixasse de me impressionar como a coisa mais legal do mundo e a de Clyde não era diferente. Organizada e eficiente, elegante e engenhosa, estilosa e utilitária. Tinha um fogão a lenha e uma pequena cozinha, um monte de velas e um fio com luzes de Natal que projetam sombras mágicas em todo o ambiente. Uma prateleira cheia de livros cobria três lados do caminhão, com uma ampla cama instalada no meio. Tirei a sandália nova e deitei na diagonal da cama, tirando livros da estante enquanto Clyde colocava a chaleira no fogo. Havia livros sobre ser um monge e outros sobre pessoas que moravam em cavernas; sobre pessoas que viviam no Ártico e na floresta Amazônica e em uma ilha ao largo da costa do Estado de Washington.

— É camomila que eu mesmo plantei — Clyde disse, despejando a água quente em um pote assim que ferveu. Enquanto esperava a infusão, acendeu algumas velas e veio se sentar ao meu lado na cama, onde eu estava deitada de barriga para baixo e apoiada em meus cotovelos, folheando um livro ilustrado sobre deuses e deusas hindus.

— Você acredita em reencarnação? — perguntei enquanto olhávamos juntos os intrigantes desenhos, lendo trechos sobre eles nos parágrafos do texto em cada página.

— Não acredito — ele disse. — Acredito que estamos aqui uma vez e o que fazemos é o que vale. E você, no que acredita?

— Ainda estou tentando descobrir no que acredito — respondi, pegando a caneca quente que ele segurava.

— Tenho outra coisa para nós, se você quiser, uma coisinha que plantei lá nas montanhas. — Ele pegou no bolso uma raiz retorcida que parecia gengibre e a mostrou para mim na palma da mão. — É ópio mastigável.

— Ópio? — perguntei.

— A diferença é que é bem mais suave. Ele nos deixa altamente relaxados. Você quer um pouco?

— Claro — eu disse automaticamente e o observei cortar um pedaço e me dar, depois cortou outro pedaço para si mesmo e o colocou na boca.

— É para mastigar? — perguntei, e ele balançou a cabeça afirmativamente.

Coloquei a raiz na boca e a mastiguei. Era como comer madeira. Demorou um minuto para eu entender que talvez fosse melhor evitar completamente o ópio ou qualquer outra raiz que um homem estranho me desse, independentemente de quanto ele desse a impressão de ser legal e não ameaçador. Eu a cuspi na mão.

— Não gostou? — ele disse rindo, e pegou uma pequena lixeira para que eu pudesse jogá-la ali.

Fiquei sentada conversando com Clyde em seu caminhão até 11 horas, quando ele me acompanhou até a porta do clube.

— Boa sorte lá em cima na floresta — ele disse, e me abraçou.

Um minuto depois, Jonathan apareceu e me levou até o seu carro, um velho Buick Skylark que ele chamava de Beatrice.

— Então, como foi o trabalho? — perguntei.

Finalmente sentada ao lado dele, não me sentia nervosa como antes, quando estava no bar e ele ficava me olhando.

— Tudo bem — ele disse. Conforme dirigimos no escuro saindo de Ashland, ele me contou sobre a fazenda orgânica, que pertencia a uns amigos. Ele morava de graça em troca de um pouco de trabalho, explicou, me olhando com o rosto iluminado de modo suave pelo brilho do painel. Ele pegou uma estrada, depois outra até que perdi totalmente a noção de onde estava em relação a Ashland, o que para mim na verdade significava onde eu estava em relação à Monstra. Lamentava não tê-la trazido. Não tinha ficado tão longe da mochila desde que entrei na PCT e a sensação era estranha. Jonathan virou em uma entrada de garagem, passou por uma casa escura onde um cachorro latiu e seguiu por uma estrada de terra que nos levou de volta para as plantações de milho e de flores até que por fim os faróis iluminaram rapidamente uma grande barraca quadrada erguida sobre uma plataforma de madeira, e estacionou.

— Aqui é a minha casa — ele disse, e saímos. O ar estava mais frio do que em Ashland. Eu tremia, e Jonathan colocou o braço ao meu redor tão naturalmente que parecia que ele tinha feito isso centenas de vezes antes. Andamos entre o milharal e as flores sob a lua cheia, conversando sobre várias bandas e músicos que um e outro, ou os dois, gostavam, recontando histórias de shows que vimos.

— Vi Michelle Shocked ao vivo três vezes — Jonathan disse.

— Três vezes?

— Uma vez enfrentei uma tempestade de neve na estrada para ir ao show. Tinha apenas umas dez pessoas na plateia.

— Uau — eu disse, percebendo que não tinha a menor chance de manter as calcinhas no lugar com um homem que tinha visto Michelle Shocked três vezes, não importava o quanto repulsiva estivesse a pele do meu quadril.

— Uau — ele replicou, os olhos castanhos encontrando os meus no escuro.

— Uau — eu disse.

— Uau — ele repetiu.

Dissemos apenas uma palavra, mas de repente me senti confusa. Não parecia que ainda estávamos falando de Michelle Shocked.

— Que tipo de flores são essas? — perguntei, apontando para os caules que floresciam ao nosso redor, subitamente aterrorizada porque ele ia me beijar.

Não é que eu não quisesse beijá-lo. É que não beijava ninguém desde Joe, havia mais de dois meses, e toda vez que ficava tanto tempo sem beijar eu tinha certeza de que tinha esquecido como fazer isso. Para atrasar o beijo, perguntei a ele sobre o trabalho na fazenda e no clube, de onde ele era, quem era a sua família, quem foi sua última namorada e quanto tempo ficaram juntos e por que tinham se separado e o tempo todo ele mal me respondia, sem me perguntar nada de volta.

Isso não importava muito para mim. Suas mãos ao redor de meu ombro davam uma sensação gostosa. E ficou ainda melhor quando ele segurou minha cintura e voltamos para a barraca na plataforma e ele se virou para me beijar. Aí percebi que ainda sabia, sem dúvida, como beijar, e todas as coisas que ele não tinha exatamente respondido ou perguntado desapareceram.

— Tem feito realmente muito frio — ele disse, e sorrimos um para o outro daquela maneira boba que duas pessoas que acabaram de se beijar pela primeira vez fazem. — Fiquei feliz por você ter vindo.

— Eu também — falei. Estava plenamente consciente de suas mãos na minha cintura, tão quentes através do tecido fino da minha camiseta, deslizando pelo cós do jeans. Estávamos parados no espaço entre o carro de Jonathan e a barraca. Eram as duas direções em que poderíamos ir: ou voltar sozinha para a cama sob o telhado no albergue em Ashland ou ir para a cama dele com ele.

— Olhe o céu — ele disse. — Todas as estrelas.

— Está lindo — falei, embora não tivesse olhado para o céu.

Em vez disso, analisei o terreno escuro, pontuado por minúsculos pontos de luz, casas e fazendas espalhadas pelo vale. Pensei em Clyde, completamente solitário sob este mesmo céu, lendo bons livros no caminhão. Imaginei onde estaria a PCT. Parecia estar distante. Percebi que não falei nada sobre ela para Jonathan a não ser o pouquinho que gritei em seu ouvido mais alto do que a música na noite anterior. Ele não perguntou.

— Não sei o que foi — Jonathan disse. — No minuto em que vi você, sabia que precisava me aproximar e falar com você. Sabia que você seria show.

— Você é show também — eu disse, apesar de nunca ter usado a palavra show nesse sentido.

Ele se inclinou e me beijou novamente; correspondi com mais ardor do que antes, e ficamos ali nos beijando, beijando, entre a barraca e o carro, com o milharal e as flores e as estrelas e a lua ao nosso redor; parecia ser a coisa mais legal do mundo, minhas mãos lentamente se movendo até seu cabelo cacheado e depois descendo pelos ombros fortes e ao longo dos braços musculosos, das costas vigorosas, apertando seu lindo corpo masculino contra o meu. Não houve uma vez em que eu tenha feito isso e que não tenha lembrado mais uma vez do quanto gosto dos homens.

— Você quer entrar? — Jonathan perguntou.

Eu concordei, ele pediu que o esperasse acender as luzes e o aquecedor; voltou um minuto depois e segurou as abas da porta da barraca para que eu pudesse entrar, e entrei.

Não era o tipo de barraca que eu conhecia. Era uma suíte luxuosa. Aquecida por um pequeno aquecedor e alta o suficiente para ficar de pé, tinha um espaço para andar ao redor da área que não era ocupada pela cama de casal que ficava no meio. De cada lado da cama tinha uma pequena cômoda de papelão sobre a qual ficava uma luminária movida a bateria que imitava uma vela.

— Agradável — falei, parada ao lado dele no pequeno espaço entre a porta e o pé da cama, então ele me puxou e me beijou novamente.

— É esquisito perguntar isso — ele disse depois de um tempo. — Não quero supor nada porque não tem problema se apenas, você sabe, ficarmos juntos... o que seria totalmente show... ou se você quiser que eu te leve de volta para o albergue nesse momento se é isso que você quer fazer, embora eu torça para não ser isso que você queira fazer. Mas antes, quer dizer, não que nós necessariamente vamos fazer isso, mas caso nós... quer dizer, eu não tenho nada, nenhuma doença ou qualquer coisa, mas se nós... Por acaso você tem uma camisinha?

— Você não tem uma camisinha? — perguntei.

Ele negou com a cabeça.

— *Eu* não tenho uma camisinha — falei, o que parecia ser a coisa mais ridícula da minha vida, já que tinha de fato carregado uma camisinha ao longo de desertos abrasadores, escarpas geladas, florestas, montanhas e rios, e através dos dias mais desesperadores, tediosos e alegres para chegar aqui, em uma barraca luxuosamente aquecida com uma cama de casal e luminárias movidas a bateria, olhando nos olhos castanhos de um homem sexy, adorável, lindo, gentil, autocentrado e fã de Michelle Shocked, e estar sem ela só porque eu tinha duas manchas humilhantemente ásperas, do tamanho da palma da mão, na pele do quadril, e prometi ardorosamente que não tiraria as calças, que eu propositalmente a deixaria para trás em meu kit de primeiros socorros dentro da mochila na cidade que era localizada sabe-se lá em qual direção em vez de fazer a coisa sensata, racional e realista de colocá-la na minha falsa bolsa que cheirava a nafta.

— Tudo bem — ele sussurrou, segurando minhas duas mãos na dele. — Podemos apenas ficar juntos. Na realidade, tem um monte de coisas que podemos fazer.

E assim recomeçamos a nos beijar. E beijar e beijar e beijar, suas mãos percorrendo todo o meu corpo sobre as minhas roupas, minhas mãos percorrendo todo o corpo dele.

— Você quer tirar a camiseta? — ele sussurrou depois de um tempo, afastando-se de mim, e eu ri porque de fato queria tirar a camiseta, então a tirei e ele ficou me olhando, com o sutiã de renda preta que despachei meses antes porque achei que poderia querer usá-lo quando chegasse a Ashland, e ri mais uma vez, lembrando-me disso.

— O que é tão engraçado? — ele perguntou.

— É só que eu...Você gosta do meu sutiã? — Fiz um gesto floreado com as mãos, como se estivesse desfilando. — Ele veio de muito longe.

— Estou feliz por ele ter encontrado seu caminho até aqui — ele disse, e se aproximou para tocar delicadamente com o dedo a borda de uma das alças, perto da minha clavícula, mas em vez de puxá-la para baixo e para longe do meu ombro ele passou o dedo lentamente ao longo da borda superior do sutiã e depois seguiu toda a linha até a parte de baixo.

Observei seu rosto enquanto ele fazia isso. Parecia mais íntimo do que tinha sido beijá-lo. Quando ele terminou de percorrer todo o sutiã, mal tinha me tocado e mesmo assim eu estava tão excitada que mal podia ficar de pé.

— Venha cá — disse, e puxei-o para mim e depois para a cama, arrancando as minhas sandálias ao fazer isso.

Ainda estávamos de jeans, mas ele arrancou a camisa; eu abri meu sutiã e o joguei no canto da barraca e nós nos beijamos e rolamos um sobre o outro de uma maneira ardente até que ficamos cada vez mais sem energia e nos deitamos de lado nos beijando um pouco mais. Suas mãos viajavam ao mesmo tempo pelo meu cabelo passando pelos meus peitos até a minha cintura e por fim ele desabotoou o primeiro botão do meu jeans, que foi quando me lembrei das horrendas manchas nos quadris e me afastei dele.

— Desculpe — ele disse. — Pensei que você...

— Não é isso. É que... tem uma coisa que preciso te contar primeiro.

— *Você* é casada?

— Não — eu disse, embora tenha levado um tempo para perceber que estava dizendo a verdade. Paul surgiu em minha mente. Paul. E, de repente, eu me sentei. — Você é casado? — perguntei, virando-me para Jonathan, deitada na cama ao seu lado.

— Não sou casado. Não tenho filhos — ele respondeu.

— Quantos anos você tem? — perguntei.

— Trinta e quatro anos.

— Tenho 26 anos.

Nós nos sentamos pensando nisso. Parecia-me exótico e perfeito que ele tivesse 34 anos. Apesar do fato de ele não ter me perguntado nada a meu respeito, pelo menos eu estava na cama com um homem que já não era mais um menino.

— O que você queria me contar? — ele perguntou, e colocou a mão nas minhas costas nuas.

Quando ele fez isso, percebi que estava tremendo. Perguntei-me se ele conseguia sentir isso.

— É uma coisa que tem me deixado constrangida. A pele do meu quadril... está meio... Bem, sabe quando te contei ontem à noite que estou no meio de uma caminhada por essa trilha chamada PCT? Pois é, tenho que carregar a mochila todo o tempo e onde a barrigueira da mochila raspa a pele ficou...

Procurei uma maneira de explicar isso evitando as palavras *casca de árvore* e *galinha morta depenada*:

— ... áspera. Uma espécie de calosidade de tanto caminhar. Só não quero que você fique chocado se...

Fiquei quieta, sem fôlego, minhas palavras inteiramente absorvidas no prazer imaculado de seus lábios na parte de baixo das minhas costas enquanto suas mãos se estendiam pela frente para terminar a tarefa de desabotoar meu jeans. Ele sentou, seu peito nu contra o meu, afastou meu cabelo para o lado para beijar meu pescoço e meus ombros até que me virei e o afastei de mim enquanto me livrava das minhas calças e ele beijava meu corpo inteiro, desde a orelha, pescoço, clavícula, peitos até o umbigo e a renda da minha calcinha, que ele abaixou enquanto abria caminho para as manchas sobre os ossos dos meus quadris que esperava que ele nunca fosse tocar.

— Ó linda — ele sussurrou, sua boca tão suave contra a parte mais áspera de mim. — Você não precisa se preocupar com nada.

Foi divertido. Foi mais do que divertido. Foi como uma festa naquela barraca. Caímos no sono às seis horas e acordamos duas horas depois, exaustos, mas despertos, nossos corpos prostrados demais para dormir por mais tempo.

— É minha folga — disse Jonathan, sentando-se. — Você quer ir à praia?

Topei sem saber onde exatamente poderia ser a praia. Também era meu dia de folga, o último. No dia seguinte eu voltaria à trilha, em direção ao lago Crater. Nós nos vestimos e percorremos uma longa estrada em arco que demorou cerca de duas horas atravessando a floresta e as montanhas costeiras. Tomamos café, comemos bolinhos e ouvimos música enquanto viajávamos, mantendo o mesmo tipo de conversa limitada que tivemos na noite anterior: música, aparentemente, era a única coisa que tínhamos para conversar. Quando chegamos à cidade costeira de Brookings, me arrependi um pouco de ter concordado em ir, e não apenas porque meu interesse em Jonathan estivesse diminuindo, mas porque viajamos três horas de carro. Era esquisito estar tão distante da PCT, como se de alguma maneira eu a estivesse traindo.

A grandiosidade da praia calou aquele sentimento. Quando caminhava à beira-mar ao lado de Jonathan, percebi que estive nessa mesma praia antes, com Paul. Acampamos em um parque estadual próximo quando fizemos nossa longa viagem pós-Nova York, aquela na qual fomos ao Grand Canyon, a Las Vegas, ao Big Sur, a São Francisco e que por fim nos levou a Portland. Paramos para acampar nessa praia no meio do caminho. Fizemos uma fogueira, preparamos o jantar e jogamos cartas em uma mesa de piquenique, depois nos arrastamos para o banco de trás da caminhonete para fazer amor no futon que estava lá. Podia sentir a lembrança disso como uma capa na minha pele. Quem eu era quando estive aqui com Paul e o que achei que aconteceria e o que aconteceu e quem eu era agora e como tudo mudou.

Jonathan não me perguntou no que eu estava pensando, apesar de eu ter ficado quieta. Apenas caminhamos juntos sem falar nada, passando por poucas pessoas, embora fosse uma tarde de domingo, caminhando até que não tivesse mais ninguém a não ser nós.

— Que tal aqui? — Jonathan perguntou quando chegamos a um lugar protegido por uma caverna de pedras escuras. Observei-o estender uma manta, colocar sobre ela a sacola de coisas para o almoço que ele tinha comprado na Safeway e se sentar.

— Quero andar um pouco mais, se você não se importar — eu disse, deixando as sandálias perto da manta.

Era boa a sensação de estar sozinha, o vento no cabelo e a areia amaciando os pés. Enquanto andava, catei pedras lindas que não poderia levar comigo. Quando estava tão longe que não consegui distinguir Jonathan a distância, me abaixei e escrevi o nome de Paul na areia.

Eu tinha feito aquilo muitas vezes antes. Tinha feito isso durante anos, toda vez que conhecia uma praia depois que me apaixonei por Paul quando tinha 19 anos, estivéssemos juntos ou não. Mas, quando escrevi seu nome agora, sabia que estava fazendo isso pela última vez. Não queria mais sofrer por ele, imaginar se ao deixá-lo eu tinha cometido um erro, me atormentar com todas as maneiras que errei com ele. *E se eu me perdoasse?*, pensei. E se me perdoasse apesar de ter feito algo que não devia? E se eu fosse uma mentirosa e uma impostora e não tivesse desculpas para o que fiz a não ser que era o que eu queria e precisava fazer? E se eu lamentasse, mas ao voltar no tempo, se pudesse, não fizesse nada diferente do que tinha feito? E se de fato quisesse trepar com cada um daqueles homens? E se a heroína me ensinou alguma coisa? E se o *sim* fosse a resposta certa em vez do *não*? E se o que me levou a fazer todas aquelas coisas que todo mundo achou que eu não devia ter feito foi também o que me trouxe aqui? E se eu nunca me redimisse? E se eu já tiver sido?

— Você quer? — perguntei a Jonathan quando voltei até ele, segurando as pedras que coletei.

Ele sorriu, fez que não com a cabeça e observou enquanto eu as deixava cair de volta na areia.

Sentei ao lado dele na manta e ele tirou as coisas da sacola da Safeway: *bagels* e queijo, um pequeno ursinho de plástico com mel, bananas e laranjas, que ele descascou para nós. Eu as comi até que ele estendeu o dedo cheio de mel, passou nos meus lábios e me lambeu, me mordiscando suavemente no final.

E então começou uma fantasia de mel à beira-mar. Ele, eu, o mel com alguma areia inevitavelmente misturada. Minha boca, sua boca e toda a extensão do lado macio do meu braço até os meus seios. Pelos seus ombros lisos e nus, descendo até os mamilos, o umbigo e ao longo da borda superior de seu short, até que eu finalmente não aguentava mais.

— Uau — eu disse, ofegante, porque essa parecia ser a nossa palavra. Isso substituiu o que eu não disse, ou seja, para um cara que conversava pouco, ele era espetacularmente bom de cama. E ainda nem tinha trepado com ele.

Sem uma palavra, ele pegou o pacote de camisinhas da sacola da Safeway e a abriu. Quando se levantou, ele pegou minha mão e me levantou também. Deixei que ele me levasse pela areia até uma aglomeração de pedras que formava uma caverna e nós a contornamos para entrar no que se podia chamar de reservado em uma praia pública — uma fenda entre as pedras escuras em plena luz do dia. Não era o tipo de coisa que eu gostava, fazer sexo ao ar livre. Tenho certeza de que existe uma mulher no planeta que escolheria ao ar livre, em vez de no lugar mais impessoal e sujo, mas ainda não a conheci, embora tenha decidido que a proteção das pedras seria suficiente para este dia. Afinal de contas, ao longo do curso dos últimos dois meses, eu tinha feito tudo o mais ao ar livre. Tiramos a roupa um do outro e me reclinei, encostando a bunda em uma pedra inclinada; abracei Jonathan com as pernas até que ele me virou e eu agarrei na pedra. Junto com os resquícios do mel, havia o cheiro mineral do sal, da areia e o cheiro úmido do musgo e do plâncton. Não demorou para eu esquecer que estava ao ar livre, antes que eu pudesse até mesmo lembrar do mel, ou se ele tinha me feito uma única pergunta ou não.

Não havia muito a dizer quando fizemos a longa viagem de volta a Ashland. Estava tão cansada do sexo, da falta de sono, da areia, do sol e do mel, que, de qualquer forma, mal conseguia falar. Estávamos quietos e tranquilos juntos, ouvindo Neil Young durante todo o percurso até o albergue, onde, sem cerimônia, encerramos nosso encontro de 22 horas.

— Obrigada por tudo — eu disse, beijando-o. Já tinha escurecido, eram nove horas da noite de domingo, a cidade mais quieta do que na noite anterior, recolhida e acomodada, com metade dos turistas tendo voltado para casa.

— Seu endereço — ele disse, me dando um pedaço de papel e uma caneta. Anotei o endereço de Lisa, com uma sensação crescente que não era bem um sofrimento, um lamento ou um anseio, mas uma mistura de tudo isso. Tinha sido indiscutivelmente agradável, mas agora me sentia vazia. Como se houvesse algo que eu nem sabia que queria até não ser capaz de conseguir.

Dei a ele o pedaço de papel.

— Não esqueça a bolsa — ele disse, pegando a pequena bolsa vermelha do fogareiro.

— Tchau — falei, pegando a bolsa da mão dele e me dirigindo para a porta.

— Não tão rápido — ele disse, puxando-me para junto dele. Ele me beijou com ardor e correspondi com mais ardor ainda, como se fosse o final de uma era que tinha durado toda a minha vida.

Na manhã seguinte, vesti a roupa esporte, o mesmo top velho e manchado e o short azul-marinho surrado que tenho usado desde o primeiro dia, junto com um novo par de meias e a última camiseta limpa que eu teria até o fim, uma camiseta cinza que dizia UNIVERSITY OF CALIFORNIA BERKELEY em letras amarelas no peito. Andei até a cooperativa com a Monstra nas costas, o bastão de esqui pendurado no punho e uma caixa nos braços, e ocupei uma mesa na seção de comida da loja para organizar a mochila.

Quando acabei, a Monstra estava carregada de maneira organizada no chão ao lado da pequena caixa que continha o jeans, o sutiã e a calcinha que eu estava enviando pelo correio de volta para Lisa, além de uma sacola plástica de supermercado com as refeições que eu não aguentava mais comer, que planejava deixar na caixa de doações ao trilheiro da PCT na agência do correio na saída da cidade. O Parque Nacional de Crater Lake era minha próxima parada, a 177 quilômetros de distância. Precisava voltar à PCT e ainda assim estava relutante de deixar Ashland. Procurei na mochila e encontrei o colar Strayed e o coloquei. Estiquei o braço e toquei a pena de corvo que Doug me deu. Ainda estava presa à mochila no lugar que eu tinha colocado desde o início, apesar de agora estar desfiada e suja. Abri o zíper do bolso lateral onde guardava o kit de primeiros socorros, o tirei da mochila e o abri. A camisinha que carreguei o tempo todo desde Mojave ainda estava lá, como nova. Eu a peguei, a coloquei na sacola plástica de supermercado com a comida que eu não queria, ajeitei a Monstra nas costas e saí da cooperativa carregando a caixa e a sacola.

Eu não tinha andado muito quando vi o homem de faixa na cabeça que encontrei no lago Toad, sentado na calçada onde o tinha visto antes, com a lata de café e o pequeno cartaz de papelão na frente.

— Estou de saída — falei, parando diante dele.

Ele levantou os olhos e fez que não com a cabeça. Ainda não parecia se lembrar de mim, nem de nosso encontro no lago Toad, tampouco do encontro de alguns dias antes.

— Eu te conheci quando você estava procurando pelo Encontro do Arco-íris — eu disse. — Eu estava lá com outra mulher, chamada Stacy. Conversamos com você.

Ele fez que não novamente, balançando o trocado na sua lata.

— Tenho um pouco de comida aqui de que eu não preciso, se você quiser — eu disse, colocando a sacola plástica de supermercado no chão ao seu lado.

— Obrigado, baby — ele disse, quando comecei a me afastar.

Eu parei e me virei.

— Ei — chamei. — Ei! — gritei até que ele me olhasse.

— Não me chame de baby — eu disse.

Ele uniu as mãos, como em uma prece, e abaixou a cabeça.

16

MAZAMA

O lago Crater costumava ser um monte. Era chamado de monte Mazama. Não era tão diferente da cadeia de vulcões inativos que eu atravessaria na PCT no Oregon — o monte McLoughlin, os picos Three Sisters, o monte Washington, o Three Fingered Jack, o monte Jefferson e o monte Hood —, exceto por ser maior do que todos eles, tendo alcançado uma elevação estimada em um pouco menos de 3.700 metros. O monte Mazama explodiu há cerca de 7.700 anos em uma erupção cataclísmica que foi 42 vezes mais violenta do que a erupção que decapitou o monte St. Helens em 1980. Foi a maior erupção explosiva na cordilheira das Cascatas ao longo de um milhão de anos. Na sequência da destruição do Mazama, cinza e lava cobriram a paisagem por cerca de 1,3 milhão de quilômetros quadrados — atingindo quase todo o Oregon e alcançando até mesmo Alberta, no Canadá. A tribo Klamath de índios americanos, que presenciou a erupção, acreditava que foi uma violenta batalha entre Llao, o espírito do submundo, e Skell, o espírito do céu. Quando a batalha acabou, Llao foi levado de volta ao submundo e o monte Mazama se tornou uma cratera vazia. A cratera, como é chamada, é uma espécie de montanha invertida. Uma montanha que teve o próprio coração removido. Lentamente, ao longo de centenas de anos, a cratera se encheu de água, coletada da chuva e do degelo do Oregon, até que virou o lago que é agora. Atingindo uma profundidade máxima de mais de 580 metros aproximadamente, o lago Crater é o mais profundo dos Estados Unidos e está entre os mais profundos do mundo.

Sabia um pouco sobre lagos, tendo vindo de Minnesota, mas enquanto me afastava de Ashland mal podia imaginar o que veria no lago Crater. Seria como o lago Superior, eu supunha, o lago perto de onde a minha mãe morreu, o azul se estendendo eternamente no horizonte. O guia disse apenas que a primeira visão dele a partir da margem, que se eleva a 274 metros acima da superfície do lago, seria de "descrença".

Eu tinha um novo guia agora. Uma nova bíblia. O *Pacific Crest Trail, Volume 2: Oregon and Washington*, embora eu tivesse arrancado, lá na cooperativa em Ashland, as últimas 130 páginas do livro, porque não precisaria da parte de Washington. Na primeira noite longe de Ashland, eu o folheei antes de dormir, lendo trechos aqui e ali, a mesma coisa que fiz com o guia da Califórnia no deserto na primeira noite que passei na PCT.

Conforme me afastei de Ashland naqueles primeiros dias, vi de relance algumas vezes o monte Shasta ao sul, mas a maior parte do tempo caminhei em florestas que impediam vistas panorâmicas. Entre os mochileiros, a PCT no Oregon era com frequência chamada de "túnel verde" porque oferecia muito menos panoramas do que a trilha na Califórnia. Já não tinha a sensação de que estava empoleirada no alto olhando tudo de cima para baixo, e era estranho não ser capaz de enxergar através do terreno. A Califórnia mudou a minha visão, mas o Oregon a alterou novamente, aproximando-a. Atravessei florestas de enormes e nobres pinheiros do gênero pseudotsuga, prosseguindo ao longo de lagos cobertos de vegetação, de campos gramados, cheios de ervas daninhas e espinhos que às vezes escureciam a trilha. Cruzei a Floresta Nacional de Rogue River e caminhei sob árvores incrivelmente antigas antes de encontrar áreas desmatadas como tinha visto havia algumas semanas, amplos espaços abertos cheios de tocos e raízes de árvores que tinham sido expostas pelo desmatamento da mata fechada. Passei uma tarde perdida em meio aos destroços, caminhando durante horas antes de chegar a uma estrada pavimentada e encontrar novamente a PCT.

Estava ensolarado e claro, mas o ar era frio e foi ficando progressivamente mais frio a cada dia conforme eu passava pela reserva Sky Lakes, onde a trilha passou dos 1.800 metros de altitude. As vistas panorâmicas surgiam novamente à medida que eu caminhava ao longo de uma cordilheira de rochas vulcânicas e pedregulhos, vendo lagos de relance de vez em quando abaixo da trilha e o território que se estendia mais adiante. Apesar do sol, parecia uma manhã do início de outubro em vez de uma tarde do meio de agosto. Eu precisava me manter em movimento para ficar aquecida. Se parasse por mais de cinco minutos, o suor que encharcava a parte de trás da minha camiseta ficava gelado. Não tinha encontrado ninguém desde que saí de Ashland, mas agora encontrei uns poucos trilheiros e mochileiros de um dia que tinham subido até a PCT por uma das muitas trilhas que a cruzavam, levando a picos acima ou a lagos abaixo. A maior parte do tempo eu estava sozinha, o que não era incomum, mas o frio fazia a trilha parecer mais vazia, o vento ressoando nos galhos das árvores persistentes. Também parecia estar mais frio, ainda mais frio do que na neve acima de Sierra City, apesar de eu ter visto apenas trechos eventuais de neve. Percebi que estava assim porque antes as montanhas se aproximavam do verão e agora, apenas seis semanas depois, se afastavam dele e quase entravam no outono, num ritmo que me impelia.

Uma noite eu parei para acampar, tirei as roupas suadas, vesti todas as peças de roupa que tinha e rapidamente preparei o jantar, me fechando dentro do saco de dormir assim que terminei de comer, gelada até os ossos, gelada demais até mesmo para ler. Deitei enrolada em mim mesma na posição fetal, com o chapéu e as luvas a noite toda, mal conseguindo dormir. Quando o sol finalmente nasceu, fazia -3,3 graus e a barraca estava coberta por uma fina camada de neve; a água congelou nas garrafas, apesar de elas terem ficado ao meu lado dentro da barraca. Quando levantei acampamento sem tomar um gole de água, comendo uma barra de proteína em vez da habitual granola misturada com leite de soja, pensei novamente em minha mãe. Ela estava ameaçando se aproximar havia dias, passeando firme e lentamente em minha mente desde Ashland, e agora, finalmente, no dia da neve, ela estava incontestavelmente aqui.

Era 18 de agosto. Seu aniversário. Ela faria 50 anos se estivesse viva.

Ela não estava viva. Ela não completou 50 anos. Ela nunca faria 50 anos, disse a mim mesma enquanto caminhava sob o frio e a luz brilhante do sol de agosto. *Faça 50, mãe. Faça a porra dos 50 anos*, pensei com crescente raiva à medida que avançava. Não dava para acreditar o quanto eu estava furiosa com a minha mãe por ela não estar viva em seu quinquagésimo aniversário. Eu tinha o desejo palpável de lhe dar um soco na boca.

Seus aniversários anteriores não tinham provocado a mesma raiva. Nos últimos anos, estive constantemente triste. No primeiro aniversário sem ela, no dia em que faria 46 anos, espalhei suas cinzas com Eddie, Karen, Leif e Paul no pequeno canteiro de flores demarcado por pedras que nós construímos para ela em nossa fazenda. Nos três aniversários seguintes, não fiz nada a não ser chorar sentada, quieta, ouvindo com grande atenção o disco inteiro de Judy Collins, *Colors of the Day*, sendo que cada nota parecia ser uma de minhas células. Eu suportava ouvir o disco apenas uma vez por ano, por causa das lembranças de minha mãe, o colocando para tocar quando eu era criança. A música me dava a sensação de que ela estava lá comigo, de pé na sala — só que ela não estava e nunca mais estaria.

Eu não podia me permitir nem uma frase de sua letra agora na PCT. Apaguei cada música da estação de rádio de remixes na cabeça, pressionando um rebobinar imaginário e fazendo uma mistura desesperada para forçar minha mente a ficar parada. Era o não aniversário de 50 anos de minha mãe e não deveria ter música. Em vez disso, passei por lagos de altitude e cruzei blocos de rochas vulcânicas à medida que a neve da noite derretia nas resistentes flores silvestres que cresciam entre elas, caminhando mais rápido do que nunca enquanto pensava coisas nada caridosas sobre minha mãe. Morrer aos 45 anos tinha sido apenas a pior coisa que ela tinha feito de errado. Durante a caminhada, fiz um catálogo do restante, listando-as detalhadamente em minha cabeça:

1. Ela tinha passado por uma fase durante a qual fumou maconha de maneira ocasional, e não tinha receio de fazer isso na frente de meus irmãos e de mim. Uma vez, chapada, ela disse: “É apenas uma erva. Como chá.”

2. Não era incomum para meu irmão, para minha irmã e para mim ficarmos sozinhos quando morávamos no prédio de apartamentos cheio de mães solteiras. Ela nos dizia que tínhamos idade suficiente para tomar conta de nós mesmos por algumas horas porque ela não podia se

dar ao luxo de pagar uma babá. Além disso, havia todas aquelas outras mães a quem poderíamos recorrer se algo desse errado, ela dizia. Mas nós precisávamos da *nossa* mãe.

3. Durante esse mesmo período, quando ficou realmente maluca, ameaçava nos bater frequentemente com uma colher de pau, e algumas vezes cumpriu.

4. Uma vez ela disse que estaria tudo bem para ela, perfeitamente bem, se quiséssemos chamá-la pelo nome em vez de chamá-la de mãe.

5. Ela podia ser calma e com frequência distante dos amigos. Ela os amava, porém os mantinha a distância. Não acho que ela deixou realmente que qualquer um deles se tornasse íntimo. Ela se apegava à crença de que "o sangue é mais forte do que a água", apesar do fato de minha família ser bastante limitada em parentes de sangue que não moravam a quilômetros de distância. Ela mantinha um ar de reclusão e privacidade, participando de uma comunidade de amigos, mas também isolando nossa família deles. Foi por essa razão que ninguém apareceu quando ela morreu, eu acho, a razão por que seus amigos me deixaram em paz em meu inevitável exílio. Como ela não mantinha nenhum deles muito perto, nenhum deles me apoiou. Eles me queriam bem, mas não me convidaram para o jantar de Ação de Graças ou ligaram no aniversário dela para me dar um alô depois que ela morreu.

6. Ela era otimista em um grau irritante, dada a dizer coisas estúpidas como: *Não somos pobres porque somos ricos em amor!*, ou *Quando uma porta se fecha, outra se abre!* O que sempre me deixou com vontade de estrangulá-la por razões que não sei identificar, mesmo quando ela estava morrendo e seu otimismo rápida e desoladamente se expressou na crença de que não morreria de fato, desde que tomasse uma quantidade imensa de suco de gérmen de trigo.

7. Quando eu estava no ensino médio, ela não me perguntou onde eu gostaria de cursar a faculdade. Não me levou para visitar as faculdades. Eu nem sabia que as pessoas faziam essas visitas até entrar na faculdade e os outros me contarem que tinham feito. Deixou que eu descobrisse por conta própria, me candidatando para uma única faculdade em St. Paul por nenhuma outra razão do que ela parecer bonita no folheto e ficar apenas a três horas de distância de carro de casa. Sim, eu descuidei um pouco no ensino médio, brincando de loura burra para

não ser socialmente hostilizada porque a minha família morava em uma casa que tinha um balde de mel como banheiro e um fogão a lenha como aquecedor; e meu padrasto tinha o cabelo comprido, uma grande barba cerrada e dirigia um carro caindo aos pedaços que ele transformou em caminhonete com um maçarico, uma serra elétrica e umas madeiras; e minha mãe optou por não raspar embaixo dos braços e por dizer coisas como *Na realidade, acho que caçar é cometer assassinato* aos machões locais amantes de armas. Mas ela sabia que eu era secretamente inteligente. Sabia que era intelectualmente curiosa, devorando livros durante o dia. Eu me classificava nos percentuais mais altos em todo teste padrão que fazia, para surpresa de todo mundo, menos dela e minha. Por que ela não me disse: *Ei, talvez você devesse se candidatar a Harvard? Talvez você devesse se candidatar a Yale?* A possibilidade de Harvard e Yale não passou pela minha cabeça naquela época. Pareciam ser universidades totalmente imaginárias. Só mais tarde percebi que Harvard e Yale eram reais. E mesmo que na realidade elas não me aceitassem — eu, honestamente, não estava apta aos seus padrões —, algo dentro de mim foi destruído pelo fato de nunca sequer ter sido considerada a hipótese de que eu poderia ter uma chance.

Mas era tarde demais agora, eu sabia, e tinha apenas a minha mãe morta, reclusa, excessivamente otimista, não-preparadora-para-a-faculdade, eventualmente-abandonadora-de-crianças, fumante-de-maconha, usuária-de-colher-de-pau, sinta-se-livre-para-me-chamar-pelo-meu-nome para culpar. Ela tinha fracassado. Ela tinha fracassado. Ela tinha fracassado tão profundamente comigo.

Foda-se ela, pensei tão zangada que parei de caminhar.

E então gritei. Nenhuma lágrima surgiu, só uma série de urros altos que percorreram meu corpo com tanta força que eu não consegui ficar em pé. Tive que me curvar, ajoelhar, abraçar os joelhos com as mãos, com a mochila pesada em cima de mim, o bastão de esqui pendurado atrás de mim e bate no chão, toda a vida idiota que tive saindo pela garganta.

Isso era errado. Era tão implacavelmente terrível que minha mãe tenha sido tirada de mim. Eu não pude nem odiá-la adequadamente. Não consegui crescer e me afastar dela e reclamar dela para os meus amigos e confrontá-la sobre as coisas que eu gostaria que ela tivesse feito diferente e depois envelhecer e entender que ela tinha feito o melhor que podia e perceber que o que ela fez era bom demais e acolhê-la em meus braços novamente. Sua morte tinha destruído isso. Ela me destruiu. Ela me interrompeu no auge da minha arrogância juvenil. Ela me forçou a amadurecer instantaneamente e a perdoar todas as suas falhas maternais ao mesmo tempo que me manteve criança para sempre, minha vida tanto acabou quanto começou nesse lugar prematuro onde fomos abandonadas. Ela era a minha mãe, mas eu não tinha mãe. Estava presa a ela, mas completamente sozinha. Ela seria sempre a tigela vazia que ninguém podia preencher. Eu mesma teria que preenchê-la repetidamente.

Foda-se ela, recitei enquanto marchava pelos quilômetros seguintes, com o ritmo acelerado pela raiva, mas logo diminuí o passo e parei para me sentar em uma pedra. Uma concentração de flores pequenas crescia aos meus pés, as pétalas rosa rodeando as pedras. *Açafrão*, pensei. O nome que surgiu em minha mente porque minha mãe a chamava assim. Essas mesmas flores cresciam na terra onde tinha espalhado suas cinzas. Eu me estiquei e toquei as pétalas de uma delas, sentindo que minha raiva escoava do meu corpo.

Quando me levantei e recomecei a andar, não senti nenhum ressentimento por minha mãe. A verdade era que, apesar de tudo isso, ela tinha sido uma mãe espetacular. Eu sabia disso enquanto estava crescendo. Sabia disso nos dias em que ela estava morrendo. Sabia disso agora. E sabia que isso era especial. Que isso era muito especial. Eu tinha muitos amigos que tinham mães que, a despeito de quanto viveram, nunca lhes deram o amor incondicional que minha mãe me deu. Minha mãe achava que o amor era a sua maior conquista. Foi no que ela se apoiou quando entendeu que realmente morreria, e logo, o que tornou minimamente suportável para ela deixar a mim, Karen e Leif sozinhos.

— Eu dei tudo a vocês — insistiu repetidas vezes em seus últimos dias.

— Sim — concordei.

Ela deu, era verdade. Ela deu. Ela deu. Ela nos tratou com velocidade maternal máxima. Ela não economizou nada, nem uma única gota de seu amor.

— Vou sempre estar com vocês, não importa o quê — ela disse.

— Sim — respondi, afagando seu braço macio.

Quando ficou tão doente que percebemos que ela realmente morreria, quando estávamos na reta final para o inferno, quando já tínhamos parado de pensar que qualquer quantidade de suco de gérmen de trigo a salvaria, perguntei o que ela queria que fosse feito com seu corpo, cremação ou enterro, embora ela me olhasse como se eu estivesse falando holandês.

— Eu quero que tudo o que possa ser doado seja doado — ela disse depois de um tempo. — Meus órgãos, quero dizer. Deixe que peguem todas as partes que possam usar.

— Ok — eu disse. Foi a coisa mais estranha de considerar, saber que não estávamos fazendo planos impossivelmente distantes; imaginar partes de minha mãe vivas no corpo de alguma outra pessoa. — Mas e depois? — insisti, praticamente ofegante de sofrimento. Eu tinha que saber. Recairia sobre mim. — O que você quer fazer com... o que... sobrar. Você quer ser enterrada ou cremada?

— Eu não ligo — ela disse.

— É claro que você se importa — respondi.

— Eu realmente não me importo. Faça o que achar melhor. Faça o que for mais barato.

— Não — insisti. — Você precisa me dizer. Quero saber o que você quer que eu faça. — A ideia de que a decisão seria minha me apavorava.

— Ai, Cheryl — ela disse, exausta por minha culpa, nossos olhos se encontrando em uma trégua do sofrimento. Cada vez que eu queria estrangulá-la por causa de seu otimismo exagerado, ela queria me estrangular porque eu nunca relevava.

— Cremada — ela disse finalmente. — Me transforme em cinzas.

E assim fizemos, embora as cinzas de seu corpo não fossem o que eu esperava.

Elas não eram como as cinzas de uma fogueira, suaves e finas como areia. Eram como seixos claros misturados com um cascalho cinza granulado. Alguns pedaços eram tão grandes que eu podia ver claramente que um dia foram ossos. A caixa que o homem da funerária me deu era estranhamente endereçada à mamãe. Eu a trouxe para casa e a coloquei no armário embaixo da cristaleira antiga onde ela guardava suas coisas mais legais. Era junho. Ela ficou lá até o dia 18 de agosto, como a lápide que mandamos fazer para ela, que chegou na mesma semana que as cinzas. Ela ficou na sala de estar, na lateral, uma visão provavelmente perturbadora para os visitantes, mas reconfortante para mim. A pedra era uma ardósia cinza, com as letras entalhadas em branco. Traziam seu nome, as datas de nascimento e morte e a frase que ela nos disse repetidas vezes quando ficou doente e morreu: *Estou sempre com vocês.*

Ela queria que nos lembrássemos disso, e eu lembrava. Era como se estivesse sempre comigo, pelo menos metaforicamente. E, de certa forma, também era literal. Quando finalmente colocamos a lápide e espalhamos suas cinzas na terra, eu não espalhei tudo. Mantive os pedaços maiores em minha mão. E fiquei um bom tempo sem conseguir soltá-los na terra. Eu não os soltei. Nunca o faria.

Coloquei seus ossos cremados dentro da minha boca e os engoli inteiros.

Na noite do quinquagésimo aniversário da minha mãe, eu a amei novamente, embora ainda não suportasse permitir que as músicas de Judy Collins me viessem à cabeça. Estava frio, mas não tão frio quanto na noite anterior. Eu me sentei agasalhada na barraca, usando luvas e lendo as primeiras páginas do novo livro, *The Best American Essays 1991* (Os melhores ensaios americanos 1991). Normalmente esperava a manhã seguinte para queimar as páginas lidas na noite anterior, mas nessa noite, quando acabei de ler, engatinhei para fora da barraca e fiz uma fogueira com as páginas que tinha lido. Enquanto olhava as páginas queimando, disse o nome de minha mãe em voz alta como se fosse uma homenagem a ela. Seu nome era Barbara, mas ela era chamada de Bobbi, então esse foi o nome que falei. Falar *Bobbi* em vez de mãe foi como uma revelação, como se fosse a primeira vez que eu realmente entendi que ela era a minha mãe, mas também era mais do que isso. Quando ela morreu, eu perdi isso também, a Bobbi, a mulher que existia à parte de quem ela era para mim. Ela parecia vir até mim agora, a força completa perfeita e imperfeita de sua humanidade, como se a sua vida fosse um complicado mural pintado e eu pudesse por fim enxergá-lo completamente. Quem ela foi para mim e quem ela não tinha sido. Como era ela fazer parte de mim tão profundamente, e como era não fazer parte também.

Bobbi não teve seu último desejo atendido, de que seus órgãos fossem usados para ajudar outras pessoas, ou pelo menos não na extensão que esperava. Quando morreu, estava devastada pelo câncer e pela morfina, seu corpo de 45 anos, uma coisa tóxica. No fim, puderam usar apenas as córneas. Eu sabia que essa parte do olho era nada além de uma membrana transparente, mas quando pensei no que minha mãe tinha dado, não pensei nisso dessa maneira. Pensei em seus incríveis olhos azuis, olhos azuis vivendo no rosto de outra pessoa. Alguns meses após a morte de minha mãe, recebemos uma carta de agradecimento de uma fundação que facilitou a doação. Devido a sua generosidade uma pessoa podia enxergar, a carta dizia. Fiquei louca de vontade de conhecer a pessoa e olhar em seus olhos. Ele ou ela não precisaria dizer nada. Tudo o que eu queria era que essa pessoa me olhasse. Liguei para o telefone que estava na carta para perguntar, mas fui rapidamente rechaçada. A confidencialidade era de máxima importância, me disseram. Existiam os direitos do receptor.

— Gostaria de lhe explicar sobre a natureza da doação de sua mãe — a mulher no telefone disse em uma voz paciente e reconfortante que me lembrou os inúmeros conselheiros, voluntários hospitalares, enfermeiras, médicos e agentes funerários que me procuraram nas semanas durante as quais minha mãe estava morrendo e nos dias após sua morte. Uma voz cheia de compaixão intencional, quase exagerada, que também comunicava que nisso eu estava inteiramente sozinha. — Não foi o olho inteiro que foi transplantado — a mulher explicou —, e sim a córnea, que é...

— Sei o que é a córnea — interrompi. — Ainda assim gostaria de saber quem é essa pessoa. De conhecer ele ou ela se possível. Acho que vocês me devem isso.

Desliguei o telefone dominada pelo sofrimento, mas a pequena essência de ponderação que ainda vivia dentro de mim sabia que a mulher estava certa. Minha mãe não estava lá. Seus olhos azuis tinham ido embora. Nunca mais olharia para eles.

Quando as chamas das páginas que queimei se apagaram e me levantei para voltar à barraca, o som de latidos e uivos altos e frenéticos chegaram a mim vindos do leste — uma matilha de coiotes. Ouvi esse som no norte de Minnesota tantas vezes que não me assustou. Ele me lembrava da minha casa. Olhei para o céu, estrelas magníficas por todo lado, tão brilhantes em contraste com o escuro. Eu tremia, sabendo que tinha sorte de estar aqui, percebendo que estava bonito demais para voltar agora para a barraca. Onde estaria daqui a um mês? Parecia impossível que eu não estivesse na trilha, mas era verdade. Provavelmente estaria em Portland, basicamente porque estava falida. Ainda tinha um pouco de dinheiro que sobrou de Ashland, mas nada que não fosse acabar antes de eu chegar à Ponte dos Deuses.

Deixei que Portland surgisse em minha mente ao longo dos dias, à medida que passei pela reserva Sky Lakes e pelo deserto do Oregon, uma planície alta e poeirenta de pinheiros *pinus contorta*, que o guia explicava ter sido ocupada por lagos e riachos, antes de serem soterrados pelas toneladas de lava e cinza que caíram quando o monte Mazama entrou em erupção. Era cedo de um sábado quando cheguei ao Parque Nacional de Crater Lake. Não dava para ver o lago. Eu tinha chegado em vez disso à área de camping, distante 11 quilômetros da margem do lago.

A área do camping não era apenas um camping. Era um enlouquecido complexo turístico que incluía um estacionamento, uma loja, um motel, uma pequena lavanderia automática e o que pareciam ser trezentas pessoas religando seus motores e tocando bem alto seus rádios, bebendo ruidosamente suas bebidas em gigantes copos de papel com canudos e comendo grandes sacos de batata frita que compraram na loja. A cena ao mesmo tempo me fascinou e me apavorou. Se não soubesse por experiência própria, não acreditaria que era possível andar 400 metros em qualquer direção e estar em um mundo totalmente diferente.

Acampei lá aquela noite, tomando um banho abençoado no banheiro e na manhã seguinte fui até o lago Crater.

O guia acertou: a primeira visão era de descrença. A superfície da água ficava 274 metros abaixo de onde eu estava na borda rochosa a 2.164 metros de altitude. O círculo irregular do lago se estendia abaixo de mim no azul ultramarinho mais limpo e inacreditável que já tinha visto. Eram aproximadamente 10 quilômetros de diâmetro, o azul interrompido apenas pelo topo de um pequeno vulcão, Wizard Island, que se eleva a 213 metros acima da lâmina d'água, formando uma ilha cônica sobre a qual crescem pinheiros torcidos em formato de rabo de raposa. Em grande parte árida e sinuosa, a borda que contornava o lago era povoada com esses mesmos pinheiros e tinha ao fundo montanhas distantes.

— Como o lago é tão limpo e profundo, absorve cada tom visível da luz com exceção do azul; então ele reflete o azul de volta para nós — disse uma estranha que estava ao meu lado, respondendo à questão que eu tinha quase falado em voz alta em meu êxtase.

— Obrigada — eu disse a ela. Como a água era tão profunda e limpa, absorvia toda cor visível a não ser o azul; parecia ser uma explicação perfeitamente legítima e científica, e ainda assim havia algo sobre o lago Crater que permanecia inexplicável. A tribo Klamath ainda o considerava um local sagrado, e eu podia entender a razão. Não tinha dúvida sobre isso. Não importava que ao meu redor estivessem turistas tirando fotografias e passando lentamente com seus carros. Podia sentir a força do lago. Parecia um choque no meio desse enorme território: inviolável, isolado e sozinho, como se sempre tivesse estado e sempre fosse estar aqui, absorvendo todas as cores visíveis da luz, menos o azul.

Tirei algumas fotografias e caminhei ao longo da borda do lago perto de um pequeno conjunto de prédios que haviam sido construídos para hospedar os turistas. Eu não tinha outra opção a não ser passar o dia ali, porque era domingo e a agência de correio do parque estava fechada; só poderia pegar a caixa no dia seguinte. Estava ensolarado e enfim esquentou novamente; enquanto caminhava, pensei que se tivesse mantido a gravidez que soube naquele quarto de hotel em Sioux Falls na noite anterior à decisão de fazer a caminhada na PCT, eu estaria dando à luz um bebê por agora. A semana do aniversário da minha mãe seria a data provável do meu parto. A devastadora coincidência dessas datas foi como um soco no estômago naquele momento, mas não provocou nenhuma hesitação em minha decisão de ter feito um aborto. Apenas me fez pedir ao universo que me desse outra chance. Que me permitisse me tornar quem eu precisava ser antes de me tornar mãe: uma mulher cuja vida fosse totalmente diferente da que minha mãe havia tido.

Por mais que eu amasse e admirasse a minha mãe, passei a infância planejando não ser como ela. Sabia por que ela tinha se casado com meu pai aos 19 anos, grávida e apenas um pouquinho apaixonada. Essa era uma das histórias que eu a fiz me contar quando não parava de perguntar e ela balançava a cabeça e dizia: *Por que você quer saber?* Perguntei tanto que ela por fim cedeu. Quando soube que estava grávida, analisou duas opções: fazer um aborto ilegal em Denver ou se esconder em uma cidade distante durante a gravidez, depois deixar minha irmã com sua mãe, que tinha se oferecido para criar o bebê como se fosse seu. Mas mamãe não fez nenhuma das duas coisas. Decidiu ter o bebê e se casou com meu pai. E tornou-se mãe de Karen, depois minha mãe e mãe de Leif.

Nossa mãe.

— Nunca estive no comando de minha própria vida — ela se lamentou comigo uma vez, dias depois que soube que ia morrer. — Sempre fiz o que os outros queriam que eu fizesse. Sempre fui a filha de alguém, a mãe ou a mulher. Nunca fui apenas eu.

— Ai, mãe — foi tudo o que pude dizer enquanto afagava sua mão.

Eu era jovem demais para dizer qualquer outra coisa.

Ao meio-dia fui à lanchonete em um dos prédios próximos e almocei. Mais tarde, caminhei pelo estacionamento até o Crater Lake Lodge e passeei pela recepção elegantemente rústica com a Monstra nas costas, parando para espiar o salão do restaurante. Havia um pequeno número de pessoas sentadas nas mesas, grupos requintados segurando taças de chardonnay e de *pinot gris* como joias amarelas-claras. Saí pela grande varanda que dava para o lago, andei ao longo de uma fileira de cadeiras de balanço enormes e encontrei uma que estava balançando sozinha.

Sentei nela pelo resto da tarde, olhando para o lago. Ainda tinha 538 quilômetros de caminhada até a Ponte dos Deuses, mas algo me fez sentir como se tivesse chegado. Como se aquela água azul estivesse me dizendo alguma coisa que tinha andado todo esse caminho para descobrir.

Isso já foi o Mazama, ficava lembrando a mim mesma. Já foi uma montanha que tinha quase 3.657 metros de altura e depois teve seu coração removido. Já foi uma terra devastada por lava, pedra-pomes e cinza. Já foi uma cratera vazia que levou centenas de anos para ser preenchida. Mas por mais que eu tentasse, não conseguia vê-las em minha imaginação. Nem a montanha, nem a terra devastada ou a cratera vazia. Elas simplesmente não estavam mais lá. Havia apenas a imobilidade e o silêncio daquela água: o que a montanha, a terra devastada e a cratera vazia se tornaram depois que a cura começou.

17

NO AUTOMÁTICO

O Oregon era um jogo de amarelinha em minha mente. Eu pulava, girava e saltava em minha imaginação durante todo o caminho entre o lago Crater e a Parte dos Deuses. Cento e trinta e sete quilômetros até a próxima caixa em um lugar chamado Shelter Cove Resort. Duzentos e trinta quilômetros a mais para a última caixa em Olallie. Depois eu entraria na reta final até o rio Columbia: 171 quilômetros até a cidade de Cascade Locks, com uma parada para um puta-merda-não-acredito-que-estou--quase-lá drinque no Timberline Lodge, no monte Hood, no meio da reta final.

Mas isso ainda somava 538 quilômetros à caminhada.

O legal, rapidamente entendi, era que não importava o que acontecesse nesses 538 quilômetros; haveria frutas silvestres ao longo do caminho. *Huckleberries*, mirtilo, *salmonberries* e amora, todas elas no ponto para serem colhidas durante quilômetros ao longo da trilha. Eu varria os arbustos com as mãos enquanto andava, às vezes parando para encher o chapéu, à medida que caminhava despreocupadamente através do monte Thielsen e da reserva Diamond Peak.

Fazia frio. Fazia calor. A pele casca-de-árvore-galinha-morta-depenada dos meus quadris ganhou mais uma camada. Meus pés pararam de sangrar e de criar bolhas, mas ainda doíam demais. Em alguns dias caminhei poucas horas, fazendo só 11 ou 12 quilômetros, em uma tentativa de aliviar a dor, mas isso ajudou pouco. Eles doíam de maneira absurda. Às vezes, conforme eu caminhava, a sensação era de que na realidade estavam quebrados, como se precisassem de botas de gesso em vez de botas de couro. Como se eu tivesse feito algo profundo e irreversível com eles ao carregar todo esse peso por tantos quilômetros de terreno difícil. Ainda assim eu estava mais forte do que nunca. Mesmo com essa mochila imensa, agora eu era capaz de percorrer muitos quilômetros, apesar de no final do dia ainda ficar bastante destruída.

A PCT ficou mais fácil para mim, mas isso era diferente de ser fácil.

Havia manhãs agradáveis, adoráveis momentos à tarde e trechos de 16 quilômetros pelos quais passei voando e não senti quase nada. Adorava me perder no ritmo dos meus passos, pelo clique do bastão de esqui batendo na trilha, pelo silêncio e pelas músicas e as frases na minha cabeça. Adorava as montanhas, as rochas, os cervos e os coelhos que se escondiam nas árvores; os besouros e sapos que cruzavam a trilha. Mas todo dia sempre chegava um momento em que deixava de ser gostoso, que ficava monótono e difícil, e minha mente entrava no automático, se esvaziando totalmente, me impelindo para a frente; então eu andava até se tornar insuportável, até eu achar que não conseguiria dar nem mais um passo; aí eu parava e montava acampamento e eficientemente realizava todas as tarefas que acampar exigia, tudo na tentativa de chegar o mais rapidamente possível ao momento abençoado em que eu poderia apagar, completamente destruída, em minha barraca.

Foi assim que me senti quando cheguei me arrastando ao Shelter Cove Resort: exausta e entediada com a trilha, vazia de qualquer coisa a não ser da gratidão de estar lá. Havia pulado outro quadrado da amarelinha do Oregon. O Shelter Cove Resort era uma loja rodeada por um conjunto de cabanas rústicas em um enorme gramado à beira de um grande lago chamado Odell, que era cercado de florestas verdes. Entrei na varanda da loja e depois em seu interior. Havia poucas opções de lanches e uma geladeira com bebidas. Encontrei uma garrafa de limonada Snapple, peguei um saco de batatas fritas e fui até o balcão.

— Você está fazendo a PCT? — o homem que ficava atrás da caixa registradora me perguntou. Quando confirmei, ele apontou para uma janela nos fundos da loja. — A agência do correio está fechada até amanhã de manhã, mas você pode acampar gratuitamente em um lugar que temos aqui perto. E tem chuveiros que vão lhe custar um dólar.

Eu tinha apenas dez dólares sobrando, como já sabia a essa altura, as paradas em Ashland e no Parque Nacional de Crater Lake foram mais caras do que eu imaginava, mas eu sabia que tinha vinte dólares na caixa que eu pegaria na manhã seguinte, então, quando dei ao homem o dinheiro para pagar a bebida e a batata frita, pedi que me desse algumas moedas para o banho.

Abri a limonada e a batata frita e comi enquanto me dirigia para o pequeno banheiro de madeira que o homem tinha apontado, com enorme expectativa. Quando entrei, fiquei satisfeita ao ver que era individual. Fechei a porta e me senti em casa. Teria dormido ali se me permitissem. Tirei a roupa e me olhei no espelho arranhado. Não era apenas meu pé que tinha sido destruído pela trilha, mas aparentemente meu cabelo também — estava mais áspero e estranhamente grosso, arrepiado e com camadas de suor e poeira endurecida como se eu estivesse me transformando aos poucos, mas decididamente, em um cruzamento de Farrah Fawcett em seus dias de glória com o pior de Gunga Din.

Coloquei as moedas na pequena caixa coletora do chuveiro e me deliciei debaixo da água quente, me esfregando com o pedaço de sabonete que alguém havia deixado lá até que ele se dissolveu completamente em minhas mãos. Mais tarde me sequei com a mesma bandana que usava para lavar a panela e a colher com água dos lagos e riachos e me vesti novamente com as roupas sujas. Coloquei a Monstra nas costas e voltei à loja me sentindo mil vezes melhor. Havia uma ampla varanda na frente dela, com um banco comprido em toda a sua extensão, de lado a lado. Sentei nele e olhei para o lago Odell enquanto desembaraçava o cabelo com os dedos. Olallie, depois Timberline Lodge e depois Cascade Locks, eu pensava.

Pula, salta, gira, feito.

— Você é a Cheryl? — um homem me perguntou ao sair da loja. Em um segundo dois outros homens saíram atrás dele. Sabia imediatamente pelas camisetas suadas e manchadas que eram trilheiros da PCT, embora não estivessem com as mochilas. Eram jovens e bonitos, barbudos, bronzeados e sujos, incrivelmente musculosos e incrivelmente magros. Um era alto. O outro era louro. E o terceiro tinha olhos penetrantes.

Estava tão feliz por ter tomado aquele banho.

— Sim — eu disse.

— Estamos te seguindo há um bom tempo — disse o louro, com um sorriso surgindo no rosto magro.

— Sabíamos que a encontraríamos hoje — disse o que tinha olhos penetrantes. — Vimos suas pegadas na trilha.

— Temos lido suas anotações no livro de registros — acrescentou o alto.

— Estávamos tentando descobrir qual era a sua idade — disse o louro.

— Que idade vocês achavam que eu tinha? — perguntei, sorrindo como uma maníaca.

— Achamos que você tinha mais ou menos a nossa idade ou 50 anos — disse o que tinha olhos penetrantes.

— Espero não tê-los desapontado — falei, e todo mundo riu e ficou ruborizado.

Eram Rick, Josh e Richie, todos eles três ou quatro anos mais novos do que eu. Eram de Portland, Eugene e de Nova Orleans, respectivamente. Faziam faculdade juntos em uma escola de artes liberais em Minnesota, a uma hora de Twin Cities.

— Eu sou de Minnesota! — exclamei quando me contaram, mas já sabiam disso por causa das minhas anotações no livro de registros.

— Você ainda não tem um nome de trilha? — um deles me perguntou.

— Não que eu saiba — eu disse.

Eles tinham um nome na trilha: os Três Bonitões, que receberam dos outros trilheiros no sul da Califórnia, eles me disseram. O nome combinava. Eram três homens jovens e bonitos. Fizeram todo o caminho desde a fronteira mexicana. Não desviaram da neve como todo mundo; passaram direto, por cima dela, a despeito de ter sido um ano de nevascas recordes, e, por isso, ficaram na retaguarda do grupo de trilheiros da rota México-Canadá, tendo me encontrado nessa data tardia. Não encontraram Tom, Doug, Greg, Matt, Albert, Brent, Stacy, Trina, Rex, Sam, Helen, John ou Sarah. Nem mesmo pararam em

Ashland. Não dançaram em homenagem ao Dead nem comeram ópio mastigável nem fizeram sexo com alguém encostados em uma pedra na praia. Apenas avançaram sem parar, caminhando mais de 32 quilômetros por dia, e se aproximaram rapidamente de mim a partir do momento em que os ultrapassei ao norte, quando contornei Sierra City. Não eram apenas três bonitões. Eram três incríveis jovens máquinas de caminhada.

Estar na companhia deles era como estar de folga.

Andamos até a área de acampamento que a loja reservou para nós, onde os Três Rapagões já tinham deixado as mochilas, preparamos o jantar e contamos histórias sobre coisas tanto de fora quanto de dentro da trilha. Gostei deles imensamente. Nós nos demos bem. Eram caras amáveis, bonitos, engraçados e gentis, e me fizeram esquecer como eu estava me sentindo destruída uma hora antes. Em sua homenagem, preparei a torta desidratada de framboesa que havia carregado por semanas, guardando-o para uma ocasião especial. Quando ficou pronto, nós o comemos com quatro colheres direto da panela e depois dormimos em fila sob as estrelas.

Pela manhã, retiramos nossas caixas e as levamos para o acampamento, a fim de reorganizar as mochilas antes de seguir em frente. Abri a minha caixa e passei as mãos pelos sacos ziplock de comida, procurando o envelope que teria a nota de vinte dólares. Isso tinha se tornado uma emoção conhecida para mim nessa altura, o envelope do dinheiro, mas desta vez não consegui encontrá-lo. Tirei tudo e passei os dedos nas dobras dentro da caixa, procurando por ele, mas não estava lá. Eu não sabia a razão. Apenas não estava. Eu tinha seis dólares e 12 centavos.

— Merda — eu disse.

— O que foi? — perguntou um dos Bonitões.

— Nada — falei. Para mim, era constrangedor estar permanentemente sem dinheiro e sem ninguém para me apoiar invisivelmente com um cartão de crédito ou uma conta bancária.

Arrumei a comida dentro da velha sacola azul, chateada por saber que teria que caminhar 230 quilômetros até a próxima caixa com apenas seis dólares e 12 centavos no bolso. Pelo menos eu não precisava de dinheiro para onde estava indo, ponderei, de modo a me tranquilizar. Estava indo direto pelo coração do Oregon, passando por Willamette

Pass, McKenzie Pass, Santiam Pass, e também pelas Three Sisters e pelos montes Washington e Jefferson, e de qualquer forma não haveria lugar para gastar os seis dólares e 12 centavos, certo?

Saí uma hora mais tarde com os Três Bonitões, cruzei com eles o dia inteiro e ocasionalmente paramos juntos para descansar. Estava impressionada com o que eles comiam e como eles comiam. Eram como bárbaros soltos sobre a terra, enfiando três barras de Snickers juntas na boca em um único intervalo de descanso de 15 minutos, embora fossem magros como gravetos. Quando tiraram as camisetas, suas costelas ficaram à mostra. Eu tinha perdido peso também, mas não tanto quanto os homens, um padrão injusto que observei graças ao grupo de trilheiros homens e mulheres que encontrei naquele verão, mas já não ligava muito mais se estava gorda ou magra. Eu me importava apenas em conseguir mais comida. Eu também era uma bárbara, minha fome, voraz e gigantesca. Cheguei a um ponto em que, se o personagem de um dos romances que eu estava lendo por acaso estivesse comendo, eu tinha que pular a cena, porque simplesmente me abalava demais ler sobre o que eu queria e não podia ter.

Eu me despedi dos Três Bonitões naquela tarde. Eles continuariam por mais alguns quilômetros depois de onde planejei acampar, porque, além de serem três jovens e incríveis máquinas de caminhada, estavam ávidos para chegar ao Santiam Pass, onde sairiam da trilha por alguns dias para visitar amigos e família. Enquanto estiverem aproveitando ao máximo, tomando banho, dormindo em camas de verdade e comendo comidas que eu nem quero imaginar, passarei a frente deles novamente e mais uma vez estarão seguindo os meus rastros.

— Alcancem-me se puderem — eu disse, torcendo para que o fizessem, triste por me separar deles tão rápido. Acampei sozinha perto de um lago naquela noite, ainda radiante por tê-los encontrado, pensando nas histórias que me contaram enquanto massageava os pés depois de jantar. Outra unha escurecida estava descolando do dedo. Dei um puxão e ela saiu inteira. Joguei-a na grama.

Agora a PCT e eu estávamos empatadas. O placar estava 5 a 5.

Sentei na barraca com os pés apoiados sobre a bolsa de comida, lendo o livro que veio na caixa, *The Ten Thousand Things* (As dez mil coisas), de Maria Dermoût, até não conseguir mais manter os olhos abertos. Desliguei a lanterna de cabeça e deitei no escuro. Enquanto cochilava, ouvi uma coruja em uma árvore diretamente acima de mim. *Who-whoo, who-whoo*, ela crocitou com um chamado que era ao mesmo tempo tão forte e suave que eu acordei.

— Who-whoo — chamei de volta, e a coruja estava silenciosa.

— Who-whoo — tentei mais uma vez.

— Who-whoo — ela respondeu.

Caminhei pela reserva Three Sisters, batizada em homenagem às montanhas South, North e Middle Sister em seus limites. Cada um dos picos Sister era 3.048 metros mais alto do que os terceiro, quarto e quinto maiores picos do Oregon. Eram as joias da coroa de uma concentração de picos vulcânicos relativamente próximos que eu passaria na semana seguinte, mas ainda não conseguia vê-los enquanto me aproximava porque estava vindo pelo sul da PCT, cantando músicas e recitando trechos de poemas em minha cabeça à medida que caminhava através de uma floresta alta de pinheiros pseudotsuga, de brancos e tsuga meutensiana, além de lagos e lagoas.

Alguns dias depois de me despedir dos Três Bonitões, peguei um desvio de um quilômetro e meio da trilha até o Elk Lake Resort, um lugar mencionado no guia. Era uma pequena loja ao lado de um lago que abastecia os pescadores, assim como o Shelter Cove Resort, com a diferença de que ela tinha um café que servia hambúrguer. Não planejei pegar o desvio, mas quando cheguei ao entroncamento dessa trilha com a PCT, a eterna fome que eu sentia levou a melhor. Cheguei um pouco antes das 11 horas da manhã. Era a única pessoa no lugar além do homem que trabalhava ali. Analisei o cardápio, fiz as contas e pedi um cheeseburger com batata frita e uma Coca-Cola pequena; depois sentei para comer em êxtase, encostada nas paredes revestidas com iscas de pesca. Minha conta deu seis dólares e dez centavos. Pela primeira vez em toda a minha vida eu não podia dar gorjeta. Deixar os dois centavos que sobraram pareceria um insulto. Peguei um pequeno retângulo de selos que eu tinha no saco ziplock em que ficava minha carteira de motorista e o coloquei perto do meu prato.

— Desculpe, não tenho nada sobrando, mas deixei outra coisa pra você — eu disse, constrangida demais para dizer o que era.

O homem apenas balançou a cabeça e murmurou alguma coisa que não consegui entender.

Fui até a pequena praia deserta ao longo do lago Elk com os dois centavos na mão, pensando se devia jogá-los na água e fazer um pedido. Decidi não jogar e os coloquei no bolso do short, caso precisasse dos dois centavos até a estação da guarda florestal no lago Oallie, que ainda estava a módicos 160 quilômetros de distância. Ter nada além daqueles dois centavos era ao mesmo tempo horrível e um pouco engraçado; às vezes era assim que estar dura me parecia. Enquanto admirava o lago Elk, pela primeira vez me passou pela cabeça que crescer pobre foi útil. Eu provavelmente não seria tão destemida para embarcar em uma viagem desse tipo com tão pouco dinheiro se não tivesse crescido sem ele. Sempre pensei na situação econômica da minha família em termos do que eu não tinha: acampamento de férias, aulas, viagens e mensalidade da faculdade e a inexplicável facilidade que vem junto quando se tem acesso a um cartão de crédito que alguma outra pessoa está pagando. Mas agora conseguia enxergar a linha entre isto e aquilo — entre a infância na qual eu via a minha mãe e meu padrasto perseverando repetidas vezes com dois centavos nos bolsos e meu próprio senso comum de que eu poderia fazer isso também. Antes de partir, não calculei o quanto esperava que a viagem fosse razoavelmente custar e economizei aquela quantia mais o suficiente para ser uma reserva em caso de despesas inesperadas. Se tivesse calculado, não estaria aqui, oitenta e tantos dias na PCT, falida, mas bem, fazendo o que queria fazer, mesmo que uma pessoa racional tivesse dito que eu não tinha condições.

Segui em frente, subindo até um mirante a 1.980 metros de onde podia ver os picos a norte e a leste: o Bachelor Butte, o Broken Top, coberto de gelo, e o mais alto de todos, South Sister, que se elevava a 3.157 metros. O guia disse que ele era o mais novo, o maior e o mais simétrico das Three Sisters. Era composto de mais de duas dúzias de rochas vulcânicas diferentes, mas todas me pareciam como uma montanha marrom-avermelhada, as escarpas mais altas entrelaçadas com neve. À medida que caminhei ao longo do dia, o ar mudou e novamente esquentou, e me senti como se tivesse voltado à Califórnia, com calor e vistas panorâmicas que se abriam por quilômetros através do terreno rochoso e verde.

Agora que estava oficialmente entre as Three Sisters, já não tinha mais a trilha só para mim. Nas elevadas campinas rochosas, passei por trilheiros de um dia, mochileiros de curta distância e uma tropa de escoteiros que passaria a noite. Parei para conversar com alguns deles. *Você tem uma arma? Você tem medo?*, perguntaram-me como em um eco do que escutei ao longo de todo o verão. *Não, não*, respondi, rindo um pouco. Encontrei uma dupla de homens da minha idade que serviram no Iraque na operação Tempestade no Deserto e ainda estavam no exército, ambos capitães. Eram distintos, fortes e bonitos, parecendo ter saído de um pôster de recrutamento. Fizemos um longo intervalo à tarde perto de um riacho, onde colocaram duas latas de cerveja para resfriar. Era a última noite deles em uma viagem de cinco dias. Tinham carregado as duas latas o tempo todo para que pudessem bebê-las na última noite para festejar.

Queriam saber tudo sobre minha viagem. Qual era a sensação de andar todos aqueles dias; as coisas que vi e as pessoas que encontrei e que droga aconteceu com meus pés. Insistiram em levantar minha mochila e ficaram espantados ao descobrir que era mais pesada do que as deles. Eles se prepararam para continuar caminhando e eu lhes desejei boa sorte, ainda descansando no sol à margem do riacho.

— Ei, Cheryl — um deles se virou para gritar quando estava quase fora de vista na trilha. — Deixamos uma das cervejas pra você no riacho. Fizemos assim para que você não pudesse dizer não. *Queremos* que você a beba porque você é mais durona do que a gente.

Eu ri, agradeci a eles e fui até o riacho para pegar a lata, me sentindo lisonjeada e animada. Bebi a cerveja naquela noite perto da cachoeira Obsidian, que foi batizada em homenagem aos fragmentos de cristal negro que cobriam de forma magnífica a trilha, fazendo com que cada passo provocasse sempre um barulho diferente debaixo de mim, como se estivesse atravessando camadas sobre camadas de louça quebrada.

Estava menos impressionada no dia seguinte, quando passei pelo McKenzie Pass em direção ao monte Washington, e a trilha ficou ainda mais rochosa conforme atravessei os afloramentos de basalto em Belknap Crater e em Little Belknap. Não eram lindos fragmentos brilhantes de rocha entre campos verdes na primavera. Agora estava andando sobre uma faixa de 8 quilômetros de rochas vulcânicas negras, que variavam em tamanho desde uma bola de beisebol até uma bola de futebol, meus tornozelos e joelhos constantemente torcendo. A paisagem era desprotegida e desoladora, o sol implacável me queimando enquanto eu lutava para seguir na direção do monte Washington. Quando consegui chegar ao outro lado das crateras, andei agradecida entre árvores e percebi que os grupos tinham sumido. Estava sozinha novamente, apenas a trilha e eu.

No dia seguinte passei por Santiam Pass e cruzei em direção ao monte Jefferson, batizado em homenagem ao cume escuro e imponente ao norte. Caminhei ao largo dos diversos picos rochosos do Three Fingered Jack, que se elevavam como uma mão fraturada para o céu, e continuei andando no fim da tarde enquanto o sol desaparecia atrás de um manto de nuvens e uma neblina espessa lentamente me envolvia. O dia foi quente, mas em menos de trinta minutos a temperatura caiu cerca de 7 graus quando o vento aumentou e depois subitamente parou. Andei o mais rápido que pude subindo a trilha, o suor pingando do meu corpo apesar do frio, em busca de um lugar para acampar. Estava perigosamente quase escuro, mas não tinha um local liso ou limpo o suficiente para armar a barraca. Quando encontrei um lugar perto de um pequeno lago, foi como se eu estivesse dentro de uma nuvem, o ar assustadoramente parado e silencioso. Enquanto armava a barraca e filtrava uma garrafa de água com o insuportavelmente lento purificador, o vento recomeçou em grandes e violentas rajadas, balançando os galhos das árvores no alto. Nunca havia estado em uma tempestade na montanha. *Não estou com medo*, lembrei a mim mesma quando entrei na barraca sem jantar, me sentindo muito vulnerável do lado de fora, embora soubesse que a barraca oferecia pouca proteção. Sentei e esperei, entre curiosa e temerosa, estimulada por uma poderosa tempestade que nunca aconteceu.

Uma hora após escurecer o ar ficou parado novamente e ouvi coiotes uivando a distância, como se estivessem celebrando o fato de que a costa estava clara. Agosto tinha virado setembro; as temperaturas à noite estavam quase sempre cortantemente geladas. Saí da barraca para fazer xixi, de chapéu e luvas. Quando verifiquei as árvores com a lanterna de cabeça, ela iluminou alguma coisa, e eu congelei quando os reflexos de dois pares de olhos brilhantes me encararam.

Nunca descobri de quem eram esses olhos. Um instante depois desapareceram.

O dia seguinte foi quente e ensolarado, como se a estranha tempestade da noite anterior tivesse sido apenas um sonho. Perdi uma bifurcação na trilha e mais tarde descobri que não estava mais na PCT, e sim na Oregon Skyline Trail, paralela à PCT por cerca de um quilômetro e meio a oeste. Ela era uma rota alternativa que o guia descrevia adequadamente, então fui em frente, sem me preocupar. A trilha me levaria de volta à PCT no dia seguinte. E um dia depois eu chegaria ao lago Olallie.

Pula, salta, gira, pronto.

Caminhei por uma floresta densa durante toda a tarde e em determinado momento, depois de uma curva, encontrei um trio de alces enormes, que correu para dentro da mata com um barulhento tropel de cascos. Naquela noite, apenas momentos depois de eu ter parado para montar acampamento perto de um lago ao lado da trilha, dois caçadores com arco e flecha apareceram, seguindo pela trilha no sentido sul.

— Você tem um pouco d'água? — um deles desabafou imediatamente.

— Não podemos beber a água do lago, podemos? — perguntou o outro, o desespero nítido em seu rosto.

Ambos deviam ter por volta de 35 anos. Um tinha cabelos crespos da cor da areia, e uma pequena barriga; o outro era ruivo, alto e corpulento o bastante para ser um *linebacker*. Os dois usavam jeans com enormes facas da marca Buck presas ao cintos e enormes mochilas com arco e flechas pendurados em sua diagonal.

— Vocês podem beber a água do lago, mas precisam filtrá-la antes — eu disse.

— Não temos filtro — disse o homem de cabelo cor de areia, tirando a mochila e colocando-a perto de uma pedra que ficava no meio de uma pequena clareira entre o lago e a trilha, onde eu planejava acampar. Eu tinha acabado de tirar a mochila quando eles apareceram.

— Podem usar o meu, se quiserem — eu disse. Abri o bolso da Monstra, tirei o purificador de água e o ofereci ao homem de cabelo cor de areia, que o pegou e foi até a margem imunda do lago e se abaixou.

— Como se usa isso? — ele me perguntou.

Mostrei a ele como colocar o tubo de entrada na água com a boia e como bombear a alavanca contra o cartucho.

— Você vai precisar de sua garrafa de água — acrescentei, mas ele e o amigo ruivo olharam um para o outro com arrependimento e me disseram que não tinham uma. Tinham subido apenas para passar o dia caçando. A caminhonete deles estava estacionada em uma estrada na floresta a cerca de 5 quilômetros dali, descendo uma trilha alternativa que eu tinha acabado de cruzar. Acharam que já teriam chegado a ela a essa altura.

— Vocês passaram o dia sem beber água? — perguntei.

— Trouxemos Pepsi — o homem de cabelo cor de areia respondeu. — Cada um trouxe um engradado com seis.

— Vamos descer na direção de nossa caminhonete depois, então precisamos apenas de água suficiente para tomar outro gole, mas não estamos morrendo de sede — o ruivo disse.

— Aqui — eu disse, indo até a mochila para pegar a água que ainda tinha; cerca de um quarto de uma das minhas duas garrafas. Ofereci a garrafa para o ruivo, ele deu um longo gole e a passou para o amigo, que bebeu o resto. Fiquei preocupada com eles, mas estava mais preocupada com eles ali comigo. Estava exausta. Ansiava por tirar as botas, trocar a roupa suada, armar a barraca e preparar o jantar para que pudesse relaxar lendo *The Ten Thousand Things*. Além disso, fiquei com uma sensação estranha desses homens com suas Pepsis, seus arcos, suas grandes facas e a maneira como surgiram de repente. Alguma coisa que me fez hesitar do mesmo jeito que me senti na primeira semana na trilha, quando estava sentada na caminhonete de Frank e achei que talvez ele quisesse me fazer mal, mas em vez disso ele tirou a *bala de alcaçuz*. Deixei que a minha mente ficasse naquele *bala de alcaçuz*.

— Temos as latas vazias das Pepsis — disse o ruivo. — Podemos bombear água para sua garrafa e depois colocar dentro de duas delas.

O homem com cabelo cor de areia se abaixou na beira do lago com minha garrafa de água vazia e o purificador; o ruivo tirou a mochila e procurou dentro dela duas latas vazias de Pepsi. Fiquei olhando os dois de braços cruzados, cada vez mais desconfiada. As partes de trás molhadas de suor do short, da camiseta e do sutiã agora estavam geladas contra a minha pele.

— É realmente difícil bombear — o homem de cabelo cor de areia disse depois de um tempo.

— É preciso usar um pouco de força — eu disse. — É assim que funciona o filtro.

— Eu não sei — ele respondeu. — Não está vindo nada.

Fui até ele e vi que a boia estava toda para cima perto do cartucho e que a abertura no final do tubo de entrada tinha afundado na sujeira na parte mais rasa do lago. Peguei o purificador dele, coloquei o tubo na água limpa e tentei bombear. Estava completamente travado, emperrado com a sujeira compactada.

— Você não devia ter deixado o tubo entrar no lodo assim — eu disse. — Deveria ter mantido na água.

— Merda — ele disse sem pedir desculpas.

— O que vamos fazer? — o amigo perguntou. — Tenho que conseguir alguma coisa pra beber.

Fui até a minha mochila, peguei o kit de primeiros socorros e puxei o frasco de comprimidos de iodo que carregava. Eu não o usava desde que estive no reservatório infestado de sapos em Hat Creek Rim e quase fiquei fora de mim por causa de desidratação.

— Podemos usar isso — falei, fechando a cara ao perceber que beberia água tratada com iodo até conseguir consertar o purificador, se é que tinha conserto.

— O que é isso? — perguntou o homem de cabelo cor de areia.

— Iodo. Você coloca na água e espera trinta minutos, depois a água está segura para beber. — Fui até o lago e afundei as duas garrafas no ponto com a aparência mais clara que pude encontrar e coloquei o iodo em cada uma delas, os homens fizeram o mesmo com as latas de Pepsi e também coloquei uma pílula em cada uma.

— Ok — eu disse, olhando para o relógio. — A água estará boa para tomar às sete e dez. — Torci que com isso eles fossem embora, mas apenas se sentaram e se acomodaram.

— Então, o que você está fazendo aqui sozinha? — perguntou o homem de cabelo cor de areia.

— Estou fazendo a Pacific Crest Trail — eu disse e imediatamente desejei não ter dito. Não gostava da maneira que ele estava me olhando, avaliando descaradamente meu corpo.

— Sozinha?

— Sim — disse com relutância, igualmente receosa de contar a verdade e temerosa de inventar uma mentira que só me deixaria mais irritada do que subitamente fiquei.

— Não dá para acreditar que uma garota como você estaria sozinha aqui em cima. Você é bonita demais para estar sozinha aqui, se quer saber. Há quanto tempo está viajando? — perguntou.

— Há bastante tempo — respondi.

— Não acredito que uma coisinha jovem como ela possa estar aqui sozinha, você acredita? — falou para o amigo ruivo como se eu não estivesse ali.

— Não — eu disse antes que o ruivo pudesse responder. — Qualquer pessoa pode fazer isso. Quer dizer, é só...

— Eu não deixaria você vir se fosse minha namorada, de certeza — o ruivo disse.

— Ela tem um corpo bem legal, não tem? — o homem de cabelo cor de areia disse. — Saudável, com curvas suaves. Do jeito que eu gosto.

Emiti um som complacente, uma espécie de meia risada, apesar de a garganta ter fechado subitamente de medo.

— Bem, foi um prazer conhecer vocês, caras — falei, indo na direção da Monstra. — Estou indo um pouco mais à frente — menti —, então, é melhor ir andando.

— Estamos indo também. Não queremos esperar escurecer — disse o ruivo, já pegando a mochila; o homem de cabelo cor de areia também pegou a dele. Eu os observei enquanto fingia estar me preparando para partir, embora não quisesse ter que partir. Estava cansada e com sede, com fome e com frio. Estava quase anoitecendo e tinha escolhido acampar nesse lago porque o guia, que apenas descrevia superficialmente este trecho da trilha, já que não era de fato a PCT, sugeriu que este era o último lugar em um bom trecho onde era possível armar uma barraca.

Quando partiram, fiquei parada por um tempo, deixando que o nó na garganta se desfizesse. Eu estava bem. Estava a salvo. Estava sendo meio boba. Eles foram insolentes, sexistas e destruíram meu purificador de água, mas não fizeram nada comigo. Não queriam me machucar. Alguns caras apenas não sabem como agir de outra forma. Tirei as coisas da mochila, enchi a panela com a água do lago, acendi o fogareiro e coloquei a água para ferver. Tirei a roupa suada, coloquei a calça comprida vermelha e a camiseta de lã de manga comprida. Estendi a lona, e estava sacudindo a barraca para fora do saco quando o homem de cabelo cor de areia reapareceu. Ao vê-lo, eu sabia que tudo o que tinha sentido antes estava certo. Que eu tinha razão para ter medo. Que ele tinha voltado para me pegar.

— O que está acontecendo? — perguntei em um tom falsamente relaxado, embora a visão dele sem o amigo me aterrorizasse. Era como se eu tivesse finalmente esbarrado com um puma e, contra todos os instintos, lembrasse que não devia correr. Não estimulá-lo com movimentos rápidos, nem antagonizá-lo com minha raiva, nem incentivá-lo com meu medo.

— Pensei que estivesse seguindo em frente — ele disse.

— Mudei de ideia — falei.

— Você tentou nos enganar.

— Não, não tentei. Apenas mudei de...

— Você mudou de roupa também — disse sugestivamente, e suas palavras se expandiram em meu estômago como uma rajada de balas. Meu corpo inteiro se arrepiou com a noção de que quando tirei as roupas ele estava por perto, me olhando.

— Gosto de sua calça — ele disse com um leve sorriso, tirando a mochila e colocando-a no chão. — Ou *legging*, se é assim que é chamada.

— Não sei do que você está falando — falei de modo entorpecido, embora mal pudesse escutar minhas próprias palavras por causa do que pareceu ser o ressoar de um grande sino na minha cabeça, que era a percepção de que toda a caminhada na PCT pudesse dar nisso. De que, por mais durona, forte ou corajosa que eu tenha sido, por mais confortável que tenha vindo a me sentir por estar sozinha, também tive sorte, e que se minha sorte tivesse acabado seria como se nada antes disso tivesse existido, que essa única noite aniquilaria todos aqueles dias corajosos.

— Estou falando sobre gostar de suas calças — o homem disse com um toque de irritação. — Ficam bem em você. Mostram seus quadris e suas pernas.

— Por favor, não diga isso — eu disse do modo mais firme que pude.

— O quê? Estou te elogiando! Um cara não pode mais elogiar uma garota? Você devia se sentir lisonjeada.

— Obrigada — disse em uma tentativa de acalmá-lo, me odiando por isso. Minha mente se voltou para os Três Bonitões, que talvez ainda nem tivessem voltado à trilha. Depois ela procurou o apito mais barulhento do mundo que ninguém a não ser o ruivo poderia ouvir. Foi para o canivete suíço, longe demais no bolso superior esquerdo da mochila. Buscou a água ainda-não-fervente na panela sem cabo no fogareiro. E então aterrissou nas flechas que despontavam sobre a mochila do homem de cabelo cor de areia. Eu podia sentir a linha invisível entre mim e aquelas flechas, como se fosse um fio de alta tensão. Se ele tentasse fazer alguma coisa comigo, eu pegaria uma daquelas flechas e enfiaria em sua garganta.

— Acho melhor você ir embora — eu disse calmamente. — Vai ficar escuro logo. — Cruzei os braços no peito, completamente consciente do fato de que não estava usando sutiã.

— É um país livre — ele disse. — Vou quando estiver pronto. Eu tenho o direito, você sabe.

Ele pegou a lata de Pepsi e suavemente balançou a água lá dentro.

— Que droga você está fazendo? — uma voz masculina chamou, e um momento depois o ruivo apareceu. — Tive que caminhar tudo de volta pra te encontrar. Achei que tinha se perdido. — Ele me olhou de forma acusadora, como se eu tivesse culpa, como se eu tivesse conspirado com o homem de cabelo cor de areia para fazê-lo ficar. — Temos que ir agora se quisermos chegar à caminhonete antes de escurecer.

— Se cuida — o homem de cabelo cor de areia me disse, pegando a mochila.

— Tchau — falei bem tranquila, não querendo responder nem irritá-lo por não responder.

— Ei. São sete e dez — ele disse. — É seguro beber a água agora. — Ele levantou a lata de Pepsi em minha direção e fez um brinde. — A uma garota sozinha na floresta — ele disse, dando um gole e depois se virando para seguir o amigo pela trilha.

Fiquei parada por um tempo, do mesmo jeito que tinha ficado na primeira vez que eles saíram, deixando que todos os nós de medo se desfizessem. Não aconteceu nada, disse a mim mesma. Estou perfeitamente bem. Foi apenas um homem repulsivo, assustador e nada legal, e agora ele foi embora.

Mas então eu coloquei a barraca de volta dentro da mochila, desliguei o fogareiro, joguei a água quase fervendo no mato e mergulhei a panela no lago para esfriar. Bebi um grande gole da água com iodo e enfiei a garrafa de água e a camiseta úmida, o sutiã e o short na mochila. Levantei a Monstra, afivelei-a, voltei à trilha e comecei a caminhar na direção norte em meio à luz que esmaecia. Caminhei, caminhei, minha mente entrou no automático, que era o esvaziamento de qualquer coisa a não ser do movimento à frente, e caminhei até que andar se tornasse insuportável, até achar que não conseguiria dar nem mais um passo.

E então eu corri.

18

RAINHA DA PCT

Chovia quando acordei com a luz se insinuando no céu na manhã seguinte. Estava deitada na barraca na vala rasa da trilha, sua extensão de 60 centímetros era o único lugar plano que pude encontrar no escuro na noite anterior. Começou a chover à meia-noite e permaneceu assim a noite toda; enquanto caminhava, ao longo da manhã, a chuva ficou indo e vindo. Pensei no que aconteceu com os homens, ou no que quase aconteceu ou no que nunca aconteceria realmente, encenando sem parar na cabeça, sentindo-me enjoada e abalada, mas na hora do almoço já tinha esquecido e estava de volta à PCT — o desvio que peguei sem perceber se juntou à trilha.

A água desabou do céu e escorreu pelos galhos, escoando pela vala da trilha. Caminhei sob árvores enormes, o dossel da floresta bem acima de mim, os arbustos e as plantas baixas que ladeavam a trilha me encharcando conforme eu passava. Mesmo molhada e desconfortável como estava, a floresta era mágica, gótica em sua grandiosidade verde, ao mesmo tempo luminosa e melancólica, tão luxuosa em sua fecundidade que parecia surreal, como se eu estivesse caminhando através de um conto de fadas em vez de no mundo real.

Choveu, choveu e parou de chover o dia inteiro e no dia seguinte também. Ainda estava chovendo quando cheguei, no início da noite, às margens do lago Olallie, que tinha 97 hectares. Passei pelo posto da guarda florestal fechado, sentindo uma profunda sensação de alívio.

Arrastei-me na lama e na grama molhada através de uma pequena concentração de mesas de piquenique até uns poucos prédios de madeira escura que compõem o Olallie Lake Resort. Até atravessar o Oregon caminhando eu tinha uma ideia totalmente diferente do que a palavra *resort* poderia significar. Ninguém estava à vista. As dez cabanas rústicas espalhadas perto da margem do lago pareciam vazias e a pequena loja entre as cabanas tinha encerrado o expediente.

Começou a chover novamente quando eu estava parada sob um pinheiro próximo à loja. Tirei o capuz da capa de chuva e olhei para o lago. O majestoso cume do monte Jefferson supostamente aparecia ao sul e a forma achatada do Olallie Butte ficava ao norte, mas eu não conseguia ver nenhum dos dois, pois estavam encobertos pela escuridão e névoa crescentes. Sem a vista das montanhas, os pinheiros e o amplo lago me faziam lembrar as florestas do norte de Minnesota. O ar também parecia com o de Minnesota. Já tinha se passado uma semana depois do Dia do Trabalho; o outono ainda não havia chegado, mas estava próximo. Tudo parecia abandonado e esquecido. Procurei dentro da capa de chuva e peguei as páginas do guia, onde li sobre um lugar para acampar ali perto, um local depois do posto de guarda com vista para o lago Head, o vizinho bem menor do Olallie.

Acampei lá e preparei o jantar na chuva, depois entrei na barraca e deitei no saco de dormir úmido, vestida com roupas úmidas. As pilhas da lanterna tinham acabado, e eu não podia ler. Em vez disso, fiquei deitada ouvindo o gotejar da chuva no náilon esticado a alguns centímetros da minha cabeça.

Teria pilhas novas na caixa que pegaria no dia seguinte. Teria chocolate Kiss, da Hershey's, com o qual me presentearia na última semana. Teria o último lote de refeições desidratadas e sacos com nozes e sementes murchas. A lembrança dessas coisas era tanto uma tortura quanto um conforto. Eu me enrosquei, na tentativa de manter o saco de dormir longe das bordas da barraca para o caso de entrar água, mas não consegui dormir. Por mais sombrio que estivesse, senti uma centelha de luz percorrer meu corpo que tinha tudo a ver com o fato de que a caminhada acabaria em uma semana. Eu estaria em Portland, morando novamente como uma pessoa normal. Arranjaria um emprego como garçonete durante as noites e escreveria durante o dia. Desde que a ideia de morar em Portland se solidificou em minha mente, passava horas imaginando como seria voltar para o mundo em que comida, música, vinho e café estariam disponíveis.

Obviamente, a heroína também estaria disponível, pensei. Mas a questão era que eu não a queria. Talvez nunca tenha de fato querido. Finalmente entendi o que foi *aquilo*: o anseio por uma saída, quando na realidade o que eu queria encontrar era um jeito de entrar. Agora eu estava lá. Ou quase.

— Eu tenho uma caixa — chamei o guarda na manhã seguinte, enquanto corria atrás dele à medida que começou a se afastar dirigindo sua caminhonete.

Ele parou e desceu o vidro da janela.

— Você é Cheryl?

Fiz que sim com a cabeça.

— Eu tenho uma caixa... — repeti, ainda enterrada em minha fétida roupa de chuva.

— Seus amigos me falaram sobre você — ele disse ao sair da caminhonete. — O casal.

Eu pisquei e puxei o capuz para trás.

— Sam e Helen? — perguntei, e o guarda confirmou.

A lembrança deles enviou uma explosão de ternura pelo meu corpo. Coloquei o capuz de volta enquanto seguia o guarda até a garagem que era ligada ao posto da guarda-florestal, conectado ao que parecia ser sua residência.

— Estou indo à cidade, mas voltarei no fim da tarde, se precisar de alguma coisa — ele disse, e me passou a caixa e três cartas. Ele tinha cabelo castanho, bigode e 30 e muitos anos, imaginei.

— Obrigada — eu disse, segurando a caixa e as cartas.

Ainda chovia e parecia desolador lá fora, então fui até a pequena loja, onde comprei uma xícara de café do idoso que trabalhava na caixa registradora, com a promessa de que o pagaria assim que abrisse a caixa. Sentei-me para beber em uma cadeira perto do fogão de lenha e li as cartas. A primeira era de Aimee, a segunda de Paul e a terceira, para minha completa surpresa, de Ed, o anjo da trilha que conheci lá no início, em Kennedy Meadows. *Se você receber isso, significa que você conseguiu, Cheryl. Parabéns!*, escreveu. Fiquei tão emocionada de ler suas palavras que ri bem alto e o idoso na caixa registradora levantou os olhos.

— Boas notícias de casa? — ele perguntou.

— Sim — eu disse. — Mais ou menos isso.

Abri a caixa e encontrei não apenas o envelope que continha vinte dólares, mas outro envelope com mais vinte dólares, aquele que deveria estar na caixa para o Shelter Cove Resort e que devo ter colocado errado meses atrás. Dava no mesmo agora. Consegui chegar com dois centavos e a recompensa era que agora eu estava rica, com quarenta dólares e dois centavos. Paguei o café, comprei um pacote de biscoitos e perguntei ao homem se tinha algum chuveiro, mas ele fez que não com a cabeça enquanto eu o olhava, desapontada. Era um resort sem chuveiro ou restaurante, estava chuviscando forte, e fazia 13 graus lá fora.

Voltei a encher a xícara de café e pensei se devia caminhar naquele dia ou não. Não tinha muito motivo para ficar e, ainda assim, voltar a caminhar na floresta com todas as coisas molhadas não era apenas desanimador como potencialmente perigoso; o inescapável frio me colocava em risco de hipotermia. Pelo menos aqui eu podia ficar no calor da loja. Estive de modo alternado suando de calor ou congelando de frio por três dias. Estava cansada, tanto física quanto psicologicamente. Houve dias em que caminhei apenas metade do dia, mas não tive um dia inteiro de folga desde o lago Crater. Além disso, por mais que estivesse ansiosa para chegar à Ponte dos Deuses, não tinha pressa. Estava perto o bastante agora que sabia que terminaria facilmente a tempo do meu aniversário. Podia descansar.

— Não temos chuveiros, jovem — disse o idoso. — Mas posso oferecer-lhe jantar hoje à noite, se quiser acompanhar a mim e um casal da equipe de funcionários às cinco horas.

— Jantar? — Minha decisão de ficar estava tomada.

Voltei ao acampamento e me esforcei para secar as coisas entre uma pancada de chuva e outra. Aqueci uma panela de água, me curvei nua perto dela e me lavei com a bandana. Separei o purificador de água, sacudi a sujeira que o homem de cabelo cor de areia tinha sugado e passei uma água limpa pela bomba para que pudesse usá-la novamente. Alguns minutos antes de sair para o pequeno prédio onde fui instruída a ir jantar, os Três Bonitões apareceram, encharcados, e mais encantadores do que nunca. Literalmente pulei de alegria ao vê-los. Expliquei que estava saindo para jantar e que eles provavelmente poderiam jantar comigo também; eu logo voltaria para dizer se podiam ir, mas, quando cheguei ao pequeno prédio e perguntei, a mulher encarregada foi insensível à chegada deles.

— Não temos comida suficiente — ela disse. Eu me senti culpada por sentar e comer, mas estava morrendo de fome. O jantar era uma comida caseira, o tipo que comi em milhares de refeições triviais quando criança em Minnesota. Assado de carne moída coberto com queijo cheddar, milho em conserva e batatas com salada de alface. Enchi o prato e comi tudo em cerca de cinco garfadas; fiquei sentada educadamente esperando a mulher cortar o bolo amarelo com cobertura branca de açúcar que estava em uma mesa lateral. Quando ela cortou, comi um pedaço e depois voltei para pegar discretamente mais um, o maior pedaço da travessa; o enrolei em um guardanapo e o coloquei no bolso da capa de chuva.

— Obrigada — eu disse. — É melhor eu voltar para junto de meus amigos.

Atravessei a grama molhada segurando cuidadosamente o bolo dentro do casaco. Ainda eram 5h30, mas estava tão escuro e sombrio que poderia muito bem ser o meio da noite.

— Aí está você. Eu estava te procurando — um homem me chamou. Era o guarda-florestal que me deu a caixa e as cartas naquela manhã. Ele estava secando os lábios com um pano de prato. — Estou falando enrolado — ele disse engolindo as palavras quando me aproximei. — Fiz uma cirurgia na boca hoje.

Puxei o capuz para cobrir a cabeça porque recomeçou a chover. Ele parecia levemente bêbado além dos problemas com a boca.

— Que tal ir à minha casa para um drinque agora? Você pode ficar fora da chuva — ele disse com a voz alterada. — Minha casa é logo ali, a outra metade do posto. Estou com a lareira acesa e vou preparar uns coquetéis ótimos pra você.

— Obrigada, mas não posso. Meus amigos acabaram de chegar e estamos todos acampados — eu disse, apontando para a elevação do outro lado da estrada, atrás da qual minha barraca e agora provavelmente as barracas dos Três Bonitões estavam montadas. Ao fazer isso, montei uma imagem precisa do que os Três Bonitões provavelmente estavam fazendo naquele exato momento, a maneira como estariam encolhidos debaixo de suas capas de chuva tentando comer seus repugnantes jantares, ou sentados sozinhos em suas barracas porque simplesmente não tinham outro lugar para estar. Então pensei naquela lareira quente e na bebida e em como, se os três fossem comigo à casa do guarda, poderia usá-los para me ajudar a evitar seja lá qual fosse a sua intenção.

— Mas talvez... — hesitei, à medida que o guarda babou e depois secou a boca. — Quer dizer, desde que possa levar meus amigos.

Voltei com o bolo para o acampamento. Os Três Bonitões estavam fechados em suas barracas.

— Eu tenho bolo — chamei, e eles vieram, ficaram ao meu redor e comeram o bolo com os dedos, direto da minha mão, dividindo-o entre eles do jeito descomplicado e sem palavras que eles aperfeiçoaram ao longo dos meses de infindável privação e união.

Nos nove dias desde que havia me despedido deles parecia termos ficado mais próximos, mais familiarizados, como se tivéssemos ficado juntos nesse período, e não afastados. Eles ainda eram os Três Bonitões para mim, mas começaram a se diferenciar em minha mente. Richie era engraçado e um pouco estranho, com um viés misterioso que eu achava atraente. Josh era meigo, inteligente e mais reservado do que os outros. Rick era divertido, incisivo, afável e bom de conversa. Conforme observava os três comendo o bolo da minha mão, percebi que, embora sentisse uma pequena atração por todos eles, tinha uma atração maior por Rick. Era uma atração absurda, sabia. Ele era quase quatro anos mais novo do que eu e estávamos em uma idade em que esses quase quatro anos faziam diferença. A diferença entre o que ele tinha feito e o que eu fiz era grande o bastante para me fazer parecer mais uma irmã mais velha do que alguém que poderia estar pensando em ficar sozinha com ele na barraca. Portanto, não pensei nisso, mas não podia negar que em um grau crescente eu sentia uma leve palpitação dentro de mim toda vez que os olhos de Rick encontravam com os meus, e também não podia negar que podia ver nos olhos dele que também sentia uma leve palpitação.

— Desculpe sobre o jantar — eu disse, depois de explicar o que aconteceu. — Vocês comeram? — perguntei, me sentindo culpada, e todos confirmaram, lambendo o açúcar cristalizado dos dedos.

— Estava bom? — perguntou Richie com seu sotaque de Nova Orleans, o que só aumentava seu encanto, apesar de minha atração por Rick.

— Foi apenas carne gratinada e salada.

Os três me olharam como se eu os tivesse insultado.

— Mas é por isso que eu trouxe o bolo para vocês! — gritei debaixo da capa de chuva. — Além disso, eu tenho outra coisa que pode ser interessante. Uma coisa diferente. O guarda daqui me convidou para tomar um drinque na casa dele e eu disse que só iria se vocês fossem também. Preciso avisar que ele está um pouco esquisito; ele fez uma cirurgia na boca hoje ou algo do tipo, então acho que tomou analgésicos e já está um pouquinho bêbado, mas ele tem uma lareira com o fogo aceso, tem drinques e é *dentro de algum lugar*. Vocês querem ir?

Os Três Bonitões me lançaram seu olhar de bárbaros-soltos-na--terra e cerca de dois minutos depois estávamos batendo na porta do guarda.

— Aí está você — ele falou de forma pouco compreensível e nos deixou entrar. — Eu estava começando a achar que você me daria um bolo.

— Esses são meus amigos Rick, Richie e Josh — eu disse, mas o guarda os olhou com desdém, o pano de prato ainda pressionado contra os lábios. Não era verdade que ele tinha concordado de boa vontade que os trouxesse junto. Ele só aceitou quando eu disse que éramos nós quatro ou ninguém.

Os Três Bonitões entraram e sentaram em fila no sofá na frente do fogo ardente, apoiando as botas molhadas na lareira de pedra.

— Você quer um drinque, gata? — o guarda me perguntou quando o segui até a cozinha. — Meu nome é Guy, a propósito. Não sei se lhe disse isso antes ou não.

— Prazer em conhecê-lo, Guy — eu disse, tentando ficar de um jeito que mostrasse não estar realmente com ele na cozinha e sim fazendo uma ponte entre nós e os caras diante da lareira e que estávamos todos em uma única grande festa.

— Estou preparando uma coisa especial pra você.

— Para mim? Obrigada — eu disse. — Vocês querem um drinque? — perguntei aos Três Rapagões. Eles responderam que sim enquanto eu observava Guy encher um copo gigantesco com gelo e então despejar diversos tipos de bebida nele, finalizando com suco de frutas de uma lata que ele pegou na geladeira.

— É como um suicídio — eu disse quando ele me passou o drinque. — É assim que costumávamos chamar esse tipo de drinque quando eu estava na faculdade, quando você coloca todos os tipos diferentes de bebidas nele.

— Experimente e veja se acha bom — disse Guy.

Dei um gole. O gosto era infernal, mas de um jeito bom. O sabor era melhor do que sentar lá fora na chuva fria.

— Humm! — murmurei animada. — E os caras, Rick, Richie e Josh, eles gostariam de um também, acho. Vocês gostariam de um como esse? — perguntei novamente enquanto escapulia para o sofá.

— Com certeza — todos disseram em coro, mas Guy não demonstrou ter ouvido. Passei para Rick o copo de bebida e me enfiei ao lado dele, nós quatro, lado a lado, no mundo da fantasia de pelúcia do sofá ao lado do fogo sem um centímetro sobrando, a lateral do maravilhoso corpo de Rick grudada no meu; o fogo como nosso sol pessoal nos secando.

— Você quer falar de suicídio, querida, vou lhe contar sobre suicídio — Guy disse, se colocando na minha frente e se apoiando no consolo da lareira. Rick bebeu e passou o copo para Josh, que estava ao seu lado; então Josh deu um gole e o passou para Richie na outra ponta. — Infelizmente, temos alguns casos de suicídio por aqui. Agora é aí que este trabalho fica interessante — continuou, os olhos ficando mais animados, o rosto de bigode escondido por trás do pano de prato. O copo demorou a voltar para mim; dei um gole e o devolvi para Rick e assim por diante, como se estivéssemos fumando um enorme baseado líquido. À medida que bebíamos, Guy nos contou em grande detalhe a cena que encontrou uma tarde quando um homem estourou os miolos em um banheiro químico na mata ali perto.

— Quer dizer, tinha miolos por todos os lados — ele disse através do pano. — Mais do que você pode imaginar. Pense na coisa mais nojenta que consegue visualizar, Cheryl, e então visualize isso. — Ele ficou parado olhando apenas para mim, como se os Três Bonitões não estivessem na sala. — Não apenas miolos, mas sangue também e pedaços do crânio e da carne dele. Simplesmente em todo lugar. Espalhados por todas as paredes dentro daquela coisa.

— Não consigo nem imaginar isso — falei enquanto mexia o gelo no copo. Os Bonitões tinham me deixado segurando o copo agora que ele estava vazio.

— Você quer outro, gostosa? — Guy perguntou. Passei o copo para ele, que o levou até a cozinha. Eu me virei para os garotos e todos trocamos olhares expressivos; caímos na risada o mais silenciosamente que conseguimos enquanto nos aquecíamos no calor do fogo.

— Agora teve essa outra vez que preciso te contar — disse Guy, voltando com o drinque. — Só que desta vez foi um assassinato. Homicídio. E não teve cérebro, e sim sangue. *Litros* de sangue, quero dizer *BALDES* de sangue, Cheryl.

E assim foi a noite toda.

Mais tarde, andamos até o acampamento e ficamos parados em um círculo perto das barracas conversando meio bêbados no escuro até que começou a chover novamente e não tivemos opção a não ser dispersar e dizer boa-noite. Quando entrei na minha barraca, vi que tinha se formado uma poça em um canto. Pela manhã estava um pequeno lago; meu saco de dormir ficou totalmente molhado. Eu o espremi do lado de fora e procurei um lugar perto do acampamento para pendurá-lo, mas era inútil. Só ficaria mais molhado, já que a chuva continuava a cair. Levei-o comigo quando os Três Bonitões e eu fomos até a loja, segurando-o ao lado do fogão de lenha enquanto tomávamos nosso café.

— Então, arranjamos um nome de trilha pra você — disse Josh.

— Qual é? — perguntei relutante, por trás do meu saco de dormir azul encharcado, como se isso pudesse me proteger de seja lá o que pudessem dizer.

— A Rainha da PCT — disse Richie.

— Porque as pessoas sempre querem te dar coisas e fazer coisas por você — acrescentou Rick. — Elas nunca dão nada pra gente. Não fazem nada pra gente, na realidade, não ligam a mínima pra gente.

Abaixei o saco de dormir, olhei para eles e todos nós rimos. Sempre que eu ouvia e respondia a perguntas sobre se eu tinha medo de estar sozinha, por causa da suposição de que uma mulher sozinha seria assediada, fui alvo de uma gentileza atrás da outra. Fora a tenebrosa experiência com o cara do cabelo cor de areia que entupiu meu purificador de água, e com o casal que me expulsou da área de camping na Califórnia, não tinha nada a não ser generosidade para relatar. O mundo e as pessoas abriram os braços para mim a cada esquina.

Como se estivesse esperando uma deixa, o idoso se curvou sobre a caixa registradora.

— Jovem, queria dizer que, se quiser ficar outra noite e secar totalmente, deixamos que você use uma dessas cabanas por quase nada.

Eu me virei para os Três Bonitões com uma pergunta nos olhos.

Em menos de 15 minutos nos mudamos para a cabana, pendurando os sacos de dormir ensopados sobre as vigas empoeiradas. A cabana era um quarto revestido de madeira, com o espaço quase todo tomado por duas camas de casal em armações de metal antiquadas que rangiam até se você se reclinasse na cama.

Uma vez instalados, voltei à loja na chuva para comprar guloseimas. Quando entrei, Lisa estava lá perto do fogão de lenha. Lisa, que morava em Portland. Lisa, que enviou as minhas caixas durante todo o verão. Lisa, com que eu moraria em uma semana.

— Olá! — ela quase gritou enquanto nos abraçávamos. — Sabia que você estaria aqui por agora — disse assim que nos recuperamos da surpresa. — Decidimos viu até aqui para ver.

Ela se virou para o namorado, Jason, e eu o cumprimentei. Eu o conheci rapidamente nos dias anteriores à minha partida de Portland para a PCT, quando começaram a namorar. Parecia surreal ver pessoas que eu conhecia de meu antigo mundo e também um pouco triste. Estava ao mesmo tempo feliz e desapontada por vê-los: sua presença parecia apressar o final da viagem, destacando o fato de que, apesar de eu precisar de uma semana para chegar lá, Portland estava a apenas 145 quilômetros de distância de carro.

No começo da noite todos nós nos empilhamos na caminhonete de Jason e fomos de carro pelas estradas sinuosas da floresta até Bagby Hot Springs. Bagby é uma versão do paraíso na floresta: uma série de deques de madeira de três níveis com banheiras de diversos formatos em um riacho de águas quentes que fica a 2,5 quilômetros de um estacionamento ao lado da estrada na Mount Hood National Forest. Não se trata de um comércio, hotel ou centro de recreação. É apenas um lugar onde qualquer pessoa pode ir sem pagar a qualquer hora do dia ou da noite para fazer um banho de imersão em águas naturais sob um dossel ancestral de pinheiros pseudotsuga, de pinheiros-do-canadá e de cedros. Sua existência me parecia mais surreal do que Lisa na loja do lago Olallie.

Tínhamos o lugar praticamente só para nós. Os Três Bonitões e eu fomos até o deque mais baixo, onde havia longas banheiras entalhadas à mão, grandes como canoas feitas nos ocos dos cedros, debaixo de um alto e arejado teto de madeira. Tiramos a roupa enquanto a chuva caía suavemente nos galhos exuberantes das grandes árvores que nos rodeavam, meus olhos deslizando sobre seus corpos nus à meia-luz. Rick e eu entramos em banheiras vizinhas e abrimos as torneiras, gemendo enquanto a água mineral quente subia ao nosso redor. Eu me lembrei do meu banho naquele hotel em Sierra City, antes de começar a caminhada pela neve. Parecia adequado que eu estivesse aqui agora, faltando apenas uma semana, como se tivesse sobrevivido a um sonho lindo e difícil.

Eu tinha me sentado no banco da frente com Lisa e Jason na ida para Bagby, mas na viagem de volta para o lago Olallie eu subi na caçamba com os Três Bonitões, me sentindo limpa, aquecida e feliz no futon que cobria a caçamba da caminhonete.

— Esse futon é seu, a propósito — disse Lisa, antes de fechar a porta da caçamba. — Peguei na sua caminhonete e o coloquei aqui para o caso de decidirmos passar a noite.

— Bem-vindos à minha cama, meninos — eu disse em um tom ironicamente lascivo para encobrir a perturbação que senti com a perspectiva de que essa era de fato a minha cama; o futon que dividi com Paul durante anos. A lembrança dele diminuiu minha animação. Ainda não tinha aberto a carta que ele me mandou, ao contrário do habitual prazer de abrir os envelopes que eu normalmente sentia ao receber a correspondência. A visão de sua conhecida letra manuscrita me fez hesitar desta vez. Decidi ler assim que voltasse da trilha, talvez porque soubesse que isso me impediria de enviar uma resposta imediata, de dizer coisas duras e exaltadas que não eram mais verdade. "Eu serei sempre casada com você no meu coração", disse a ele no dia em que demos entrada no divórcio. Isso tinha acontecido havia apenas cinco meses, mas eu já duvidava do que tinha dito. Meu amor por ele era inquestionável, mas minha lealdade a ele não era. Não estávamos mais casados e, enquanto me acomodava ao lado dos Três Bonitões na cama que costumava dividir com Paul, senti uma espécie de aceitação um tipo de clareza onde existiu tanta incerteza.

Nós quatro nos deitamos colados na diagonal da largura do futon enquanto a caminhonete sacudia pelas estradas escuras: eu, Rick, Josh e Richie, nessa ordem. Não havia um centímetro sobrando, exatamente como no sofá do guarda maluco na noite anterior. A lateral do corpo de Rick estava pressionada contra a minha, sempre se inclinando na minha direção e se afastando de Josh. O céu tinha finalmente clareado e eu podia ver a lua quase cheia.

— Veja — eu disse só para Rick, apontando na direção do vidro da caminhonete para o céu.

Conversamos baixinho sobre as luas que vimos na trilha, onde estávamos quando as vimos e sobre o trecho da trilha que viria.

— Você tem que me dar o telefone de Lisa para que possamos nos encontrar em Portland — ele disse. — Também vou morar lá depois que terminar a trilha.

— Com certeza, vamos nos encontrar — eu disse.

— Com certeza — ele disse e me olhou com um jeito delicado que me fez desfalecer, embora eu percebesse que, apesar de eu gostar dele talvez mil vezes mais do que de um bom número de pessoas com quem fui para a cama, não encostaria a mão nele, não importa o quão profundamente eu desejasse. Encostar nele estava mais distante do que a lua. E não só porque ele era mais novo do que eu ou porque dois amigos dele estavam na cama conosco, encostados contra suas próprias costas. Mas porque, para variar, era finalmente suficiente para mim deitar ali em um êxtase casto e contido ao lado de um homem bom, gentil, forte, sexy e inteligente que provavelmente estava fadado a ser apenas meu amigo. Pela primeira vez eu não sentia falta de um companheiro. Pela primeira vez a frase *uma mulher com um buraco no coração* não ressoou em minha cabeça. Essa frase nem se aplica mais à minha vida.

— Estou realmente feliz por ter conhecido você — eu disse.

— Eu também — disse Rick. — Quem não estaria feliz em conhecer a Rainha da PCT?

Eu sorri para ele, e me virei para olhar novamente a lua através da pequena janela, sentindo intensamente a lateral de seu corpo quente contra o meu enquanto ficamos deitados juntos em um silêncio perfeitamente constrangedor.

— Muito legal — disse Rick depois de um tempo. — *Muito legal* — ele repetiu, com mais ênfase na segunda vez.

— O que é legal? — perguntei, virando-me para ele, embora soubesse.

— Tudo — ele disse.

E era verdade.

19

O SONHO DE UMA LÍNGUA COMUM

Na manhã seguinte o céu estava azul cristalino, o sol brilhando no lago Olallie, a visão do monte Jefferson emoldurada perfeitamente ao sul e a do Olallie Butte ao norte. Sentei em uma das mesas de piquenique perto do posto da guarda para arrumar a Monstra para o trecho final da caminhada. Os Três Bonitões partiram ao amanhecer, com pressa de chegar ao Canadá antes que nevasse em High Cascades, em Washington, mas eu não ia tão longe. Podia seguir no meu ritmo.

Guy apareceu com uma caixa nas mãos, agora sóbrio, tirando-me do transe contemplativo.

— Estou feliz por ter te encontrado antes que partisse. Isso acabou de chegar — ele disse.

Peguei a caixa e dei uma olhada no endereço do remetente. Era da minha amiga Gretchen.

— Obrigada por tudo — eu disse a Guy quando ele se afastou. — Pelos drinques da outra noite e pela hospitalidade.

— Se cuida — ele disse e desapareceu no canto do prédio. Abri a caixa e perdi o fôlego quando vi o que tinha dentro: uma dúzia de chocolates finos embrulhados em papéis brilhantes e uma garrafa de vinho tinto. Comi imediatamente alguns chocolates enquanto refletia sobre o que fazer com o vinho. Por mais que quisesse abri-lo à noite na trilha, não estava disposta a levar a garrafa vazia pelo caminho até o Timberline

Lodge. Acabei de arrumar as coisas, coloquei a Monstra, peguei o vinho e a caixa vazia e comecei a andar até o posto da guarda.

— Cheryl! — uma voz ecoou, e me virei.

— Aí está você! Aí está *você*! Te peguei! *Te peguei!* — gritou um homem vindo em minha direção. Fiquei tão surpresa que deixei cair a caixa na grama quando o homem socou o ar em comemoração e soltou um alegre assovio que eu reconheci, mas não consegui localizar. Ele era jovem, barbado e louro, estava diferente e ainda assim o mesmo da última vez em que o vi. — Cheryl! — gritou novamente quando praticamente se atracou comigo em um abraço.

Era como se o tempo se movesse em câmera lenta a partir do momento em que eu não sabia quem ele era até o momento em que soube, mas não conseguia trazer à consciência, até que ele me segurou em seus braços e gritei:

— DOUG!

— Doug, Doug, Doug! — continuei repetindo.

— Cheryl, Cheryl, Cheryl! — ele dizia.

Então, ficamos em silêncio e nos afastamos para olhar um para o outro.

— Você emagreceu — ele falou.

— Você também — eu disse.

— Você está completamente destruída agora — ele disse.

— Eu sei! Você também.

— Estou barbado — ele disse, puxando a barba. — Tenho tanta coisa pra te contar.

— Eu também! Onde está Tom?

— Ele está alguns quilômetros para trás. Vai chegar mais tarde.

— Vocês conseguiram passar pela neve? — perguntei.

— Uma parte, mas ela foi se tornando tão intensa que descemos e acabamos desviando.

Eu balancei a cabeça, ainda surpresa por ele estar ali. Contei a ele sobre Greg ter desistido da trilha e perguntei sobre Albert e Matt.

— Não soube mais nada deles desde que os vi pela última vez. — Ele me olhou e sorriu, os olhos brilhando, animados. — Lemos suas anotações no registro durante todo o verão. Elas nos incentivaram a seguir em frente. Queríamos encontrar com você.

— Eu estava de saída — falei. Eu me abaixei para pegar a caixa vazia que tinha deixado cair na agitação. — Mais um minuto e eu teria ido embora e talvez você não me encontrasse.

— Eu teria encontrado você — ele disse, e riu daquele jeito de garoto bem-educado do qual me lembrava de modo tão vívido, apesar de também estar mudado agora. Estava mais determinado do que antes, levemente mais agitado, como se tivesse envelhecido alguns anos nos últimos meses. — Você quer ficar comigo enquanto organizo as minhas coisas e nós partimos juntos?

— Sim — eu disse sem hesitar. — Tenho que caminhar sozinha esses últimos dias antes de chegar a Cascade Locks; sabe, só para terminar como comecei, mas vamos juntos até o Timberline Lodge.

— Puta merda, Cheryl. — Ele me puxou para outro abraço. — Não posso acreditar que estamos aqui juntos. Ei, você ainda tem aquela pena preta que te dei? — Ele tocou sua ponta desfiada.

— Foi meu amuleto da sorte — respondi.

— E esse vinho? — ele perguntou, apontando para a garrafa em minha mão.

— Vou dar ao guarda — respondi, levantando-a. — Não quero carregá-la até Timberline.

— Você está maluca? — Doug perguntou. — Me dá essa garrafa.

Nós a abrimos aquela noite em nosso acampamento perto do rio Warm Springs com o abridor de meu canivete suíço. O dia esquentou, chegando a 21 graus, mas a noite estava fresca, o revigorante limiar do verão virando outono em tudo ao nosso redor. As folhas das árvores tinham diminuído de maneira quase imperceptível; os talos altos das flores silvestres se dobraram sobre si mesmos, inchados pela decomposição. Doug e eu fizemos uma fogueira enquanto o jantar cozinhava, depois nos sentamos e comemos direto das panelas, passando o vinho de um para o outro, bebendo direto da garrafa, já que nenhum de nós dois tinha um copo. O vinho, o fogo e estar na companhia de Doug depois de todo esse tempo me fez sentir como um rito de passagem, como a marca cerimonial do fim da minha jornada.

Depois de um tempo, cada um se virou abruptamente para a escuridão, ouvindo o uivo dos coiotes mais próximos do que distantes.

— Esse som sempre faz meus pelos se arrepiarem — Doug disse. Ele tomou um gole da garrafa e a passou para mim. — Esse vinho é realmente muito bom.

— É mesmo — concordei e dei um gole. — Ouvi muitos coiotes neste verão — eu disse.

— E você não ficou com medo, ficou? Não é isso que você diz a si mesma?

— É o que digo a mim mesma — falei. — A não ser de vez em quando — acrescentei. — Quando tive medo.

— Eu também.

Ele se aproximou e colocou a mão sobre o meu ombro, e eu coloquei a minha mão no dele e apertei. Ele era como um irmão para mim, mas não era nada parecido com meu irmão de verdade. Parecia com alguém que eu sempre conheci mesmo que nunca mais o veja novamente.

Quando acabamos o vinho, fui até a Monstra e peguei o saco ziplock que guardava os livros.

— Você precisa de algo pra ler? — perguntei a Doug, segurando o *The Ten Thousand Things* na direção dele, mas ele fez que não com a cabeça. Tinha terminado de ler o livro alguns dias antes, mas não pude queimá-lo por causa da chuva. Ao contrário da maioria dos outros livros que li durante a caminhada, já tinha lido *The Ten Thousand Things* quando o coloquei na caixa de suprimentos meses atrás. Romance lírico e envolvente que se passa nas ilhas Molucas, na Indonésia, foi escrito em holandês e publicado por recomendação da crítica em 1955, mas esquecido pela maioria atualmente. Nunca encontrei ninguém que tivesse lido além do professor de redação da faculdade que me recomendou na oficina de ficção que eu estava fazendo quando minha mãe ficou doente. O título não me conquistou quando me sentei aplicadamente lendo o livro no quarto de hospital da minha mãe, tentando afastar o medo e a tristeza ao forçar a mente a se concentrar nos trechos que eu torcia que fossem abordados na discussão da próxima aula na semana seguinte, mas foi inútil. Não conseguia pensar em nada que não fosse minha mãe. Além disso, já sabia sobre as 10 mil coisas. Eram todas as coisas nomeadas e não nomeadas do mundo e juntas somavam menos do que a quantidade que minha mãe me amava. E eu a ela. Portanto, quando estava arrumando as coisas para a PCT, decidi dar uma nova chance ao livro. Não estava com nenhum problema de concentração desta vez. Entendi desde a primeira página. Cada uma das frases de Dermoût soava como um punhal fino e macio, descrevendo uma terra distante que senti como sendo a essência de todos os lugares que eu costumava amar.

— Acho que vou me deitar — disse Doug, segurando a garrafa de vinho vazia. — Tom provavelmente vai nos encontrar amanhã.

— Eu apago o fogo — eu disse.

Quando ele saiu, rasguei as páginas do *The Ten Thousand Things* de sua encadernação grudenta e joguei-as no fogo em pequenos blocos, espetando com uma vara até que queimasse. À medida que eu olhava para as chamas, pensava em Eddie, o que eu sempre fazia quando me sentava diante de uma fogueira. Foi ele que me ensinou a fazer. Foi ele que me levou para acampar pela primeira vez. Foi ele que me ensinou a montar uma barraca e dar um nó em uma corda. Foi com ele que aprendi a abrir uma lata com um canivete e a remar em uma canoa e a pular uma pedra na superfície de um lago. Nos três anos depois que ele se apaixonou por minha mãe, ele nos levava para acampar e para andar de canoa nos rios Minnesota, St. Croix e Namekagon praticamente todos os fins de semana entre junho e setembro, e depois que nos mudamos para o norte, para a terra que a minha família comprou com a indenização de sua coluna quebrada, ele me ensinou até mais coisas sobre as florestas.

Não é possível saber o que leva uma coisa a acontecer e outra não. O que leva a quê. O que destrói o quê. O que leva o quê a florescer ou a morrer ou a mudar de rumo. Mas eu tinha bastante certeza, sentada ali naquela noite, que, se não fosse por Eddie, eu não teria me encontrado na PCT. E, embora fosse verdade que tudo o que eu sentia por ele estava como uma pedra na minha garganta, essa percepção fez com que a pedra ficasse mais leve. Ele não me amou como devia no final, mas me amou como devia quando foi importante.

Quando *The Ten Thousand Things* virou cinza, peguei o outro livro do saco ziplock. Era *The Dream of a Common Language* (O sonho de uma língua comum. Eu o carreguei por todo o caminho, embora não o tivesse aberto desde aquela primeira noite na trilha. Não precisei. Sabia o que estava escrito. Suas frases passaram durante todo o verão na estação de rádio da minha cabeça, fragmentos de diversos poemas, às vezes o título do próprio livro, que também era uma frase de um poema: *o sonho de uma língua comum*. Abri o livro e o folheei, me inclinando para poder enxergar as palavras à luz do fogo. Li uma ou duas linhas de mais de uma dúzia de poemas, cada uma tão familiar que me proporcionou um estranho consolo. Recitei aquelas frases silenciosamente ao longo dos dias enquanto caminhava. Com frequência eu não sabia exatamente o que significavam, mesmo assim tinha outra maneira pela qual sabia seu significado de modo completo, como se ele estivesse diante de mim e ainda assim fora do meu alcance, seu significado como um peixe logo abaixo da superfície da água que eu tentava agarrar com as mãos — tão perto, presente e pertencendo a mim —, até que eu tentava pegar e ele desaparecia como um raio.

Fechei o livro e olhei para sua capa bege. Não havia razão para não queimar este livro também.

Mas eu apenas o abracei em meu peito.

Chegamos a Timberline Lodge alguns dias depois. Nessa altura, não era apenas Doug e eu. Tom tinha nos alcançado e também ganhamos a companhia de duas mulheres, um ex-casal na faixa dos 20 e poucos anos que estava fazendo uma caminhada pelo Oregon e por um pequeno trecho do Estado de Washington. Nós cinco caminhamos juntos em duplas ou trios de várias formações ou às vezes todos juntos em fila, fazendo uma festa disso, o clima festivo por causa da quantidade de pessoas e por causa dos dias frescos e ensolarados. Nos longos intervalos brincamos de *hacky sack** e nadamos nus em um lago gelado, estimulados pela fúria de um bando de vespas das quais corremos em meio a gargalhadas e gritos. Quando chegamos ao Timberline Lodge, a cerca de 1.800 metros de altitude no flanco sul do monte Hood, éramos como uma tribo, unidos daquele jeito que eu imaginava que as crian-

---

* *Hacky sack* é um jogo em que as pessoas formam um círculo e o objetivo principal é manter uma pequena bola no ar por meio de chutes. (N. da T.)

ças se sentiam quando passavam uma semana juntas na colônia de férias.

Chegamos no meio da tarde. No saguão, nós cinco tomamos posse de dois sofás que ficavam um de frente para o outro, ao lado de uma mesa de madeira baixa; pedimos sanduíches incrivelmente caros e depois bebemos café reforçado com doses de licor Baileys enquanto jogávamos pôquer e *rummy five hundred** com um baralho que o funcionário do bar nos emprestou. A escarpa do monte Hood se elevava sobre nós bem ao lado das janelas do albergue. Com 3.425 metros, ela é a montanha mais alta do Oregon, um vulcão como todos os outros pelos quais passei desde que entrei na cordilheira das Cascatas ao sul de Lassen Peak, em julho, mas este, a última das grandes montanhas que eu atravessaria na trilha, parecia ser o mais importante, e não apenas porque eu estava sentada em sua própria base. A visão dela se tornou familiar para mim, sua grandeza imponente visível em Portland nos dias claros. Assim que cheguei ao monte Hood, percebi que estava me sentindo ainda mais leve, como se estivesse em casa. Portland, onde tecnicamente nunca morei, apesar de tudo o que aconteceu nos oito ou nove meses que passei lá nos últimos dois anos, ficava a cerca de 100 quilômetros de distância.

De longe, a visão do monte Hood nunca deixou de tirar meu fôlego, mas de perto era diferente, como tudo é. Era incrivelmente menos grandioso, ao mesmo tempo mais comum e imenso em sua superioridade resoluta. A paisagem da janela norte do albergue não era do deslumbrante pico branco que se vê a quilômetros de distância, mas de uma escarpa acinzentada e quase árida ocupada por uns poucos pinheiros esparsos e por um pequeno número de lupinos e asteráceas que crescem entre as rochas. A paisagem natural era pontuada por um teleférico que levava à faixa de neve congelada mais acima. Eu me sentia feliz por ficar protegida pela montanha por um tempo, abrigada dentro de um albergue maravilhoso, uma terra da fantasia bruta. Trata-se de uma estrutura grande de pedra e madeira que foi feita à mão pelos trabalhadores da Works Progress Administration, em meados dos anos 1930. Tudo sobre

---

* *Rummy five hundred* é um jogo de cartas cujo objetivo é fazer quinhentos pontos ou mais através da formação de conjuntos de três ou mais cartas do mesmo naipe ou valor. (N. da T.)

o lugar tinha uma história. A pintura nas paredes, a arquitetura do prédio, os tecidos costurados à mão que forram os móveis, cada peça foi cuidadosamente produzida para refletir a história, a cultura e os recursos naturais do noroeste do Pacífico.

Pedi licença para o pessoal e passeei lentamente pelo albergue, depois entrei em um pátio amplo voltado para o lado sul. Estava um dia ensolarado e claro, o que me permitia enxergar por mais de 160 quilômetros. A vista incluía muitas das montanhas por onde passei, duas das Three Sisters, monte Jefferson e Broken Finger.

Pula, salta, gira, pronto, pensei. Eu estava aqui. Eu estava quase lá. Mas não tinha terminado. Ainda tinha 80 quilômetros para caminhar antes de chegar à Ponte dos Deuses.

Na manhã seguinte me despedi de Doug, de Tom e das duas mulheres e saí sozinha, subindo o curto caminho íngreme que ligava o albergue à PCT. Passei por baixo do teleférico e avancei lentamente para norte e oeste ao redor do sopé do monte Hood em uma trilha que parecia ser feita de rocha de demolição, gasta pelos severos invernos e transformada em areia áspera. Quando cruzei para o monte Hood vinte minutos depois, entrei novamente na floresta e senti o silêncio me envolvendo.

Era gostoso estar sozinha. A sensação era maravilhosa. Era meio de setembro, mas o sol estava quente e brilhante, e o céu mais azul do que nunca. A trilha revelou vistas panorâmicas e depois se tornou mata fechada ao meu redor antes de abrir mais uma vez. Caminhei 16 quilômetros sem parar, cruzei o rio Sandy e parei para descansar em um pequeno patamar plano debruçado sobre o rio do outro lado. Quase todas as páginas do *Pacific Crest Trail, Volume 2: Oregon and Washington* tinham ido agora. O que restou do guia estava dobrado no bolso do meu short. Peguei as páginas e as li novamente, indo até o fim. Estava entusiasmada com a perspectiva de chegar a Cascade Locks e ao mesmo tempo triste. Não sabia o quanto dormir toda noite ao ar livre e no chão em uma barraca, e caminhar sozinha na natureza o dia todo, quase todo dia, tinha se tornado a minha vida normal, mas tinha. A ideia de não fazer isso é que me assustava.

Fui até o rio e me agachei para lavar o rosto. Ele era estreito e raso nesse trecho, tão no fim do verão e em uma altitude tão grande, pouco maior do que um riacho. Onde estava a minha mãe?, pensei. Eu a carreguei por tanto tempo, cambaleando embaixo de seu peso.

Do outro lado do rio, eu me permiti pensar.

E alguma coisa se libertou dentro de mim.

Nos dias que se seguiram eu passei pelas cataratas Ramona e entrei e saí da Reserva Columbia. Deparei-me com vistas dos montes St. Helens, Rainier e Adams mais a norte. Cheguei ao lago Wahtum e saí da PCT para uma rota alternativa que os autores do guia recomendaram e que me faria descer até o córrego Eagle e a uma garganta do rio Columbia e, finalmente, ao próprio rio, que corria ao longo da cidade de Cascade Locks.

Para baixo, para baixo, para baixo eu fui naquele último dia de caminhada, descendo 1.220 metros em pouco mais de 25 quilômetros, sendo que os córregos, os riachos e as valas na lateral da trilha que cruzei e que corriam em paralelo também desciam e desciam. Eu podia sentir o rio me atraindo como um grande ímã abaixo e a norte. Podia sentir que eu mesma estava encerrando coisas. Parei para passar a noite na margem do córrego Eagle. Eram cinco horas e eu estava a apenas 10 quilômetros de Cascade Locks. Poderia chegar à cidade ao escurecer, mas não queria terminar a viagem dessa maneira. Queria desfrutar, ver o rio e a Ponte dos Deuses na claridade da luz do dia.

Aquela noite me sentei perto do córrego Eagle vendo a água correr sobre as rochas. Meus pés estavam me matando por causa da longa descida. Mesmo depois de tudo isso, com o corpo agora mais forte do que jamais esteve e provavelmente nunca estará novamente, caminhar na PCT ainda doía. Novas bolhas se formaram em meus dedos em lugares que ficaram frágeis por causa das relativamente poucas descidas radicais ao longo do Oregon. Passei os dedos nelas, aliviando-as com o toque. Outra unha parecia que ia finalmente cair. Dei um leve puxão e ela saiu na minha mão, a sexta. Eu tinha apenas quatro unhas inteiras sobrando.

A PCT e eu não estávamos mais empatadas. O placar estava 4 a 6, vantagem para a trilha.

Dormi na lona, pois não queria me abrigar nessa última noite, e acordei antes do amanhecer para ver o sol nascer sobre o monte Hood. Estava mesmo acabando, pensei. Não tinha como voltar ou fazer durar. Isso nunca foi possível. Fiquei sentada por um longo tempo, deixando que a luz preenchesse o céu, deixando-a expandir-se e iluminar as árvores. Fechei os olhos e me esforcei para ouvir o córrego.

Ele estava correndo para o rio Columbia, como eu.

Eu me senti flutuando nos 6,4 quilômetros até o pequeno estacionamento perto do fim da Eagle Creek Trail, animada pela pura e natural emoção que só pode ser descrita como alegria. Dei uma volta pelo estacionamento praticamente vazio e passei pelos banheiros, depois segui outra trilha que me levaria ao longo de 3,2 quilômetros até Cascade Locks. A trilha virou abruptamente para a direita e diante de mim estava o rio Columbia, visível através da cerca de arame que delimitava a trilha do começo da autoestrada Interstate 84 logo abaixo. Parei e segurei na cerca para olhar. Parecia um milagre que eu finalmente estivesse olhando para o rio, como se um bebê recém-nascido tivesse acabado de deslizar para as minhas mãos depois de um longo trabalho de parto. Aquela água escura cintilante era mais bonita do que qualquer outra coisa que eu possa ter imaginado durante todos os quilômetros que caminhei para chegar aqui.

Caminhei na direção leste ao longo de um corredor verde exuberante, o leito da Columbia River Highway, estrada há muito tempo abandonada que foi transformada em trilha. Podia ver pedaços de concreto em alguns lugares, mas a estrada foi em grande parte retomada pelo musgo que cresceu ao longo das rochas na sua lateral, pelas árvores que se debruçavam rasteiras e pesadas sobre ela, pelas aranhas que teceram teias que cruzavam sua extensão. Caminhei através de teias de aranha, sentindo-as como mágica em meu rosto, tirando-as do meu cabelo. Podia ouvir, mas não ver, o fluxo de automóveis na estrada à minha esquerda, entre mim e o rio, o som típico delas, um grande chiado e zumbido.

Quando saí da floresta, estava em Cascade Locks, que, ao contrário de muitas cidades na trilha, era realmente uma cidade, com uma população de pouco mais de mil habitantes. Era manhã de sexta-feira e eu podia sentir o clima de sexta-feira nas casas pelas quais passava. Caminhei sobre estrada e depois pelas ruas com meu bastão de esqui batendo no asfalto e o coração disparando quando a ponte ficou à vista. É uma elegante ponte de cantiléver de aço, batizada em homenagem a uma ponte natural que se formou por um grande deslizamento de terra há cerca de trezentos anos e que temporariamente represou o rio Columbia. Os índios locais a chamaram de Ponte dos Deuses. A estrutura construída pelo homem que ganhou esse nome atravessa o Columbia por pouco mais de 500 metros, ligando o Oregon a Washington, as cidades de Cascade Locks e de Stevenson no outro lado. Há um pedágio no lado do Oregon, e quando me aproximei dele a mulher que trabalhava lá dentro disse que eu podia cruzar a ponte sem pagar.

— Não vou atravessar — eu disse. — Só quero tocá-la. — Andei pelo acostamento até alcançar o pilar de concreto da ponte, então encostei a mão nele e olhei para o rio Columbia correndo embaixo de mim. É o maior rio do noroeste do Pacífico e o quarto maior da nação. Os índios americanos viveram no rio há milhares de anos, sustentados em grande parte pelo salmão que antigamente era abundante. Meriwether Lewis e William Clark remaram rio abaixo no Columbia em canoas feitas de um único tronco, em sua conhecida expedição de 1805. Cento e noventa anos depois, dois dias antes do meu 27º aniversário, ali estava eu.

Cheguei. Eu consegui. Parecia ser uma coisa tão pequena e ao mesmo tempo uma coisa incrível, como um segredo que eu sempre conto a mim mesma, embora ainda não saiba o significado dele. Fiquei ali por vários minutos, carros e caminhões passando por mim, sentindo como se fosse chorar, mas não chorei.

Semanas antes eu soube através de conversas na trilha que assim que chegasse a Cascade Locks eu tinha que ir ao East Wind Drive-In e tomar uma de suas famosas casquinhas de sorvete gigantes. Por essa razão, guardei alguns dólares quando estava no Timberline Lodge. Saí da ponte e andei pela movimentada rua que seguia entre o rio e a interestadual; a estrada e grande parte da cidade ficavam encaixadas entre as duas coisas. Ainda era manhã e o drive-in não estava aberto, então sentei no pequeno banco de madeira branco que ficava ali em frente, com a Monstra ao lado.

Eu chegaria a Portland mais tarde naquele dia. A cidade ficava a apenas 72 quilômetros a oeste. Dormiria em meu velho futon embaixo de um teto. Desempacotaria meus CDs e meu aparelho de som para ouvir qualquer música que eu gostasse. Usaria o meu sutiã de renda preto, a calcinha e o jeans. Compraria todas as comidas e bebidas incríveis que quisesse. Dirigiria a caminhonete para qualquer lugar que quisesse ir. Ligaria o computador e escreveria meu romance. Pegaria as caixas de livros que trouxe comigo de Minnesota e os venderia no dia seguinte na Powell's para conseguir algum dinheiro. Venderia as minhas coisas no jardim para me segurar até conseguir um emprego. Montaria na grama a minha loja de coisas usadas para vender vestidos, o binóculo em miniatura e o serrote dobrável e conseguiria o máximo que pudesse. O pensamento de tudo isso me espantou.

— Estamos à sua disposição — a mulher disse, enfiando a cabeça ao abrir a janela da frente do drive-in.

Pedi uma casquinha mista de chocolate com baunilha; alguns instantes depois ela me entregou, pegou dois dólares e me entregou vinte centavos de troco. Era o último dinheiro que eu tinha no mundo. Vinte centavos. Sentei no banco branco e comi cada pedaço da casquinha, observando os carros novamente. Eu era a única cliente no drive-in até que uma BMW parou e um jovem executivo de terno saiu dela.

— Oi — ele disse ao passar. Tinha mais ou menos a minha idade, o cabelo penteado para trás com gel, os sapatos impecáveis. Depois de pegar sua casquinha, ele voltou e ficou perto de mim.

— Parece que você andou fazendo uma trilha.

— Sim. A Pacific Crest Trail. Caminhei mais de 1.770 quilômetros — falei, excitada demais para me conter. — Acabei de completar a minha viagem esta manhã.

— É mesmo?

Eu fiz que sim com a cabeça e ri.

— É inacreditável. Sempre quis fazer algo assim. Uma grande jornada.

— Você pode. E deve. Pode acreditar, se eu consegui fazer, qualquer pessoa consegue.

— Não consigo ter folga no trabalho; sou advogado — ele disse. Ele jogou fora metade da casquinha e limpou as mãos em um guardanapo. — O que você vai fazer agora?

— Vou para Portland. Vou morar lá um tempo.

— Moro lá também. Estou indo para lá caso queira uma carona. Vai ser um prazer te deixar onde você quiser.

— Obrigada — eu disse. — Mas quero ficar um pouco aqui. Só para usufruir mais um pouco do momento.

Ele tirou o cartão de visita da carteira e me deu.

— Dê uma ligada depois que você se instalar. Vou adorar levar você para almoçar e ouvir um pouco mais sobre a viagem.

— Certo — eu disse, olhando para o cartão. Era branco com letras azuis em relevo, uma relíquia de outro mundo.

— Foi uma honra te conhecer nesse momento tão significativo — ele disse.

— Prazer em conhecer você também — falei, cumprimentando-o.

Depois que ele foi embora, inclinei a cabeça para trás e fechei os olhos por causa do sol enquanto as lágrimas que eu esperava mais cedo na ponte começaram a escorrer dos meus olhos. *Obrigada*, pensei mais uma vez, e mais uma vez. *Obrigada.* Não apenas pela longa caminhada, mas por tudo o que pude sentir finalmente se juntando dentro de mim; por tudo o que a trilha me ensinou e por tudo que eu nem sabia ainda, embora soubesse que de alguma forma já estava dentro de mim. Como eu nunca mais veria o homem da BMW novamente, mas como em quatro anos eu cruzaria a Ponte dos Deuses com outro homem e me casaria com ele em um lugar quase visível de onde estava sentada agora. Como em nove anos aquele homem e eu teríamos um filho chamado Carver e um ano e meio depois disso uma filha chamada Bobbi. Como 15 anos depois eu levaria minha família para esse mesmo banco branco e nós quatro tomaríamos casquinhas de sorvete enquanto eu contava a história de como estive aqui antes, quando terminei a longa caminhada na chamada Pacific Crest Trail. E como seria apenas nesse momento que o significado da minha caminhada se revelaria dentro de mim, o segredo que sempre contei a mim mesma finalmente revelado.

O que me levaria a esta história.

Não sabia como voltaria ao passado e procuraria e encontraria algumas pessoas que conheci na trilha e também procuraria e não encontraria outras. Ou como, em um caso, encontraria algo inesperado: um obituário. O de Doug. Não sabia que leria que ele morreu em um acidente de *kite surf* na Nova Zelândia, nove anos depois de nos despedirmos na PCT. Ou como, depois de chorar lembrando o garoto de ouro que ele tinha sido, iria ao canto mais afastado de meu porão, o lugar onde a Monstra está pendurada em um par de pregos enferrujados, e ver que a pena de corvo que Doug me deu agora estava quebrada e desfiada, mas ainda estava lá, presa na armação da mochila onde a coloquei anos antes.

Era tudo desconhecido para mim na época, quando eu sentava naquele banco no dia em que terminei a caminhada. Tudo exceto o fato de que eu não precisava saber. De que era suficiente confiar que o que eu tinha feito foi verdadeiro. Entender o seu significado sem no entanto ser capaz de dizer precisamente como foi, como todas aquelas frases do *The Dream of a Common Language* que encheram as minhas noites e os meus dias. Acreditar que eu não precisava mais pegar com as próprias mãos. Saber que enxergar o peixe abaixo da superfície da água era suficiente. Que isso era tudo. Era a minha vida, como todas as vidas, misteriosa, irrevogável e sagrada. Tão perto, tão presente, tão minha.

O quanto me senti livre deixando que ela seguisse seu rumo.

AGRADECIMENTOS

Miigwech é uma palavra Ojibwe que ouvi frequentemente ao crescer em Minnesota, e me sinto obrigada a usá-la aqui. Ela significa obrigada, mas vai além — seu significado imbuído de humildade e também de gratidão. É assim que me sinto quando penso em tentar agradecer a todas as pessoas que me ajudaram a fazer este livro: humilde e também grata.

É para o meu marido, Brian Lindstrom, que devo o maior *miigwech*, por ele ter me amado de maneira desmedida, tanto na minha escrita quanto na minha vida. Obrigada, Brian.

Sou grata à Comissão Artística do Oregon, ao Conselho de Cultura e Arte Regional e à Literary Arts por me fornecer o apoio financeiro enquanto escrevia este livro e também ao longo de minha carreira; a Greg Netzer e a Larry Colton, do Festival Wordstock, por sempre me convidarem para o show; e a Bread Loaf Writers` Conference e a Sewanee Writers` Conference por me oferecerem um significativo apoio ao longo do caminho.

Escrevi este livro sentada à mesa da minha sala de jantar, mas capítulos cruciais foram escritos longe de casa. Sou grata à Soapstone pelas residências que providenciaram para mim, e principalmente a Ruth Gundle, ex-diretora da Soapstone, que foi especialmente generosa comigo na primeira fase deste livro. Um profundo obrigada a Sally e Con Fitzgerald, que me hospedaram tão graciosamente enquanto eu escrevia os capítulos finais de *Livre* em sua linda e tranquila "casinha" em Warner Valley, no Oregon. Agradeço ainda à incomparável Jane O'Keefe, que viabilizou meu período em Warner Valley, além de me emprestar o carro e fazer as compras de supermercado para mim.

Agradeço à minha agente, Janet Silver, e também a seus colegas na Zachary Shuster Harmsworth Agency. Janet, você é minha amiga, campeã e dona de um espírito literário afim. Serei sempre grata a você por seu apoio, talento e amor.

Sou grata a muitas pessoas na Knopf que acreditaram em *Livre* desde os primeiros esboços e trabalharam para trazê-lo ao mundo. Sou especialmente grata ao meu editor, Robin Desser, que nunca parou de me incentivar a fazer deste livro o melhor possível. Obrigada, Robin, por sua inteligência e bondade, por seu espírito generoso e por suas cartas inacreditavelmente longas e sem espaço entre as linhas. Sem você, este livro não seria o que é. Obrigada também a Gabrielle Brooks, Erinn Hartman, Sarah Rothbard, Susanna Sturgis e LuAnn Walther.

Uma profunda reverência aos meus filhos, Carver e Bobbi Lindstrom, que aguentaram com disposição e bom humor todo esse tempo em que tive que me afastar e ficar sozinha para escrever. Eles nunca me deixaram esquecer que a vida e o amor são as coisas que mais importam.

Agradeço ainda ao meu estelar grupo de escritores: Chelsea Cain, Monica Drake, Diana Page Jordan, Erin Leonard, Chuck Palahniuk, Suzy Vitello Soulé, Mary Wysong- Haeri e Lidia Yuknavitch. Agradeço a cada um por seus sábios conselhos, feedback honesto e deliciosos *pinot noir*.

Sou profundamente grata aos amigos que cuidaram de mim e me amaram. Existem muitos para citar. Vou dizer apenas que vocês sabem quem são e que tenho muita sorte por tê-los em minha vida. Existem algumas pessoas, no entanto, que gostaria de agradecer em especial — aquelas que me ajudaram de formas específicas e numerosas à medida que escrevi este livro: Sarah Berry, Ellen Urbani, Margaret Malone, Brian Padian, Laurie Fox, Bridgette Walsh, Chris Lowenstein, Sarah Hart, Garth Stein, Aimee Hurt, Tyler Roadie e Hope Edelman. Tenho orgulho de sua amizade e gentileza. Obrigada ainda a Arthur Rickydoc Flowers, George Saunders, Mary Caponegro e Paulette Bates Alden, cujo aconselhamento inicial e infindável boa vontade significaram muito para mim.

Obrigada à Wilderness Press por publicar os guias que foram e ainda são os textos definitivos para quem vai fazer a Pacific Crest Trail. Sem os autores dos guias, Jeffrey P. Schaffer, Ben Schifrin, Thomas Winnett, Ruby Jenkins e Andy Selters eu ficaria totalmente perdida.

Grande parte das pessoas que conheci na PCT passaram apenas rapidamente pela minha vida, mas fui enriquecida por cada uma delas. Elas me fizeram rir, refletir, continuar por mais um dia e acima de tudo me fizeram acreditar inteiramente na gentileza de estranhos. Sou especialmente agradecida aos meus colegas da PCT de 1995, CJ McClellan, Rick Topinka, Catherine Guthrie e Joshua O'Brien, que responderam às minhas perguntas de maneira atenciosa.

Por fim, eu gostaria de relembrar meu amigo Doug Wisor, a respeito de quem escrevi neste livro. Ele morreu no dia 16 de outubro de 2004, aos 31 anos. Foi um homem bom que cruzou o rio muito cedo.

Miigwech.